HEINZ PETER PÜTZ

KUNST
UND KÜNSTLEREXISTENZ
BEI NIETZSCHE
UND THOMAS MANN

16.80

BONNER ARBEITEN ZUR DEUTSCHEN LITERATUR
HERAUSGEBER: BENNO VON WIESE
BAND 6

KUNST UND KÜNSTLEREXISTENZ BEI NIETZSCHE UND THOMAS MANN

ZUM PROBLEM DES ÄSTHETISCHEN PERSPEKTIVISMUS IN DER MODERNE

VON HEINZ PETER PÜTZ

1963

H. BOUVIER u. CO. VERLAG · BONN

Diese Arbeit
hat der philosophischen Fakultät der Rheinischen Friedrich-Wilhelms-
Universität zu Bonn im Februar 1962 als Dissertation vorgelegen.

INHALT

EINLEITUNG

Die vielfältigen Erkenntnismöglichkeiten der Moderne stehen in lebendigem Wechselspiel mit den neuartigen ästhetischen Formen des 20. Jahrhunderts. Wie sich zu allen Zeiten die Dichter von den Philosophen anregen ließen und von ihnen den „Ideenstoff" für ihre Werke entlehnten, hat die Philologen oftmals beschäftigt und gehört in eine allgemeine Geistesgeschichte. Solange man lediglich sichtbar macht, daß Gestalten der „Buddenbrooks" sich in Schopenhauerschen Gedanken bewegen, oder daß der „Mann ohne Eigenschaften" in seiner Geisteshaltung den Erkenntnissen Nietzsches verpflichtet ist, spricht man immer nur vom literarischen Material. Daß aber darüber hinaus eine geheime Korrespondenz besteht zwischen den Denkmodellen der Reflexion und der Erzähl*technik* des Romanciers, betrifft schon eher den ästhetischen Kern eines Kunstwerks und verdient genauere Beachtung. Wie der moderne Erzähler den Verlauf des Geschehens dirigiert, wie er Naturgegenstände darstellt und die Figuren arrangiert, welche Funktion er dem Symbol und den Motivzusammenhängen zuschreibt — das alles steht in enger Beziehung zu den zeitgenössischen Erkenntnistheorien.

Das Verhältnis von Dichten und Denken erschöpft sich aber nicht in einer ruhigen Entsprechung, in der beide Partner sich an ihren fest umgrenzten Geltungsbereich hielten. Sie durchkreuzen sich vielmehr, und nicht selten ist der Ort dieser Auseinandersetzung das Kunstwerk selbst. Es wird unter anderem eine wesentliche Aufgabe dieser Arbeit sein, an zwei prominenten Beispielen zu zeigen, wie sich Kunst und Erkenntnis berühren und stören, sich ausschließen und dennoch in fruchtbarer Spannung stehen und wie aus dem Wechselspiel von Dichtung und Reflexion eine spezifisch moderne Einschätzung der Kunst und Künstlerexistenz erwächst.

Daß diese Thematik am Werke Nietzsches erprobt werden kann, ist durch seine unbezweifelbare Wirkung auf die nachfolgenden Dichtergenerationen gerechtfertigt. In der systematischen Philosophie hat seine Leistung zwar kaum sichtbare Spuren hinterlassen, und erst in der Existenzphilosophie scheint sie fruchtbare Anregung gegeben zu haben, wie nach der Nietzsche-Interpretation von Karl Jaspers neuerdings das zweibändige Werk von Martin Heidegger zeigt. Unbestritten ist dagegen sein Einfluß auf die Dichtung und Kunsttheorie der Moderne, die bei aller Vielfalt ihrer Erscheinung in ihm ihren gemeinsamen Ursprung sehen kann [1]. Welchen Widerhall sein Werk in der deutschen Literatur finden konnte, soll hier am Beispiel Thomas Manns ausgeführt werden. Das Hauptinteresse gilt dabei den Entsprechungen zwischen den Denkweisen des Philosophen und den Erzählformen des Künstlers. Der erkenntnistheoretische Perspektivismus Nietzsches setzt sich im Bereiche der Dichtung fort als perspektivisches Sehen, Beschreiben und Erzählen; er kehrt wieder als ästhetischer Perspektivismus.

Diese Arbeit beschränkt sich nicht auf die Suche nach belegbaren Entlehnungen, sondern sie verfolgt zugleich ein *systematisches* Interesse an der Beziehung von Leben, Kunst und Erkenntnis. Manches Gemeinsame nämlich, was zunächst auf Einfluß und Abhängigkeit deuten könnte, erweist sich schließlich als Ausdruck einer gleichen geistigen Lage, eines ähnlichen Temperamentes und vor allem der spezifischen Daseinsweise des Künstlers, welche trotz aller Geschichtlichkeit dennoch gewisse beständige Grundzüge über die Zeiten hinweg bewahrt.

---

[1] Die verschiedenartigen Wirkungen Nietzsches hat Herbert Cysarz bereits in seinem Aufsatz: „Friedrich Nietzsche in den Wandlungen der Mit- und Nachwelt" angedeutet (In DVJ 4. Bd. 1926, S. 676—695). Zwischen den extremen Rezeptionsmöglichkeiten im Symbolismus und Naturalismus nehme Stefan George eine vermittelnde Position ein und komme einem eigentlich angemessenen Nietzsche-Verständnis am nächsten.

Bereits 1902 untersucht Hans Landsberg in seinem Buch: Friedrich Nietzsche und die deutsche Literatur, die mannigfachen Wirkungen, die von der enthusiastischen Hochschätzung bis zur gehässigen Polemik reichen. Er selbst kommt zu dem Entscheid, daß Nietzsche ein wertvoller Erzieher der deutschen Jugend sei.

I. KUNST UND KÜNSTLEREXISTENZ
IM WERKE NIETZSCHES

1. DAS GANZE UND DIE PERSPEKTIVEN

Jeder Versuch, das Gesamtwerk Nietzsches als gedankliche Einheit zu deuten, stößt auf die fast unüberwindbare Schwierigkeit der Divergenz seiner Äußerungen über ein und denselben Gegenstand. Die verwirrende Mehrdeutigkeit löst sich auch dann nicht auf, wenn nur seine Erkenntnisse im begrenzten Bereich der Ästhetik betrachtet werden. Schreibt Nietzsche in der „Geburt der Tragödie": „denn nur als *ästhetisches Phänomen* ist das Dasein und die Welt ewig *gerechtfertigt*" [2], dann findet man sich zurückgerufen, wenn es in „Menschliches Allzumenschliches" heißt, daß Religion und Kunst durch ihre Wirkung als „Narkose" die Beseitigung der menschlichen Übel hemmen, indem sie diese „umdeuten" [3]. Neben der enthusiastischen Hochschätzung der Musik und der Dichtung steht immer der Vorwurf, daß die Künstler Schauspieler sind und daß vor allem die Dichter „zuviel lügen". Dieser letzte Vorwurf schlägt noch einmal um, wenn die Lüge schließlich als Funktion des „Willens zur Macht" erklärt und damit positiv bewertet wird. Die Verschiedenartigkeit solcher Urteile überträgt sich jeweils auf die Haltung zu den Großen der Geistesgeschichte. Autoritäten werden bald gestürzt, bald erhoben, bald haßvoll beschimpft. So ergeht es Sokrates, Epikur, Schopenhauer, Wagner — um nur wenige Namen zu nennen. Manche wandeln sich in ihrem von Nietzsche anerkannten „Wert" sogar mehrfach, und nur selten kann ein großer vor dem kritikfreudigen Aphoristiker bestehen, wie es zum Beispiel Goethe, Stifter und in etwa auch der Person Jesu gelingt. Wir werden später noch zu erklären haben, weshalb diese Gestalten Nietzsches Polemik weniger heftig provozieren. Im ganzen jedoch scheint die Mehrdeutigkeit, ja sogar Widersprüchlichkeit in seinen Urteilen über Fragen der Philosophie, Kunst und Wissenschaft sowie über die großen Künstler und Denker derart verwirrend zu sein, daß dem Interpreten jeder Faden entgleitet, bevor er ihn mit einem anderen verknüpft hat. Alle Versuche einer Systematisierung und Rückführung des

[2] Friedrich Nietzsche: Gesammelte Werke. Musarionausgabe 23 Bde. München 1922—1929. Bd. III. GT. S. 46. Im folgenden zitiert mit abgekürztem Titel (vgl. Verzeichnis der Abkürzungen) und entsprechender Bandzahl (= römische Ziffer) und Seitenzahl (= arabische Ziffer)

[3] MA. VIII, 109.

Gesamtwerkes auf einen Grundgedanken oder einen Leitbegriff müssen scheitern. Daher weisen die bedeutenden Interpreten des Nietzscheschen Denkens nachdrücklich und fast übereinstimmend auf die innere Widersprüchlichkeit dieser Philosophie [4] hin.

Dennoch wird man die Möglichkeit erwägen, ob sich die Widersprüche nicht auflösen lassen, indem man sie auf außersystematische Bedingungen zurückführt. Man erklärt sie etwa mit der Pathologie Nietzsches, die keine klare philosophische Konzeption habe aufkommen lassen; aber dieses Argument trifft nicht das Werk selbst und vor allem nicht dessen Wirksamkeit, da es die Widersprüchlichkeit nicht ernst genug nimmt, sondern sie von vornherein als Depravation philosophischen Denkens auffaßt.

Eine andere mögliche Erklärung würde die divergierenden Aussagen Nietzsches verschiedenen Zeitepochen zuordnen und sie damit in eine historische Entwicklungsreihe bringen. In der Tat ließen sich mit dieser Methode manche Widersprüche erklären, indem man das Gesamtwerk in kleinere, zeitlich aufeinanderfolgende Einheiten aufteilte, in deren Umkreis die Urteile über gleiche Phänomene zusammenstimmen. So kann eine immanente Nietzsche-Interpretation, welche die Stufen seiner Entwicklung zu verfolgen hat, grob gesehen, drei Phasen aus dem Gesamtwerk herauslösen: Die erste umfaßt vor allem „Die Geburt der Tragödie" (1872) sowie die „Unzeitgemäßen Betrachtungen" (1873—76), und sie zeigt den jungen Enthusiasten, der ganz in der Nachfolge Schopenhauers und Wagners steht. Seine Kulturkritik richtet sich vornehmlich gegen den „theoretischen Menschen", gegen das Gelehrtentum des 19. Jahrhunderts und gegen die Verarmung des deutschen Geistes, bei dem er Kraft, Lebensfülle und Genialität vermißt. Die zweite Phase beginnt mit „Menschliches Allzumenschliches" (1878) und reicht etwa bis zum „Zarathustra" (1883—85), wenngleich schon die „Fröhliche Wissenschaft" (1882) eine neue Wende ankündigt. In dieser Epoche ist Nietzsche der radikale Skeptiker, der Psycholog und Analytiker. „Intellektuelle Redlichkeit" wird mehrfach als Maßstab philosophischen und wissenschaftlichen Erkennens gefordert, ohne daß dabei Rücksicht auf irgendwelche „Wünschbarkeiten" genommen würde. Der Gelehrte steht über dem Künstler, dessen fragwürdiges Dasein das äußerste Mißtrauen des Psychologen erregt. Die Kunst hat lediglich die Funktion, von der Religion in eine „wirklich befreiende philosophische Wissenschaft" überzuleiten [5]. Die dritte Phase endlich, welche die übrigen Werke umfaßt, überwindet das Wahrheitspathos einer Erkenntnis um jeden Preis. Die großen Themen des „Willens zur Macht", der „Ewigen Wiederkehr des Gleichen", des „Großen Menschen", der „Züchtung" usw. treten in den Vordergrund. Nach dem „Ja" Zarathustras beginnt die Umwertung der Werte, beginnt die große Meta-

---

[4] Vgl. Ernst Bertram, Karl Jaspers, Karl Löwith, Georg Lukacs u. a.
[5] MA. VIII, 44.

physik Nietzsches. Die Kunst wird wieder rehabilitiert, ja sie erhält als eine positive Lebensfunktion eine überragende Stellung. „Die Kunst und nichts als die Kunst! Sie ist die große Ermöglicherin des Lebens, die große Verführerin zum Leben, das große Stimulans des Lebens" [6].

Die eben skizzierten Stufen der Entwicklung erscheinen in den Reden Zarathustras in metaphorischer Verkleidung, wenn dort gleich zu Beginn gesprochen wird: „Drei Verwandlungen nenne ich euch des Geistes: wie der Geist zum Kameele wird, und zum Löwen das Kameel, und zum Kinde zuletzt der Löwe" [7]. Das „Kamecl" ist der geduldige Träger und Bewahrer aller Kulturerscheinungen, deren Werte anerkannt und sorgsam gehütet werden. Dann aber nimmt der „tragsame Geist" das „Schwerste" auf sich und geht mit ihm in die Wüste. Dort wird er zum reißenden Löwen, der jedes „Du sollst", jeden Wert zerstört. „Neue Werte schaffen — das vermag auch der Löwe noch nicht: aber Freiheit sich schaffen zu neuem Schaffen — das vermag die Macht des Löwen" [8]. Analyse und Destruktion sind die einzigen Vermögen der mittleren Phase, aber sie bereiten durch ihre Negationen den Boden für neue Möglichkeiten, die auf der dritten Stufe das Kind ergreift. In ihm vollendet sich eine Art höherer und fruchtbarer Naivität. „Unschuld ist das Kind und Vergessen, ein Neubeginnen, ein Spiel, ein aus sich rollendes Rad, eine erste Bewegung, ein heiliges Ja-sagen" [9].

Eine systematische Interpretation würde auf eine solche Bewegung in Nietzsches Wandlungen Rücksicht nehmen müssen. Dennoch wird die Phaseneinteilung den verschiedenen Urteilen nicht in allen Punkten gerecht. So macht sich die Skepsis gegen den Künstler noch in „Jenseits von Gut und Böse" [10] (1886) bemerkbar, in einer Schrift also, die nach der oberen schematischen Gliederung schon in die dritte Phase gehörte. Analog dazu findet in der Schrift „Zur Genealogie der Moral" (1887) ein an dieser Stelle unerwartetes Wahrheitspathos Platz, welches man seit der „Fröhlichen Wissenschaft" (1002) kaum mehr vernommen hatte. Nietzsche hält es für groß, „der Wahrheit alle Wünschbarkeit zu opfern, *jeder* Wahrheit, sogar der schlichten, herben, hässlichen, widrigen, unchristlichen, unmoralischen Wahrheit ... Denn es giebt solche Wahrheiten" [11]. Am besten ließe sich an der Bewertung der Dekadenz die Schwierigkeit einer Epocheneinteilung nachweisen, was jedoch hier noch zurückgestellt werden muß.

Abgesehen von den immanenten Schwierigkeiten für eine historische Gliederung des Gesamtwerkes, kann eine solche für unsere Untersuchung der geistesgeschichtlichen Wirkung nicht förderlich sein. Vergegenwärtigen wir uns vorläufig den Einfluß Nietzsches etwa auf das Werk Thomas Manns, so dürfen wir mit Sicherheit annehmen, daß dieser den Schriften des Denkers nicht mit dem kühlen Blick des Philosophiehistorikers entgegentrat. Er

---

[6] WM. XIX, 252
[7] Z. XIII, 25.
[8] Z. XIII, 26.

[9] Z. XIII, 27.
[10] Vgl. J. XV, 79 f.
[11] GM. XV, 282.

wurde vielmehr gerade von der Zwiespältigkeit der Person und der Widersprüchlichkeit des ganzen Werkes betroffen. Die eminente Hochschätzung der Kunst einerseits und die Skepsis gegen die Existenz des Künstlers andererseits waren ihm gleicherweise gegenwärtig, ohne daß er jede dieser Äußerungen verschiedenen Entwicklungsphasen säuberlich zugeordnet hätte. Für ihn lagen beide Positionen in einer Problemebene; die eine erhellte und relativierte die andere. Die erste Erkenntnis hatte nicht weniger Relevanz als die zweite, nur weil sie zeitlich früher oder später bei Nietzsche registriert worden wäre. Nur so konnte er sich dem Problembewußtsein des bewunderten Philosophen nähern, gerechter jedenfalls als jene Nachfolger, welche sich aus dem Gewebe von Widersprüchen einzelne Momente nach einer bestimmten Ökonomie auswählten und daraus ein System verfertigten. Daher ist uns vom Thema vorgeschrieben, daß wir die Gegensätzlichkeit und Widersprüchlichkeit in vollem Maße ernst nehmen und sie nicht durch eine entwicklungsgemäße Phaseneinteilung auflösen und umgehen.

Immer noch stehen wir beim Problem der divergierenden Aussagen, und weder die Pathologie Nietzsches, noch die Genese seines Werkes haben unsere Frage beantworten können. Es bietet sich noch eine dritte Möglichkeit an, die Widersprüchlichkeit zu erklären, indem diese selbst als antinomisches Prinzip zur leitenden Denkmethode erhoben wird. Das Verhältnis von „dionysisch" und „apollinisch", von „ewiger Wiederkehr des Gleichen" und „Willen zur Macht" scheint jeweils ein antithetisches zu sein, so daß ein Moment nach dem Satz des Widerspruchs das andere ausschließen müßte oder daß beide in einem Dritten zur Synthese vereint würden. In der „Geburt der Tragödie" sieht Nietzsche eine solche Synthese des Apollinischen und Dionysischen im Musikdrama Wagners verwirklicht. Bald wird dieser Glaube aufgegeben, ohne daß jedoch die beiden Kunstelemente ihre Bedeutung verlieren. Sie wirken fort, befruchten sich gegenseitig und werden nicht dialektisch in einem begrifflich Höheren aufgehoben. Beide Momente stehen vielmehr von Anfang an nicht in einem Gegensatz, in dem eines durch das andere logisch ausgeschlossen würde. „Die Fortentwicklung der Kunst" ist an die „Duplicität des *Apollinischen* und des *Dionysischen* gebunden"[12]. Eine ähnliche Bedeutung erhält der Widerspruch in der „Götzendämmerung": „Man ist nur *fruchtbar* um den Preis, an Gegensätzen reich zu sein; man bleibt nur *jung* unter der Voraussetzung, daß die Seele nicht sich streckt, nicht nach Frieden begehrt . . ."[13].

Demgegenüber gibt es eine ganze Reihe von Belegen, welche sich gegen Sinn und Bedeutung der Widersprüche richten. Nur einige, besonders massive Einwände sollen hier zur Sprache kommen. „Die Antithese ist die enge Pforte, durch welche sich am liebsten der Irrthum zur Wahrheit

[12] GT. III, 21.
[13] G. XVII, 79.

4

schleicht"[14], oder: „Es giebt keine Gegensätze: nur von denen der Logik her haben wir den Begriff des Gegensatzes — und von da aus fälschlich in die Dinge übertragen"[15]. Damit wird es uns unmöglich gemacht, eine antithetische oder dialektische Denkmethode von vornherein als Grundprinzip des Nietzscheschen Philosophierens anzunehmen; denn sogar dem Prinzip der Widersprüchlichkeit wird nun widersprochen. Der Interpretation der Antithese als eines zum fruchtbaren Werden notwendigen Momentes steht die entschiedene Ablehnung des Gegensatzes als einer sophistischen Spiegelfechterei und eines bloßen Gemächtes menschlicher Scheinlogik gegenüber. Die Divergenzen häufen sich und scheinen sich bis zur völligen Sinnauflösung zu überschlagen.

Trotz aller Mannigfaltigkeit und Widersprüchlichkeit im Werke Nietzsches ist — wie Karl Schlechta im Nachwort zu seiner Ausgabe bemerkt — „eine merkwürdige Monotonie in der Gesamtaussage"[16] nicht zu übersehen. Sie ist zum Teil durch die Ähnlichkeit der behandelten Themen begründet. Die gleichen Phänomene werden in immer wiederkehrenden oder auch nur wenig abgewandelten Formulierungen stetig umkreist, ohne daß in einem systematischen Zusammenhang logisch nachprüfbare Erkenntnisfortschritte gewonnen würden. Besonders in den späteren Werken zitiert Nietzsche häufig ganze Passagen aus seinen früheren Schriften. Er schreibt zwar am 30. März 1881 an Peter Gast: „Denn mit dem Gedächtniß ist es nichts, ich habe z. B. den Inhalt meiner früheren Schriften fast vergessen, und finde dies sehr angenehm, viel besser jedenfalls als wenn man alles früher Gedachte immer vor sich hätte und sich mit ihm auseinandersetzen müsste ... Genug: wenn ich meine eignen Schriften sehe, so ist es mir als ob ich alte Reiseabenteuer hörte, die ich vergessen hätte"[17]. Dennoch zeigen „Ecce homo" und die Vorrede zu der Schrift „Zur Genealogie der Moral", daß Nietzsche bestrebt ist, seine Werke als eine Einheit gedeutet zu wissen, denn er hofft, daß alle seine Gedanken „aus einer gemeinsamen Wurzel heraus, aus einem in der Tiefe gebietenden, immer bestimmter redenden, immer Bestimmteres verlangenden *Grundwillen* der Erkenntniss"[18] stammt. In „Ecce homo" bekennt er: „Es ist meine Klugheit, Vieles und vielerorts gewesen zu sein, um Eins werden zu können, um zu Einem kommen zu kön-

---

[14] MA. VIII, 171.

[15] W. M. XIX, 53.

[16] Friedrich Nietzsche: Werke in drei Bänden. Hrsg. von Karl Schlechta. München 1956. 3. Bd. S. 1435. Obwohl die Nietzsche-Philologie in dieser Edition gegenüber der Musarionausgabe erhebliche Fortschritte erzielt hat, kann sie nicht als Textgrundlage für unsere Arbeit dienen. Einmal ist die Leistung Schlechtas nicht unangefochten, zum anderen erfordert der wirkungsgeschichtliche Aspekt unserer Untersuchung eine Textgestalt, die auch schon Thomas Mann zugänglich war.

[17] Friedrich Nietzsches Briefe an Peter Gast. S. 54.

[18] GM. XV, 270.

nen — Ich *musste* eine Zeit lang auch Gelehrter sein"[19]. — Die Mehrdeutigkeit hat in der „Monotonie" als Ausdruck eines gewissen Einheitsstrebens
ihren Widerpart gefunden, und die Antithese kann nicht mehr eindeutig
als Grundprinzip des Gesamtwerkes angesetzt werden. „Wenn irgend Etwas
unsre *Vermenschlichung,* einen wahren thatsächlichen *Fortschritt* bedeutet,
so ist es, daß wir keine excessiven Gegensätze, überhaupt keine Gegensätze mehr brauchen..."[20]. Hier wird die Beseitigung der Antithesen an
einen geschichtlichen Prozeß geknüpft, der entweder zur Zeit Nietzsches
schon zum Ziele gelangt ist oder der sich erst in Zukunft erfüllen wird. In
jedem Falle liegt der obigen Aussage eine ideale, um nicht zu sagen uto-
pische Vorstellung zugrunde; denn faktisch braucht Nietzsche die Gegensätze sehr wohl, wie sein gesamtes Werk zeigt. Deren Beseitigung und die
Erreichung eines widerspruchslosen Ganzen erweisen sich als reine Desi-
derate, welchen wir jedoch für das Denken Nietzsches größte Bedeutung
beimessen möchten.

Damit werden die Fragen nach der Einheit und Ganzheit thematisch, denen
wir uns im folgenden zuwenden wollen[21]. Schon die Kulturkritik der frühen
Schriften, insbesondere der „Unzeitgemässen Betrachtungen" richtet sich
gegen die Aufsplitterung der wissenschaftlichen Disziplinen, gegen die Ar-
beitsteilung[22] und gegen den Mangel einer geistigen Einheit Deutschlands,
der mit der damaligen politischen Neubegründung in einem seltsamen Kontrast stand. Die Einzelwissenschaften sollen getragen sein von einer „philosophischen Weltanschauung, in der alles Einzelne und Vereinzelte als etwas
Verwerfliches verdampft und nur das Ganze und Einheitliche bestehen
bleibt"[23]. Den Künstlern bleibt als letzte und höchste Aufgabe die „Darstellung des Gleichbleibenden, in sich Ruhenden, Hohen, Einfachen, vom
Einzelreiz weit Absehenden... Der Darstellung des *letzten* Menschen, das
heisst des einfachsten und zugleich vollsten, war bis jetzt kein Künstler ge-
wachsen"[24]. Die Forderung nach Simplizität und Totalität geht bei Nietzsche
stets neben dem Genuß am Modernen, Raffiniert-Virtuosen und Partikulären
einher. Wir werden sehen, daß hier selbst ein moderner décadent nach der
großen Einfachheit strebt, was z. T. in dem humanistisch-philologischen
Charakter seiner frühen wissenschaftlichen Tätigkeit begründet sein mag.
Vorher geht die Einsicht, daß die Einheitsstruktur des Seienden höchst fragwürdig geworden ist. So schreibt Nietzsche im Winter 1882/83 an Erwin
Rohde: „Wir müssen *uns* in etwas *Ganzes* hineinlegen, sonst macht das Viele

---

[19] EH. XXI, 235.
[20] WM. XVIII, 87.
[21] Anmerkung: Auf die gemeinsamen „tieferliegenden Triebfedern" des Nietzscheschen Denkens hat vor allem Nicolai von Bubnoff hingewiesen. (Friedrich
Nietzsches Kulturphilosophie und Umwertungslehre S. 14).
[22] Vgl. UB. VI, 290.
[23] H. II, 24 f.
[24] MA. IX, 93.

6

aus uns ein Vieles"[25]. Er weiß, daß alles Einheitliche im Bewußtsein schon „ungeheuer kompliziert" ist; „wir haben immer nur einen *Anschein von Einheit*"[26]. Dem Faktum der ungeordneten Vielheit steht der theoretische Mensch recht ratlos gegenüber. Der Schaffende dagegen vermag das Fragmentarische zu einer Einheit zusammenzuzwingen und dem Chaos Form zu geben. „Und das ist all mein Dichten und Trachten, dass ich in Eins dichte und zusammentrage, was Bruchstück ist und Räthsel und grauser Zufall. Und wie ertrüge ich es, Mensch zu sein, wenn der Mensch nicht auch Dichter und Räthselrather und Erlöser des Zufalls wäre? *Die Vergangenen zu erlösen* und alles ‚Es war' umzuschaffen in ein ‚So wollte ich es?' — das hiesse mir erst Erlösung"[27], so zitiert Nietzsche in „Ecce homo" Zarathustra und identifiziert sich mit dessen Worten.

Nicht nur der Charakter des Werkes selbst, sondern auch Nietzsches Selbstverständnis dürften gezeigt haben, wie unzulänglich eine Interpretation auf die antinomische Denkstruktur hin sein muß, wenn sie die Bedeutung des Ganzen und der Einheit übersieht. Daß die Relevanz eines umfassenden und geordneten Ganzen bezweifelbar ist, wird in fast jedem Gedanken deutlich; aber ein gewisser Zug zur systematischen Einheit scheint stets durch die Vielfalt der Aussagen hindurch. Was aber ist dieses einheitliche Ganze? Worauf werden Phänomene der Kunst, Moral, Philosophie, Wissenschaft usw. bezogen? Die Antwort scheint terminologisch einfach zu sein: das *Leben* ist der Grund, der alles Seiende umgreift und bedingt. Die Nietzscheliteratur ist reich an Klagen über die Unbestimmtheit dieses Begriffes, wenn es sich überhaupt um einen Begriff und nicht vielmehr um eine Art Metapher oder sogar Chiffre handelt. Es erübrigt sich, den Terminus „Leben" inhaltlich zu beschreiben. Fragen wir Nietzsche selbst, dann hören wir „Meine Formel dafür lautet: Leben ist Wille zur Macht"[28]. Dies ist in der Tat eine Bestimmung des Lebens, welche dieses jedoch gleichzeitig in seiner Unmittelbarkeit stört, da dem „Willen zur Macht" die „ewige Wiederkehr des Gleichen" entgegentritt. Karl Löwith stellt in seinem Buch „Nietzsches Philosophie der ewigen Wiederkehr des Gleichen" die Antinomie dieser beiden Grundgedanken in den Mittelpunkt seiner Interpretation. Wie kann der Mensch über sich hinaus wollen, d. h. seine Macht steigern, wenn das Fatum den ehernen Ablauf alles Seienden mit Notwendigkeit bestimmt?[29]. Es ergibt sich demnach, daß eine Bestimmung des einheitlichen Ganzen, d. h. jede Aussage über das „Leben", die Totalität dieses Prinzips aufreißt und sie dem Widerspruch zugänglich macht; denn das Ganze bestimmen heißt: dasselbe spezifizieren, einengen und seiner Universalität berauben.

[25] F. Nietzsches Briefwechsel mit Erwin Rohde. S. 408.
[26] WM. XIX, 17.   [27] EH. XXI, 261.   [28] WM. XVIII, 189.
[29] Vgl. Karl Löwith: Nietzsches Philosophie der ewigen Wiederkehr des Gleichen. Stuttgart 1956, 2. Aufl. S. 92.

Die Aussagbarkeit des Wesentlichen wird schon durch die Unzulänglichkeit der Sprache vereitelt. „Jedes Wort ist ein Vorurtheil"[30]; „die *Worte liegen uns im Wege*"[31]. Die sprachlich-begriffliche Fixierung eines Sachverhaltes erfaßt diesen nicht total, sondern verstellt das Ganze, weil sie dazu verführt, beim Partikulären beruhigt auszuharren. „Die Forderung einer *adäquaten Ausdrucksweise ist unsinnig, es* liegt im Wesen einer Sprache, eines Ausdrucksmittels, eine bloße *Relation auszudrücken*...[32]. Jede Zuordnung von Sinn, d. h. jede Aussage hat nur Geltung, wenn sie auf einen Teilaspekt bezogen wird. „Ist nicht nothwendig Sinn eben *Beziehungs*-Sinn und Perspektive?"[33]. Damit ist der Begriff genannt, von dem her sich am ehesten die Methode des Nietzscheschen Denkens charakterisieren läßt. Das Bestreben, das Totum eines intendierten Phänomens zu begreifen, scheitert und wird zurückgeworfen auf relative Einzelaussagen, die als solche jeweils von anderen her anfechtbar werden. Durch Wechsel des Standpunktes erscheint das Phänomen in stets neuen Abschattungen, die untereinander durchaus im Verhältnis des Widerspruches stehen können. Eine solche perspektivische Betrachtungsweise relativiert zunächst die Einzelurteile, bewahrt sie jedoch zugleich vor einseitiger Verfestigung und hält den Blick frei für das intendierte Ganze. Dieses wird in seiner Totalität faktisch nicht erreicht, aber es bleibt offene Möglichkeit. In der perspektivischen Betrachtung tastet sich der Fragende möglichst nahe an das Totum heran, ohne es vollständig zu erfassen. Die „Monotonie" des Nietzscheschen Werkes ist somit die Folge dauernder Wandlungen und stetigen Kreisens um ein einheitliches Ganzes, in welches dem Menschen der Einlaß verwehrt ist; denn die Natur „warf den Schlüssel weg"[34]. „Das Uebersehen des Individuellen und Wirklichen giebt uns den Begriff, wie es uns auch die Form giebt, wohingegen die Natur keine Formen und Begriffe, also auch keine Gattungen kennt, sondern nur ein für uns unzugängliches und undefinirbares X. Denn auch unser Gegensatz von Individuum und Gattung ist anthropomorphisch und entstammt nicht dem Wesen der Dinge, wenn wir auch nicht zu sagen wagen, daß er ihm nicht entspricht: das wäre nämlich eine dogmatische Behauptung und als solche ebenso unerweislich wie ihr Gegentheil"[35]. Die Vereinzelung einer Perspektive zur universalen These führt zum Ideal und damit zu einem lebensfeindlichen Prinzip, „denn alles Leben ruht auf Schein, Kunst, Täuschung, Optik, Nothwendigkeit des Perspektivischen und des Irrthums"[36]. Im Horizont des Perspektivismus gewinnen Gegensätze und Widersprüchlichkeit einen neuen Sinn. Die verschiedenen Hinsichten auf ein befragtes Phänomen werden niemals vollzählig zur Geltung gelangen können. Daher setzt die perspektivische Be-

[30] MA. IX, 221.
[31] M. X, 49.
[32] WM. XIX, 99.
[33] WM. XIX, 85.

[34] WL. VI, 77.
[35] WL. VI, 81.
[36] GT. III, 11.

trachtung zunächst die Extreme fest, wodurch der Anschein einer antinomischen Gedankenführung erweckt wird. Tatsächlich jedoch fungieren die Gegensätze als Pole, die das Totum eingrenzen sollen, und zwischen denen viele andere Perspektiven möglich sind. Da die Antithese das denkbar Weiteste umfaßt, ist sie am besten geeignet, die Mannigfaltigkeit der Hinsichten nach außen abzustecken. Die Pole sind daher keine absoluten Gegensätze, sondern eher extreme Korrelate, die auf eine — wenn auch nicht fixierbare — Ganzheit bezogen bleiben. Die Widersprüche haben nicht nur eine auflösende und relativierende Funktion, sondern sie sind notwendig für den Perspektivismus, der zu einem positiven Erkenntnis- und Darstellungsmittel wird. Mag diese Ganzheit als Desiderat mit „Leben" oder mit anderen Termini bezeichnet werden, sie enthält jedenfalls die große *Metaphysik* Nietzsches; seine *Methode* ist durch den Perspektivismus bestimmt. Beide Momente gehören notwendig zusammen, ohne daß sie allerdings im Letzten zu einer benennbaren Einheit zusammenwachsen.

Der Perspektivismus wird für unsere Untersuchung um so bedeutsamer, als Nietzsche ihm im künstlerischen Schaffen eine besondere Bedeutung beimißt. Gerade die Künstler verstehen es, die Dinge so zu betrachten, „daß sie sich theilweise verstellen und nur perspectivische Durchblicke gestatten" [37]. „Die Erklärer von Dichtern missverstehen, daß der Dichter *Beides* hat, die Realität *und* die Symbolik. Ebenso den ersten und den zweiten Sinn eines *Ganzen*. Ebenso *Lust* an dem Schillernden, Zwei-, Dreideutigen, *auch die Kehrseite ist gut*" [38]. An anderer Stelle dagegen sieht Nietzsche in der wechselnden Optik bei Wagner und V. Hugo „*Mangel an Grösse*" [39]. Die Notwendigkeit, vor der Kunst in jedem Augenblick die Stellung zu wechseln, sei ein „*Ausdruck physiologischer Degenerescenz*" [40]. Das Gleiten zwischen den Standorten verhelfe dem Einzelnen zu übertriebener Bedeutung und zerstöre die Ganzheit. „Das Ganze lebt überhaupt nicht mehr: es ist zusammengesetzt, gerechnet, künstlich, ein Artefakt" [41]. Die Charakterisierung der Wagnerschen Kunst ließe sich jedoch Wort für Wort auf Nietzsches Werk selbst übertragen, ohne daß man die peiorative Bewertung mitübernehmen müßte. „Ich bin so gut wie Wagner, das Kind dieser Zeit, will sagen ein *décadent:* nur dass ich das begriff, nur dass ich mich dagegen wehrte" [42]. Der wechselnden Perspektive werden Größe und Ganzheit gegenübergestellt. Aber auch hier handelt es sich lediglich um verschiedene Blickrichtungen, die für Nietzsche in korrelativem Verhältnis stehen.

Die Rückführung moralischer und künstlerischer Phänomene auf einen Lebensgrund bleibt nicht eindeutig, da das tatsächliche Leben in zweifacher Form begriffen wird: einmal als geschwächtes, degeneriertes und zum anderen als starkes, überströmendes Leben. Diese beiden Formen geben den

---

[37] FW. XII, 219.
[38] K. XVII, 344.
[39] WM. XIX, 231.

[40] F. XVII, 21.
[41] F. XVII, 22.
[42] F. XVII, 3.

Maßstab her für die Beurteilung von Kunstphänomenen. Was daher in der Perspektive des dekadenten Lebens als gekonnt, raffiniert, virtuos erscheint, kann, gemessen an der gesunden Lebensfülle, bis zur völligen Wertlosigkeit herabsinken. Trotz, oder vielleicht wegen des Bewußtseins der eigenen Degenereszenz besteht die Sehnsucht nach Stärke und Gesundheit als letzte Wünschbarkeit. „Abgerechnet nämlich, daß ich ein décadent bin, bin ich auch dessen Gegensatz" [43]. Gegen die eigene Krankheit — die stets stellvertretend für die der Modernität überhaupt ist — wird die „grosse Gesundheit" notwendig, „eine solche, welche man nicht nur hat, sondern auch beständig noch erwirbt und erwerben muss, weil man sie immer wieder preisgiebt, preisgeben muss!" [44] Wie dem Faktum des Perspektivischen und Widersprüchlichen die Ganzheit als Desiderat entgegensteht und zugleich korrespondiert, so verhält sich ebenso die tatsächliche Dekadenz zur ersehnten Lebensstärke. „Meine Schwermuth will in den Verstecken und Abgründen der *Vollkommenheit* ausruhn: dazu brauche ich Musik. Aber Wagner macht krank" [45]. Die eigentliche Modernität besteht demnach nicht allein in der Widersprüchlichkeit und Destruktion der Welt, sondern ebenso sehr in dem Bewußtsein einer verlorenen Ganzheit und in der Sehnsucht nach einer neuen Gesundheit. Die Diskrepanz von Tatsächlichkeit und Desiderat mag letztlich eine wirkliche Antinomie bedeuten, die nicht mehr von einem einheitlichen Ganzen umfaßt werden kann. „Den ganzen Umkreis der modernen Seele umlaufen, in jedem ihrer Winkel gesessen zu haben — mein Ehrgeiz, meine Tortur und mein Glück. Wirklich den Pessimismus *überwinden* —; ein Goethischer Blick voll Liebe und gutem Willen als Resultat" [46].

2. DER URSPRUNG DER KUNST

Nietzsches Bemühen um eine *einheitliche* Ästhetik lernen wir vornehmlich in den Briefen an seine Freunde kennen. Am 7. Oktober 1869 schreibt er an Erwin Rohde, daß in ihm „eine ganze Fülle von ästhetischen Problemen und Antworten seit den letzten Jahren" [47] gäre. An Peter Gast ist das Bekenntnis vom 19. April 1887 gerichtet: „Die ganze Stellung der Kunst ist mir zum Problem geworden" [48], nachdem an denselben Adressaten schon am 19. November 1886 die Dringlichkeit einer Ästhetik betont worden war: „Bemerken Sie doch, wie deroutirt Alles heute in ästheticis ist: ein *strenges* Bekenntnis wird heute nicht nur gehört, sondern mit Begierde, mit Dankbarkeit gehört ... Ein antiromantisches Bekenntniß über Musik thut

[43] EH. XXI, 177.
[44] FW. XII, 326.
[45] NW. XVII, 279.
[46] WM. XIX, 352.
[47] F. Nietzsches Briefwechsel mit E. Rohde. S. 126.
[48] F. Nietzsches Briefwechsel mit P. Gast. S. 218.

noth"[49]. Nietzsche wendet sich scharf gegen die Verwendung der Kunst für moralische und völkische Ziele. Stattdessen fordert er „Kunst für Künstler, etwas *göttliche Indifferenz,* etwas unerlaubte *Heiterkeit* auf Kosten aller ‚wichtigen' Dinge: Kunst als Überlegenheitsgefühl und ‚Berg' gegenüber der Niederung von Politik, Bismarck, Socialismus und Christentum u.s.w., u.s.w."[50]. Wollte man aus diesen Worten voreilig eine Kunstauffassung des extremen „l'art pour l'art" ableiten, so ginge man in die Irre, wie später noch zu zeigen ist. Der Wille zu einer strengen und verbindlichen Ästhetik erfordert zuerst die Befreiung der Kunst aus falschen Mittelsfunktionen, damit ihre Bestimmung nicht von außerkünstlerischen Forderungen beeinflußt wird. Wie aber steht es um die einheitliche Ästhetik, welche Nietzsche in seinen Briefen so leidenschaftlich fordert? Es fehlt in seinem Werke nicht nur eine systematisch ausgearbeitete Kunstphilosophie, sondern sogar eine einheitliche Auffassung vom Wert und Wesen der Kunst. Die Verbindlichkeit einer Ästhetik bleibt also wiederum reines Desiderat, welches zu der tatsächlichen Ausführung kontrastiert, zugleich aber diese auch bestimmt. Die radikale Frage nach dem Wesen der Kunst und ihre Loslösung von allen Idealen und Wünschbarkeiten bewirken nämlich die Unmöglichkeit einer systematischen Fixierung der Kunst, weil die Bezugspunkte fehlen. Wäre das Desiderat weniger anspruchsvoll, sähe man die Kunst im Zusammenhang mit anderen Kulturphänomenen, dann ließe sich eine Ästhetik noch am ehesten erarbeiten. So aber zerstören die Verselbständigung der Kunst und das Bestreben, sie als Ganzes zu begreifen, jeden systematischen Bezug. Dadurch entsteht die eigentümliche Lage des Nietzscheschen Denkens, welches der Kunst das Höchste zumutet und sie eben dadurch gefährdet, weil es auf einen Begründungszusammenhang verzichtet. Daher wird die Kunst unter verschiedenen Hinsichten zu betrachten und von manchen Blickpunkten aus sogar in ihrem Werte zu relativieren sein.

Zur Verdeutlichung des kunsttheoretischen Anliegens Nietzsches werfen wir kurz einen Blick auf die Ästhetik Hegels, damit wir an der Andersartigkeit das Spezifische schärfer erfassen. Im Gegensatz zu Nietzsche sieht Hegel die Kunst in ein begriffliches System eingeordnet. „Für uns ist der Begriff des Schönen und der Kunst eine durch das System der Philosophie gegebene Voraussetzung"[51]. Da das System sich in Gestalten des Geistes aufbaut, bleibt bezeichnenderweise der ganze Bereich des Naturschönen ausgespart; denn „der Geist erst ist das *Wahrhaftige,* alles in sich Befassende, so daß alles Schöne nur wahrhaft schön ist, als dieses Höheren teilhaftig und durch dasselbe erzeugt"[52]. Im System des Geistes erhält somit die Kunst eine

[49] a. a. O. S. 203.
[50] a. a. O.
[51] G. W. Friedrich Hegel: Ästhetik. Hrsg. von Friedrich Bassenge. Berlin 1955, S. 70.
[52] a. a. O. S. 50.

untergeordnete, aber gerade dadurch bestimmbare und berechtigte Stellung. Sie ist dazu aufgerufen, zwischen Geist und Natur zu vermitteln, sie hat die Aufgabe, die „Wahrheit in Form der sinnlichen Kunstgestaltung zu enthüllen" [53]. Vor ihr rangieren die Religion und vor allem die Philosophie, weil diese nach Hegel allein zur absoluten Idee vorstößt, in der alles Sinnliche und Naturhafte aufgehoben ist, während die Kunst stets auf jene niedrigeren, weil unwahren Elemente angewiesen bleibt. Fassen wir die daraus entstehende Konsequenz pointiert, dann hat die Kunst im Letzten nur Bedeutung, insofern sie Gegenstand philosophischen Begreifens werden kann. „Die Kunst ladet uns zur denkenden Betrachtung ein, und zwar nicht zu dem Zwecke, Kunst wieder hervorzurufen, sondern was die Kunst sei, wissenschaftlich zu erkennen" [54]. Während für Hegel die Frage bedeutsam ist, was die Kunst im System des Geistes leistet, welchen Platz sie einnimmt, in welchen Relationen sie zu anderen Phänomenen des Geistes steht usw., muß Nietzsche auf jeden dieser Bezugspunkte verzichten. Er kann sich niemals mit einer Phänomenologie der Kunst begnügen, weil ihm das System, in welches sie einzuordnen wäre und in dem sie Funktionen zu erfüllen hätte, fehlt. Seine Frage nach der Seinsweise der Kunst stößt daher ins Leere, wird immer wieder zurückgenommen, neu gestellt und anders beantwortet. Der Wille, einerseits die Systematik des Idealismus zu überwinden, andererseits aber nicht bei einer bloßen Beschreibung von Kunstphänomenen stehen zu bleiben, führt ihn zur Suche nach einem Ursprung der Kunst und damit zu einer „Artisten-Metaphysik" [55]. Für Hegel war der Ursprung der Kunst wenig problematisch gewesen, war er doch „eine durch das System der Philosophie gegebene Voraussetzung" [56]. Nietzsche dagegen beginnt in seinem Denken mit dieser Ursprungsfrage der Kunst und entwirft von ihr her eine neue Metaphysik, in der aus diesem Grunde bis zum „Willen zur Macht" der Kunst eine ausgezeichnete Bedeutung zukommt, ohne daß die Gesamtaussage in einem Ästhetizismus gipfelt. „Eine antimetaphysische Weltbetrachtung — ja, aber eine artistische" [57].

a) Das Apollinische und das Dionysische

In der Vorrede zur „Geburt der Tragödie" interpretiert Nietzsche selbst sein Frühwerk von seinem späteren Bestreben her, bei der Deutung des Lebens einen Standpunkt „jenseits von Gut und Böse" zu erreichen. Die Religion, die Moral und philosophische Dialektik sollten hier schon entmächtigt

[53] a. a. O. S. 96.
[54] a. a. O. S. 58.
[55] GT. III, 5.
[56] G. W. Friedrich Hegel: Ästhetik. Hrsg. von Friedrich Bassenge. Berlin 1955, S. 70.
[57] WM. XIX, 359.

12

werden, damit sie als alleinige Prinzipien bei einer Sinngebung des Daseins ausgeschlossen würden; denn nur ohne sie sei die Fülle und Ganzheit des Lebens zu erhalten. Daher wird eine Kunstmetaphysik entwickelt, in der ein Gott, der gut und böse, wollend und verneinend zugleich ist, sich „vom *Leiden* der in ihm gedrängten Gegensätze löst" [58]. Die Welt ist die „erreichte Erlösung" [59] dieses Künstlergottes. Die „Geburt der Tragödie" beginnt mit den Worten: „dass viel für die ästhetische Wissenschaft gewonnen" sei, wenn man die Bedeutung des Apollinischen und Dionysischen erkannt habe [60]; aber diese Kunstelemente haben eine zu große Bedeutung, als daß sie auf die „ästhetische Wissenschaft" eingeschränkt werden könnten. Sie werden zwar an der Entwicklung des griechischen Geistes aufgezeigt, aber beide Begriffe haben metaphysischen, weniger kunsthistorischen Sinngehalt, weshalb die empirischen Einwände der Philologen gegen die Schrift Nietzsches am Wesentlichen vorbeigehen. Das Dionysische und Apollinische sind nicht bloße ästhetische Schemata, denen einmal Musik, Tanz usw., zum anderen Epos, bildende Kunst usw. entsprächen, sondern sie sind als unmittelbare Mächte der Natur wirksam und äußern sich als Rausch und Gestaltung, als mythische Gemeinsamkeit und Individuation. Die beiden Elemente werden als „Kunsttriebe der Natur" [61] bezeichnet, denen gegenüber die Künstler „Nachahmer" [62] seien. Das Phänomen des Ästhetischen, im engeren Sinne als Werkkunst verstanden, wird hier auf einen tieferen Ursprung zurückgeführt, der mehr umfaßt als das Künstlerische in der herkömmlichen Bedeutung. Die Kunst in ihren beiden Grundtrieben verweist auf ein Ganzes, welches hier „Natur", später „Leben" genannt wird, welches aber niemals als Ganzes, sondern nur partiell in Erscheinung tritt.

Als Ausgangspunkt für eine abschließende Charakterisierung des Apollinischen und Dionysischen führen wir einen längeren Beleg aus dem „Willen zur Macht" an: „Mit dem Wort ,dionysisch' ist ausgedrückt: ein Drang zur Einheit, ein Hinausgreifen über Person, Alltag, Gesellschaft, Realität, über den Abgrund des Vergehens: das leidenschaftlich-schmerzliche Ueberschwellen in dunklere, vollere, schwebendere Zustände; ein verzücktes Jasagen zum Gesammt-Charakter des Lebens, als dem in allem Wechsel Gleichen, Gleich- -Mächtigen, Gleich-Seligen; die grosse pantheistische Mitfreudigkeit und Mitleidigkeit, welche auch die furchtbarsten und fragwürdigsten Eigenschaften des Lebens gutheisst und heiligt; der ewige Wille zur Zeugung, zur Fruchtbarkeit, zur Wiederkehr; das Einheitsgefühl der Nothwendigkeit des Schaffens und Vernichtens. Mit dem Wort ,apollinisch' ist ausgedrückt: der Drang zum vollkommenen Für-sich-sein, zum typischen ,Individuum', zu Allem was vereinfacht, heraushebt, stark, deutlich, unzweideutig, typisch macht: die Freiheit unter dem Gesetz. An dem Antagonismus dieser beiden Natur-

---

[58] GT. III, 10.
[59] a. a. O.
[60] a. a. O. 21.

[62] a. a. O.
[61] GT. III, 27.

Kunstgewalten ist die Fortentwicklung der Kunst ebenso nothwendig geknüpft, als die Fortentwicklung der Menschheit an den Antagonismus der Geschlechter. Die Fülle der Macht und die Mässigung, die höchste Form der Selbstbejahung in einer kühlen, vornehmen, spröden Schönheit" [63]. Beide Elemente lassen die Intention zur Einheit erkennen, die aber jeweils grundverschiedenen Charakter trägt. Das *Dionysische* drängt zu einer Universalität, die alle Extreme umfaßt und alle Grenzen überspielt. Bereits die Aussageform der obigen Bestimmung läßt den Einheitscharakter erkennen, der die Gegensätze umgreift. Das Dionysische umschließt in sich Schmerz-Verzücken, Wechsel-Gleichheit, Mitfreudigkeit-Mitleidigkeit, Schaffen-Vernichten. Durch die Fixierung der Extreme und deren Überwindung ist die Einheit als Totalität umschrieben. Auch das *Apollinische* drängt zu einer Einheit, aber nicht zu jener umfassenden und totalen des Dionysischen. Sie wird vielmehr durch Vereinfachen und Herausheben aus der Fülle des Ganzen erreicht. Durch einen Akt der Beschränkung wird die Zweideutigkeit beseitigt; die Unterordnung unter ein Gesetz führt zum Einfachen, Individuellen. Das Apollinische erstrebt das Fixieren des Eindeutigen und das deutliche Herausstellen eines Teiles in die Erscheinung. Das Ergebnis eines solchen Prozesses ist der Perspektivismus.

Die Korrelation der beiden Elemente zeigt sich als eine innere Notwendigkeit, weil das Dionysische für sich alleine unzulänglich, chaotisch und zu permanenter Ausschweifung wird. Es bedarf daher des vereinfachenden, ordnenden und fixierenden Momentes des Apollinischen. Isoliert man dagegen dieses, dann sind Erstarrung und Unfruchtbarkeit die Folge. Es ist daher angewiesen auf die Korrelation zum Vollen, Ganzen, Überströmenden. Die fragende Hinsichtnahme auf das Totum der Welt reißt die Vereinseitigung der Perspektive auf und stellt den Bezug zum Ganzen wieder her, welches seinerseits sich wieder in neuen apollinischen Setzungen zur Erscheinung bringt. In dem Zusammen des Dionysischen und Apollinischen sehen wir das dynamische Wechselspiel des Ganzen und der Perspektiven. Zur „dionysischen Befähigung" gehört der Mythos notwendig hinzu [64], weshalb dem „mythenlosen Dasein" [65] der Modernität das Dionysische verfremdet ist. Nur die Bedrohung durch das Übergewicht des Theoretischen und Begrifflichen in der Weltauslegung des 19. Jahrhunderts führt daher bei Nietzsche zu einer gewissen Vorrangstellung des Dionysischen vor dem Apollinischen, obwohl grundsätzlich beide Elemente in ihrem Zusammenspiel gleichrangig sind. In diesem äußert sich ein Grundanliegen des Nietzscheschen Denkens, welches aus der Bewußtheit der Wissenschaftlichkeit heraus eine Renaissance des Mythos anstrebt. Die Suche nach mythischer Erneuerung ist nicht zuletzt der Grund für die Polemik gegen jegliche moralische Welt-Interpretation, vor allem gegen das Christentum. Nietzsche widerlegt dessen

[63] WM. XIX, 360.   [64] Vgl. GT. III, 162 f.   [65] GT. III, 163.

Glaubenswahrheiten nicht in erster Linie durch rationale Argumente, sondern „aus Instinkt" [66]. „Wir leugnen Gott als Gott ... Wenn man uns diesen Gott der Christen *bewiese*, wir würden ihn noch weniger zu glauben wissen" [67]. Sein Vorwurf gegen die christlichen Religionen richtet sich weniger gegen den Wahrheitsanspruch ihrer Lehrsätze, sondern gegen die historische Tatsache, daß sie ihre verpflichtende Kraft nicht bewahren konnten und ihre mythische Verbindlichkeit für den europäischen Geist des 19. Jahrhunderts verloren. Einst hatte das Christentum das Werk des sokratischen Menschen vollendet und den griechischen Mythos endgültig zu Fall gebracht. Es hatte sich damit am „Leben" versündigt, war aber trotzdem gerechtfertigt, solange sich seine Daseins-Auslegung Geltung verschaffen konnte. Seitdem es auch diese verlor, erscheint es in Nietzsches Augen um so verwerflicher und der radikalen Destruktion wert, damit Raum geschaffen werde für einen neuen Mythos, der bei der heidnischen Bejahung des *ganzen* „Lebens" anknüpfen soll. Was aber bedeutet in diesem Zusammenhang die Kunst? Soll sie etwa eingespannt werden für die Neuschöpfung eines Mythos, oder ist sie reines Spiel, nur auf sich selbst bedacht? Wir werden sehen, daß diese Alternative nicht aufrechtzuerhalten ist.

b) Die Kunst als Funktion des Lebens

Wir sahen, daß das Apollinische und Dionysische nicht nur künstlerische Elemente, sondern zugleich Zustände der Natur und des menschlichen Daseins sind. Schon hieraus geht hervor, daß die Kunst nicht isoliert betrachtet werden kann und daß die Ursprungsfrage nicht unbeantwortet bleibt. Die Forderung nach einer artistischen Weltauslegung könnte dazu verleiten, Nietzsches Auffassung der Kunst als Ästhetizismus zu etikettieren, befürwortet er doch „eine Kunst für Künstler, *nur für Künstler!*" [68] Die Bejahung eines Grundsatzes des „l'art pour l'art" als Kampf gegen die Zweckgebundenheit steht jedoch im Zusammenhang mit der Polemik gegen jede „*moralisierende* Tendenz in der Kunst" [69]. Damit sei nicht gesagt, „daß die Kunst überhaupt zwecklos, ziellos, sinnlos, kurz l'art pour l'art — ein Wurm, der sich in den Schwanz beisst — ist" [70]. Sie ist nicht primär durch eine zweckhafte Ausrichtung auf ein Ideal der Religion, Sittlichkeit, Politik usw. zu bestimmen. Ihr „Für-etwas" bleibt zunächst irrelevant, weil das Sein der Kunst nur aus ihrem eigenen Grunde zu begreifen ist. Nicht die Intention auf einen *Zweck*, sondern die Rückführung auf den *Ursprung* wird deshalb befragt. Das idealistische Ideal der Interesselosigkeit wird beibehalten, ohne daß die Kunst in sich selbst begründet ist. Sie ist wie die Moral und die

[66] EH. XXI, 191.
[67] A. XVII, 231.
[68] K. XVII, 299.

[69] G. XVII, 123 f.
[70] G. XVII, 124.

Philosophie Ausdruck dessen, was Nietzsche „Leben" nennt. Deshalb muß die Beziehung der Kunst erstens zu diesem einheitlichen Grunde, zum zweiten zu anderen Lebensfunktionen betrachtet werden.

Das Apollinische und Dionysische werden als Zustände charakterisiert, „in denen die Kunst selbst wie eine Naturgewalt im Menschen auftritt, über ihn verfügend, ob er will oder nicht" [71]. Der Kunstwille bestimmt den einzelnen Menschen, verändert ihn und versetzt ihn in einen Rauschzustand, in dem er den Bedürfnissen des Lebens Folge leistet und ihnen gemäß Kunstwerke schafft. Der Ursprung künstlerischer Tätigkeit liegt nicht primär in vernünftig konstruierten Zwecken oder im Wirken für soziale Werte begründet. Vielmehr ist „das Schöne und Hässliche als *bedingt* erkannt, nämlich in Hinsicht auf unsere untersten *Erhaltungswerthe*" [72]. Mit diesen sind nicht allein die animalischen Triebbefriedigungen gemeint, wie auch „Leben" nicht als rein physiologischer Begriff verstanden ist. Fragen, Werte, Ideen, alles das will sich behaupten, will herrschen und sich ausdehnen. Der Kampf um die Geltung einer Religion, einer Philosophie oder Moral sieht in seinem Gewinn an Bedeutung einen anzustrebenden Erhaltungswert. „Insofern steht das *Schöne* innerhalb der allgemeinen Kategorie der biologischen Werthe des Nützlichen, Wohlthätigen, Leben-steigernden" [73]. Alles Lebendige drängt nach Vermehrung seiner Kraft und bringt sämtliche verfügbaren Mittel ins Spiel, seine Erhaltung und Steigerung zu fördern. Auf der Höhe seiner Macht hat der Mensch alle seine Kräfte angespannt, und er ist doch ohne Spannung, leicht und heiter. Nietzsche weist in diesem Zusammenhang auf die Paarungszeit der Tiere, welche dann kräftiger, farbenreicher und schöner denn je sind. Also sei die „Verschönerung" eine „Folge der *erhöhten* Kraft" [74]. Im Schönen äußert sich einmal der Wille zur Macht, zum anderen wirkt es auf ihn zurück und verstärkt die Lebenskraft. Dem Menschen eignet darüber hinaus die Fähigkeit, das Seiende umzugestalten, ohne daß er an den streng geregelten Ablauf der Naturvorgänge gebunden bleibt. Ihm ist die Kunst verliehen, damit er sie ausübe, um in der Welt zu gebieten. Er vermag Werke zu schaffen, deren Kraft der „Suggestion" [75] die Dinge so herrichtet, wie sie sein Dasein verlangt. So liegt nach Nietzsches Ansicht die ursprüngliche Bedeutung des Tones und des Rhythmus in dem Wollen begründet, andere Wesen — vor allem die Götter — zu zwingen, auf die Bedürfnisse des menschlichen Daseins einzugehen. „Man warf ihnen die Poesie wie eine magische Schlinge um" [76]. Die Kunst erweist sich als ein Ausdruck des „Lebens", dessen Bestimmung der „Wille zur Macht" ist. Wie aber wirkt die Kunst auf die Welt, und wie funktioniert sie im Dienste des Lebens?

---

[71] WM. XIX, 209.
[72] WM. XIX, 213.
[73] a. a. O.

[74] WM. XIX, 210.
[75] WM. XIX, 218.
[76] FW. XII, 112.

Eine Grundbestimmung des Künstlerischen, die sich durch das Gesamtwerk Nietzsches hindurchzieht, zielt auf den Scheincharakter des Artistischen. Im Kunstwerk wird das „Entsetzliche oder Absurde des Daseins" so
verändert und in solche Vorstellungen umgebogen, „mit denen sich leben
lässt" [77]. Indem die Kunst über die Welt den schönen Schein breitet, erlöst sie
vom Leiden, welches ohne das Ästhetische unerträglich wäre. Der von
Schmerz und Ekel Erfaßte entsagt der lebensfeindlichen Erkenntnis und wird
„oberflächlich — aus Tiefe" [78], er sieht sich zur „Lüge" gezwungen, denn
„wir haben Lüge nöthig, um über diese Realität, diese ‚Wahrheit' zum Sieg
zu kommen, das heisst, um zu l e b e n" [79]. Wird damit die Kunst in einen Bereich der bloßen Phantasie verwiesen und hat sie keine Beziehung zur Realität? Ist sie nur eitle Vorspiegelung, und gibt sich der Mensch mit ihr zu-
frieden, wenn er von vornherein weiß, daß sie unwahrhaftig sein muß, kurz:
ist Kunst überhaupt nach der Erkenntnis dieses ihres Wesens noch möglich?

Der Scheincharakter der Kunst ist nicht grundlos. Indem sie die Phänomene der Welt zwar verfälscht, handelt sie im Auftrage des „Lebens", welches alles, was ihm hemmend entgegensteht, zu beseitigen trachtet. Dabei
kann auf Wahrheit, Realität, Logik usw. keine Rücksicht genommen werden,
wenn sie das Dasein nicht zu tragen imstande sind; denn die Seinsbestim-
mungen „wahr", „wirklich" und „richtig" müssen sich selbst erst vor dem
„Leben" legitimieren. Die willentliche oder unwillentliche, vom „Leben"
gesteuerte Verwandlung der Welt ins Erträgliche ist um so eher gerechtfertigt, als Wahrheit und Erkenntnis selbst im Willen zur Macht gründen
und die Dinge nicht adäquat, sondern ebenso auf Geheiß des „Lebens" aussagen. „Unsere Bedürfnisse sind es, die die Welt auslegen; unsere Triebe
und deren Für und Wider. Jeder Trieb ist eine Art Herrschsucht, jeder hat
seine Perspektive, welche er als Norm allen übrigen Trieben aufzwingen
möchte" [80]. Aus der Einsicht in die Unzulänglichkeit der Erkenntnismittel
resultiert die Berechtigung der Kunst, eine Welt zu setzen; denn „wir können nur eine Welt begreifen, die wir selber gemacht haben" [81]. Der Wille
zu einer künstlerischen Umgestaltung des Seienden, die dem „Leben" gerecht wird, gründet somit in zwei Voraussetzungen: 1) in dem Streben nach
Fundierung aller Phänomene in einem umfassenden, einheitlichen Prinzip,
im „Leben"; 2) in einer Erkenntniskritik, die jede Wahrheitsaussage auf ihre
Bedingung reduzieren und damit relativieren kann. Die Frage nach mythischer Einheit und der Skeptizismus sind die konstituierenden Momente der
Nietzscheschen Kunstphilosophie.

Haben wir damit aber nicht wiederum einen Zweck, ein Für-etwas der
Kunst erreicht, wenn sie als Mittel zur Lebensbewältigung verstanden ist?
Es muß jedoch hier noch einmal nachdrücklich auf die Bedeutung des Be-
griffes „Leben" hingewiesen werden. Er läßt sich nicht einschränken auf

---

[77] GT. III, 56 f.

biologisches oder gesellschaftliches Wohlergehen, dem alles Ungenehme geopfert werden müßte. „Leben" als metaphysischer Begriff umgreift auch noch das Böse, Kranke und Häßliche. So flüchtet die Kunst nicht nur in die Idylle, sondern sie ergreift gerade in ihrer vollsten Stärke das Entsetzliche und Tragische. Auch dann bleibt sie auf das „Leben" bezogen, denn die Tragödie lehrt, „daß das Leben im Grunde der Dinge, trotz allem Wechsel der Erscheinungen unzerstörbar mächtig und lustvoll sei" [82]. Da das „Leben" als das Ganze im Letzten unbestimmt bleibt, kann es nicht den berechenbaren Sinn hergeben, an den die Kunst zweckhaft gebunden ist; denn dieses „Leben" verlangt ebenso nach dem Schrecklichen und Häßlichen und beschränkt sich nicht auf das Ungefährliche und Anmutige. Was das „Leben" in seiner Totalität jeweils ergreift und fördert, läßt sich nicht planen, weil selbst das Kranke im Gesamtprozeß seine Funktion zu erfüllen hat. *Was theilt der tragische Künstler von sich mit? Ist es nicht gerade der Zustand ohne Furcht vor dem Furchtbaren und Fragwürdigen, das er zeigt?* " [83] Die Darstellung des Ungeheuren setzt geradezu eine Überfülle des „Lebens" voraus, ohne welche der Künstler gar nicht Herr zu werden vermöchte über das leidvolle Dasein. In einem „Pessimismus der *Stärke*" [84] sieht Nietzsche den Grund für die griechische Tragödie, und nur der degenerierte Künstler stellt ausschließlich das Harmlose und Konventionelle dar. „Daraus ergiebt sich, in's Grosse gerechnet, daß die *Vorliebe für fragwürdige und furchtbare Dinge* ein Sympton für *Stärke* ist: während der Geschmack am *Hübschen und Zierlichen den Schwachen*, den Delikaten zugehört" [85].

Aber auch die künstlerische Darstellung des Furchtbaren und Häßlichen entspringt nicht dem Streben nach Wahrhaftigkeit und erkennender Nachahmung. Es kann ebenso nicht das Ziel einer solchen Kunst sein, dem Menschen Direktiven für sein eigenes Handeln zu geben, damit es ihm besser ergehe als dem tragischen Helden und er aus dessen Unglück lerne. Die Kunst zeigt nämlich die „Vereinfachungen der wirklichen Kämpfe des Lebens ... Aber gerade darin liegt die Grösse und Unentbehrlichkeit der Kunst, dass sie den *Schein* einer einfacheren Welt, einer kürzeren Lösung des Lebens-Räthsel erregt" [86]. Selbst, ja *gerade* beim Ergreifen des Bedrohenden hat die Kunst eine heilsame Funktion, die dem Chaos des Faktischen eine scheinhafte Ordnung aufprägt und es dadurch erträglich macht. Die Fähigkeit, das Dasein solcherart durch die Lüge zu bestimmen, nennt Nietzsche

---

[78] NW. XVII, 300.
[79] WM. XIX, 251.
[80] WM. XIX, 13.
[81] WM. XIX, 20.
[82] GT. III, 55. Schon in der Schrift „Die Geburt der Tragödie" hat sich Nietzsche von Schopenhauer weitgehend distanziert; denn für diesen liegt der Sinn der Kunst gerade in der Selbstverneinung des Willens zum Leben.
[83] G. XVII, 124.
[84] GT. III, 4.
[85] WM. XIX, 249.
[86] UB. VII, 270 f.

das „Künstler-Vermögen" [87]. Dadurch erhält der Begriff des Künstlerischen eine bedeutende Ausweitung. Er bleibt nicht beschränkt auf das Herstellen von Kunstwerken im engeren Sinne, sondern er charakterisiert eine Verhaltensweise des Daseins schlechthin. In den früheren Schriften Nietzsches liegt bei der Beschreibung von Kunst und Künstler der Akzent auf Artistik, Schauspielerei und Gebärde — jedenfalls auf dem Zug zum Täuschenden und Überformenden. Die Bedeutung des Tätig-seins und Schaffens tritt im Spätwerk immer deutlicher hervor. Dem theoretischen und kontemplativen Menschen wird der starke gegenübergestellt, der aus seiner überströmenden Kraftfülle die Welt verändert und nach seinem Willen gestaltet. Exponent dieses Typs ist der Künstler, dessen Tätigkeit reiner Ausdruck des „Willens zur Macht" ist. Darin ist er vergleichbar den großen Gestalten der Weltgeschichte. Indem die Kunst am unmittelbarsten auf das „Leben" als ihren Grund bezogen ist, spielt sie als Funktion dieses einheitlichen Ganzen eine bevorzugte Rolle. In ihr äußert sich der „Wille zur Macht", der Drang und die Urlust am Schaffen und Vernichten, weshalb sie sich auch als destruktive Kraft geben kann. Indem sie auf die Totalität des Lebens hinsieht, hält sie diese frei von den vereinseitigenden Auslegungen durch Moral und Wissenschaft. In diesem Sinne kann Nietzsche die Kunst zur „höchsten Aufgabe und der eigentlich metaphysischen Thätigkeit dieses Lebens" [88] deklarieren.

Wir haben die Kunst als Funktion des „Lebens" beschrieben und dabei nicht berücksichtigt, daß dieses unbestimmte Ganze in der real-empirischen Welt in verschiedenen Formen erscheint. Die für die ästhetische Thematik wichtige Differenzierung des starken, gesunden und des degenerierten „Lebens" wird den Maßstab hergeben für jede künstlerische Bewertung.

c) Das Leben als Maßstab der künstlerischen Bewertung

Wir sahen an früherer Stelle, wie erfüllt Nietzsches Werk von dem leidenschaftlichen Kampf gegen Dekadenz und Krankheit ist, und wir wiesen auf Selbstäußerungen hin, welche seine eigene Degenereszenz bekennen und gerade von ihr den Anspruch ableiten, für den Wert des starken, gesunden „Lebens" Partei zu ergreifen. „Die Krankhaften sind des Menschen grosse Gefahr: nicht die ‚Raubthiere'" [89]. An die Stelle moralischer Maßstäbe sind Krankheit und Gesundheit als Grundweisen des „Lebens" und als Kriterien jeglicher Bewertung getreten. Was ist und wie äußert sich krankhaftes „Leben"? Seine Symptome werden in allen möglichen Phänomenen sichtbar. Das Übergewicht des Gelehrtentums, der Demokratie, Gleichberechtigung

[87] WM. XIX, 251.
[88] GT. III, 20.
[89] GM. XV, 402.

der Frauen, Mitleidsreligion, Vorrangstellung der Dialektik vor dem Instinkt: alles das sind für Nietzsche untrügliche Zeichen des niedergehenden Lebens. Diesen Symptomen ist gemeinsam, daß ihnen ein Zug zum Theoretischen und zum Ideal eignet. Darin liegt die Steigerung, aber auch Beschränkung auf einzelne Momente, was stets ein Ausschließen des Übrigen und Gegenteiligen zur Folge hat. So ist sogar der Atheismus eine Form der Askese, „welche am Schlusse sich die *Lüge im Glauben an Gott* verbietet"[90]. Jedes asketische Ideal hat seinen Grund in der Verarmung des „Lebens" und sucht durch Forcierung eines einzelnen Zuges über das Dasein Herr zu werden. Alles Krankhafte negiert „Stolz, Pathos der Distanz, die grosse Verantwortung, den Uebermuth, die prachtvolle Animalität, die kriegerischen und eroberungslustigen Instinkte, die Vergöttlichung der Leidenschaft, der Rache, der List, des Zorns, der Wollust, des Abenteuers, der Erkenntniss"[91]. Der Mensch des vollen und starken „Lebens" dagegen läßt alle diese Affekte in einem freien Spiel gelten, ohne sich einem einzigen vollends hinzugeben und ihm kraftlos zu folgen. Die Gesundheit besteht gerade in der Fähigkeit, sich jederzeit distanzieren zu können von einem Reiz und ihm nicht bei der geringsten Affektation blind folgen zu müssen. Der Starke verliert sich nicht an Einzelnes, sondern hält die Totalität seiner Möglichkeiten in der Schwebe.

Von der Grundunterscheidung des kranken und gesunden „Lebens" aus ergibt sich der Maßstab einer Bewertung aller Lebensfunktionen, also auch der ästhetischen Phänomene. „Die Aesthetik ist unablöslich an diese biologischen Voraussetzungen gebunden: es giebt eine décadence-Aesthetik, es giebt eine *klassische* Aesthetik, — ein ‚Schönes an sich' ist ein Hirngespinst, wie der ganze Idealismus"[92]. In Nietzsches Nachlaß wird das Klassische als die Bändigung des Vielen unter eine Einheit verstanden. „Um *Classiker* zu sein, muß man *alle* starken, anscheinend widerspruchsvollen Gaben und Begierden haben: aber so, dass sie miteinander unter Einem Joche gehen"[93]. Wie die Kunst in ihrem Sein, so wird sie auch in ihrer faktischen Bewertung auf das „Leben" als ihren Grund bezogen. Maßgebend für eine Axiologie werden weder Zwecke und Ideale, noch formale Bestimmungen des künstlerischen Werkes. „In Hinsicht auf Artisten jeder Art bediene ich mich jetzt dieser Hauptunterscheidung: ist hier der *Hass* gegen das Leben oder der *Ueberfluss* an Leben schöpferisch geworden?"[94] Der „Hass gegen das Leben" äußert sich künstlerisch in der Vernachlässigung der Fülle, die auch das Böse und Widersprechende gelten läßt. Die Ruhe und von Nietzsche gerühmte Langsamkeit des starken Geistes, der nicht jedem Reize folgt, verschmäht alles Schauspielerische, alles gewollt Effektvolle und Sich-in-

[90] GM. XV, 446.
[91] WM. XVIII, 162.
[92] F. XVII, 46.

[93] WM. XIX, 244.
[94] NW. XVII, 286.

Szene-setzen. Der Künstler soll Vieles und Verschiedenes übersehen und in geordneter Einfachheit darstellen können. *„Schreibt einfach und nützlich"* [95] lautet Nietzsches Forderung, weshalb Autoren wie Lichtenberg, Jung-Stilling, Gottfried Keller und Adalbert Stifter seiner Bewunderung für würdig befunden werden. Dagegen ist der überladene Stil, dessen reiche und raffinierte technische Mittel mit dem mangelhaften Inhalt in einem Mißverhältnis stehen, der Ausdruck einer zersplitterten und damit verarmten Lebenskraft. Charakteristisch für die Kunstauffassung Nietzsches ist das folgende ästhetische Urteil: „Alle Achtung vor dem Alten Testament! In ihm finde ich grosse Menschen, eine heroische Landschaft und Etwas vom Allerseltensten auf Erden, die unvergleichliche Naivetät des *starken Herzens;* mehr noch, ich finde ein Volk. Im neuen dagegen lauter kleine Sekten-Wirtschaft, lauter Rokoko der Seele, lauter Verschnörkeltes, Winkliges, Wunderliches, lauter Conventikel-Luft ..." [96]. Ganz ähnlich würde er die Klassik parallel zum Alten und die Romantik parallel zum Neuen Testament bestimmen. Beiden Wertungen liegt das Schema der Trennung von Lebensfülle und Lebensarmut zugrunde. Mögen die ästhetischen Urteile noch so extrem formuliert sein, so sind sie dennoch stets auf diese Grundunterscheidung bezogen. Lösen wir aus der Charakterisierung des Alten Testamentes die markanten Begriffe heraus, dann sagen uns die Ausdrücke „groß", „heroisch", „Naivetät", „starkes Herz" zunächst nur Unbestimmtes. Halten wir daneben das Neue Testament, dessen Lebenswelt kleinlich, eingeengt, „winklig" und „wunderlich" genannt wird, dann stehen sich das Umfassende, Unmittelbare und das Einzelne, Abseitige und Gebrochene gegenüber. Das Alte ist das Totale, das Neue ist das Partikuläre und Zufällige. Die Beurteilung der modernen Kunst hat sich vornehmlich im Kampf gegen Wagner niedergeschlagen. Die Vorwürfe gegen ihn richten sich aber stets gegen die Künstler der décadence schlechthin; denn ihnen allen ist gemeinsam: „der Niedergang der organisirenden Kraft; der Missbrauch überlieferter Mittel, ohne das *rechtfertigende* Vermögen, das zum-Zweck; die Falschmünzerei in der Nachbildung grosser Formen, für die heute Niemand stark, stolz, selbstgewiss, *gesund* genug ist; die Ueberlebendigkeit im Kleinsten; der Affekt um jeden Preis; das Raffinement als Ausdruck des *verarmten* Lebens; immer mehr Nerven an Stelle des Fleisches" [97].

Wie dem verarmten „Leben" die „grosse Gesundheit", so entspricht der dekadenten Kunst der „grosse Stil". „Das höchste Gefühl von Macht und Sicherheit kommt in Dem zum Ausdruck, was *grossen Stil* hat. Die Macht, die keinen Beweis mehr nöthig hat; die es verschmäht, zu gefallen; die schwer antwortet; die keinen Zeugen um sich fühlt; die ohne Bewusstsein davon lebt, dass es Widerspruch gegen sie giebt, die in *sich ruht*, fatali-

[95] MA. IX, 244.
[96] GM. XV, 429.
[97] F. XVII, 43.

stisch, ein Gesetz unter Gesetzen" [98]. Man wird hier an die Kleistsche Vorstellung von der Marionette erinnert. Auch diese folgt mit Notwendigkeit ihrem eigenen Schwerpunkt. Sie ziert sich nicht und „verschmäht, zu gefallen" [99]. Sie reagiert nicht auf jeden Einzelreiz, sondern antwortet dem Zug ihres einfachen Innern, langsam und streng. Auch sie „lebt" ohne Bewußtsein, „dass es Widerspruch gegen sie giebt" [100]. Die Marionette ist das Bild für einen Zustand, aus dem der Mensch herausgefallen ist. Alle Eigenschaften, die ihr zugeschrieben werden, läßt der moderne Künstler vermissen und eine Rückkehr in den Mythos ist — wenn überhaupt — nur jenseits irdischer Faktizität zu erreichen. Nietzsches Vorstellungen vom „grossen Stil" sind ganz ähnlicher Art, denn auch er muß zugeben, daß für die „Nachbildung großer Formen" heute niemand mehr „gesund genug" ist [101]. Dennoch wird der „grosse Stil" als Forderung aufrechterhalten, ja er wird sogar für den Kernpunkt der Ästhetik wichtiger als Virtuosität in der Beherrschung der Kunstmittel, als raffinierte Reize Wagnerscher Musik, weshalb Nietzsche schließlich in Hinsicht auf das Desiderat der „grossen Gesundheit" die gesamte Modernität befeindet und ablehnt. Seine Kunstauffassung verbindet in eigentümlicher Weise moderne Vorstellungen einer radikalen Ursprungsfrage mit solchen, die von einem harmlosen Konservatismus Zeugnis zu geben scheinen. Seine Vorliebe für Bedachtsamkeit, für die Stämmigkeit deutscher Gesinnung, für Redlichkeit und sein Argwohn gegen alles Schauspielerhafte kontrastieren aber wiederum mit seiner teilweise enthusiastischen Bewunderung der französischen Kultur, an der er gerade das Gegenteilige rühmt. Wir haben immer wieder auf die Divergenzen in Nietzsches Werk hingewiesen und können nicht übersehen, daß auch das Phänomen der Dekadenz nicht eindeutig beurteilt wird.

Der ersehnten „grossen Gesundheit" steht die tatsächliche Lebensverarmung der Modernität gegenüber. Von der Perspektive des Desiderates aus erscheint sie der Destruktion wert, und es fehlt nicht an Belegen für den Kampf gegen jegliche Form der décadence. Aber Nietzsche begreift sich selbst als décadent, und die Mittel seines Denkens und Schreibens sind alles andere als Ausdruck eines naiven, ungebrochenen „Lebens". Er ist sich seiner Krankheit bewußt und kann sie gerade aus diesem Grunde bekämpfen. Die eigene Dekadenz liefert die Möglichkeit, das Bild der „grossen Gesundheit" zu entwerfen und sie in ein um so helleres Licht zu rücken. Das starke „Leben" destruiert also nicht bloß die Krankheit, sondern verhilft ihr andererseits zu einer gewissen Berechtigung in der Gesamt-Organisation des Daseins. Umgekehrt wird die Gesundheit gesteigert, wenn sie vom Boden der Lebensschwächung erstrebt und von ihr abgesetzt wird. Daher vertritt Nietzsche mit Nachdruck die Notwendigkeit der eigenen Krankheit für

[98] G. XVII, 115. [100] s. o.
[99] s. o. [101] s. o.

eine höhere Gesundheit. „Das Vertrauen zum Leben ist dahin; das Leben selber wurde ein *Problem*. — Möge man ja nicht glauben, dass Einer damit nothwendig zum Düsterling, zur Schleiereule geworden sei! Selbst die Liebe zum Leben ist noch möglich, — nur liebt man *anders* ... Es ist die Liebe zu einem Weibe, das uns Zweifel macht ..."[102]. Man hat einen anderen „Geschmack", mit einer „zweiten gefährlicheren Unschuld in der Freude, kindlicher zugleich und hundert Mal raffinierter, als man je vordem gewesen war"[103]. Der Wert der Krankheit liegt zunächst darin, daß sie dem Menschen die zu seinem Werden und zu seiner Weisheit nötige „Musse"[104] verschafft und daß sie ihn stets von einem „Vorurtheil"[105] befreit, da sie ihn wandelt. Für die Erziehung eines Individuum ist daher die Erkrankung und Verletzung von größter Wichtigkeit, damit „in die verwundeten Stellen etwas Neues und Edles inokuliert werden"[106] kann. Nietzsche verdeutlicht diesen Sachverhalt an seinem Verhältnis zu Wagner. „Mein grösstes Erlebniss war eine *Genesung*. Wagner gehört bloss zu meinen Krankheiten. Nicht dass ich gegen diese Krankheit undankbar sein möchte. Wenn ich mit dieser Schrift den Satz aufrecht halte, dass Wagner *schädlich* ist, so will ich nicht weniger aufrecht halten, *wem* er trotzdem unentbehrlich ist — dem Philosophen"[107]. Krankheit und Dekadenz erhalten eine noch positivere Funktion, wenn sie als „nothwendige Consequenz des Lebens, des Wachsthums an Leben"[108] gefordert werden. Ganz ähnlich wie das Phänomen der Kunst hat auch der Verfall seinen Ursprung im Ganzen des Lebens und zugleich eine Funktion für diese Totalität zu erfüllen. Dadurch wird der décadence der Charakter des strikten Gegensatzes zum starken „Leben" genommen. „*Gesundheit* und *Krankheit* sind nichts wesentlich Verschiedenes, wie es die alten Mediciner und heute noch einige Praktiker glauben. Man muss nicht distinkte Principien oder Entitäten daraus machen, die sich um den lebenden Organismus streiten und aus ihm ihren Kampfplatz machen. Das ist albernes Zeug und Geschwätz, das zu Nichts mehr taugt. Thatsächlich giebt es zwischen diesen beiden Arten des Daseins nur Gradunterschiede: die Uebertreibung, die Disproportion, die Nicht-Harmonie der normalen Phänomene constituiren den krankhaften Zustand"[109]. Die doppelte Hinsicht auf das „Leben", in der Optik der décadence einerseits und der Gesundheit andererseits betrachtet, erlaubt nicht, beide Momente eines einheitlichen Ganzen in einen Dualismus aufzureißen. Sie sind zwar als extreme Möglichkeiten verstanden, müssen aber als solche auf ein Totum bezogen werden; auf diese Weise wird der nur antithetische Charakter aufgelöst, und was sich zunächst als Antinomie darbot, erscheint nun als die extreme Polarität der „Gradunterschiede". Im November 1880 schreibt Nietzsche an Franz Overbeck: „Der

[102] NW. XVII, 298.
[103] a. a. O.
[104] MA. VIII, 249.
[105] J. XV, 60.

[106] MA. VIII, 201.
[107] F. XVII, 4.
[108] WM. XVIII, 32.
[109] WM. XVIII, 37.

tägliche Kampf gegen meine Kopfübel und die lächerliche Mannigfaltigkeit meiner Notzustände erfordert eine solche Aufmerksamkeit, daß ich Gefahr laufe, dabei *kleinlich* zu werden; — nun, es ist das Gegengewicht gegen sehr allgemeine, sehr hochfliegende Triebe, die mich so beherrschen, daß ich ohne große Gegengewichte zum Narren werden müßte" [110]. Hier erscheint die Krankheit abermals in ihrer zersplitternden und „kleinlich" machenden, aber zugleich auch in ihrer bewachenden und korrigierenden Funktion. Die décadence ist somit charakterisiert als das Hervortreten einzelner Momente aus der Totalität aller Möglichkeiten, als das Herauslösen des Teiles aus der Organisation des Ganzen. Für den Künstler der Moderne ist die mythische Einheit unerreichbar; er vermag sich ihr nur im perspektivischen Verhalten zu nähern. Dieses ist Grund und Symptom der décadence zugleich.

Die Einsicht in das Wesen des Verfalls an Lebensmächtigkeit bewirkt eine neue Bewertung der Werke degenerierter Künstler. Die Beurteilung Wagners, des exemplarischen Falles dekadenter Modernität, ist mehrdeutig. Nach der vorbehaltlosen Bewunderung für den Freund und Meister in den Frühschriften wendet sich Nietzsche von ihm ab und bekämpft ihn, bis er selbst verstummen muß. Die Polemik steigert sich bis zum Jahre 1888 und erreicht in den Schriften „Der Fall Wagner" und „Nietzsche contra Wagner" ihren Höhepunkt. Schauspielerei, übertriebene Lust am Effekt, Bevorzugung des Einzelnen vor dem Ganzen: das alles sind für Nietzsche Symptome der décadence, und er sieht sie allesamt in Wagners Musik bedrohlich nach vorne drängen. Dennoch kann er nicht umhin, ihre Meisterschaft „in der Erfindung des Kleisten, in der Ausdichtung des Details" [111] zu rühmen. Man habe alles Recht auf seiner Seite, ihn „als unseren grössten *Miniaturisten* der Musik" [112] zu proklamieren. In diesem Urteil mischen sich ironische Abwertung und versteckte Anerkennung. Am 21. Januar 1887 rühmt Nietzsche Wagners Vorspiel zum „Parsival": „... rein ästhetisch gefragt: hat Wagner je Etwas *besser* gemacht?" [113] Neben der Bewertung der Kunst am Maßstab des „Lebens" kennt Nietzsche also noch einen zweiten Begriff des Ästhetischen in einem engeren Sinne. Er umfaßt die technischen Fähigkeiten, das reine Können und Machen. Gerade der „Parsival" war ihm als der deutlichste Ausdruck moderner Degenereszenz erschienen, was jedoch nicht ausschließt, daß er die Virtuosität dieses Werkes anerkennt und goutiert. Sobald er aber die Kunst unter dem Aspekt des „Lebens" betrachtet, wird alle artistische Meisterschaft für nichtig erklärt, wenn sie nicht Ausfluß der Stärke und Gesundheit ist. „Meine Einwände gegen die Musik Wagner's sind physiologische Einwände: wozu dieselben erst noch unter ästhetische

---

[110] Nietzsches Briefwechsel mit Franz Overbeck. S. 141.
[111] WM. XVIII, 23.
[112] F. XVII, 23.
[113] Nietzsches Briefwechsel mit Peter Gast. S. 208.

Formeln verkleiden? Ästhetik ist ja nichts als eine angewandte Physiologie"[114]. Die Andersartigkeit dieses Begriffs von Ästhetik zu dem bloß formalen des obigen Zitates wird sofort sichtbar. Die jeweilige Hinsichtnahme auf Kunstwerke, entweder vom Standpunkt des starken Lebens oder von dem der décadence aus, bestimmt die Axiologie. Nietzsche verkennt nicht die Großartigkeit der modernen Virtuosenkunst mit all ihren Reizen und Effekten. „Aber *krank*..."[115] lautet der Vorwurf, durch den er sich immer wieder von ihr distanziert. Schließlich zeigt ihm sein eigener Stil, daß er nicht Ausdruck einer überströmenden Lebensfülle ist. Das Hervortreten einzelner Momente und die Pointierung auf Kosten des Gesamten sind Züge, die auch Nietzsches Werk charakterisieren. So ließen sich die Symptome der décadence ausnahmslos auf ihn selbst übertragen. „... in Anbetracht, dass die Vielheit innerer Zustände bei mir ausserordentlich ist, giebt es bei mir viele Möglichkeiten des Stils — die vielfachste Kunst des Stils überhaupt, über die je ein Mensch verfügt hat"[116]. Sehen wir von der anmaßenden Selbstüberschätzung ab und nehmen wir das Zitat lediglich als Zeugnis des Selbstverständnisses, dann wird deutlich, daß auch Nietzsches Werk die ersehnte klassische Einfachheit vermissen läßt. Stimmt es, daß er über die „vielfachste Kunst des Stils"[117] verfügt, daß er der Schriftsteller der wechselnden Optik ist, dann steht er selbst auf der Spitze der Modernität. Gerade dadurch aber ist er imstande und zugleich genötigt, die Krankheit zu bekämpfen und die „grosse Gesundheit" als Ziel des „Übermenschen" zu proklamieren.

d) Die „Grösse" als freies Spiel aller möglichen Momente

Ein Begriff von eigentümlich unbestimmtem Sinngehalt erhält im Werke Nietzsches eine zentrale Bedeutung. Thematisch wird er zwar erst in dem geplanten „Der Wille zur Macht", aber bereits in den frühen Schriften ist er, wenn auch noch versteckt, deutlich zu erkennen. Wir meinen das, was Nietzsche mit dem Terminus „gross" zu bezeichnen pflegt. Auffallend häufig sind die Wortverbindungen, in denen dieser Ausdruck als Epitheton angetroffen wird, z.B. in: „grosse Sehnsucht"[118], „grosser Ekel[119], „grosser Überdruss"[120], „grosse Jagd"[121] zugleich als „grosse Gefahr"[122], „grosses Versprechen"[123], „grosse Logik"[124], „grosser Stil"[125]. Wir könnten diese Aufzählung noch fortsetzen, wollen aber in diesem Zusammenhang nur noch auf die äußerst wichtigen und immer wiederkehrenden Formulierungen „grosser Mittag"

[114] NW. XVII, 278.
[115] NW. XVII, 288.
[116] EH. XXI, 218.
[117] s. o.
[118] FW. XII, 356.
[119] a. a. O.
[120] a. a. O.
[121] J. XV, 65.
[122] a. a. O.
[123] GM. XV, 354.
[124] F. XVII, 32.
[125] EH. XIX, 210.

und „grosse Gesundheit" verweisen. Was bedeuten diese Epitheta und welche Bestimmung geben sie dem Hauptwort? Sie haben zweifelsohne zunächst eine intensivierende Wirkung, durch welche der mit „gross" ausgezeichnete Begriff in den Bereich des Bedeutsamen überhaupt gehoben wird. Aber ebenso erfüllt dieses Epitheton die Funktion der Ausweitung, wie dies ja auch dem Worte „groß" in der Welt der Anschauung zusteht. In unserem Falle bezieht es sich natürlich weniger auf räumlich-sinnliche Ausdehnung als auf bedeutungsmäßige Erweiterung. Die „grosse Jagd" erfaßt begrifflich mehr als die „Jagd" im üblichen Sinne. Diese ist eingeengt durch Verordnungen, Lebensbedürfnisse, Zweckmäßigkeit (nur bestimmte Tiere wird man jagen usw.), jene setzt sich über diese Schranken hinweg, macht auch vor Menschen und ihren Erhaltungswerten nicht halt und richtet sich auf den ganzen „Umfang menschlicher innerer Erfahrungen, ... die ganze *bisherige* Geschichte der Seele und ihre noch unausgetrunkenen Möglichkeiten" [126]. Es versteht sich, daß mit der „grossen Jagd" auch die „grosse Gefahr" [127] wächst. In einem Brief an Franz Overbeck vom 2. 5. 1884 schreibt Nietzsche, daß die „grosse Politik" einen „guten Standort und Vogelschau-Blick" gebe [128]. Nietzsches Begriff des „grossen Mittag" erläutert Karl Schlechta mit einem Hinweis auf die antike Vorstellung vom Mittag als der Zeit der tätigen Dämonen: „Mittags fallen die Schranken zwischen oben und unten, Lebenden und Toten; Vergangenes wird gegenwärtig, Verborgenes offenbar, während die sterblichen Tagewesen in der sengenden Glut in tiefen, todähnlichen Schlaf versinken. In der Traumstille der μεσημβρία schwindet alles Hier und Jetzt, und die beiden sonst so streng getrennten Bereiche gehen lautlos ineinander über. Es ist, als tauschten sie Wesenszüge und Charakter" [129]. Diese panische Zeit des „grossen Mittag" ist also der Augenblick der gleitenden Grenzen; er ist zugleich aber auch der Zeitpunkt der höchsten Anspannung und Krise kurz vor dem Ereignis des „Übermenschen". Worauf es uns hier lediglich ankommt, ist die formale Erkenntnis der bedeutungsmäßig umfassenden Weite, die dem Begriff des „grossen Mittag" zukommt.

Eine solche begriffliche Ausdehnung hat jedoch wenig gemein mit einer formallogischen Abstraktion. Das Epitheton „groß" entzieht sich zwar fast immer einer eindeutigen Fixierung, ist aber dennoch mit sinnlichen Qualitäten prall gefüllt und erscheint bildkräftig, nicht blaß und leer. Es erweist sich als eine eigentümlich schwebende Form zwischen Begriff und Metapher, zwischen Abstraktion und Intuition. Eine solche „Spannung zwischen dinghafter Bildanschauung und gemeinter geistig-sinnhafter Bedeutung" [130] ist

---

[126] J. XV, 65. [127] a. a. O.
[128] Nietzsches Briefwechsel mit Franz Overbeck. S. 254.
[129] Karl Schlechta: Nietzsches Großer Mittag. S. 36.
[130] Otto H. Olzien: Nietzsche und das Problem der dichterischen Sprache. Berlin 1941. S. 58.

charakteristisch für Nietzsches Sprache überhaupt. Vor allem aus dem „Zarathustra" ließen sich hierfür Belege finden. Was aber meint der sinnlich-begriffliche Ausdruck des „Grossen?" Hören wir Nietzsche selbst, dann fällt als erstes wiederum der umfassende Charakter des Begriffs in die Augen. Wir erfahren, daß zur Größe eines Kunstwerkes nicht allein die innere Qualität, sondern ebenso die Fruchtbarkeit und Wirksamkeit auf die Nach-vollziehenden gehören [131]. Damit ist die Größe aus der bloßen Immanenz des konkreten Werkes herausgenommen, und sie bedarf der Anerkennung und Rechtfertigung vor dem „Leben". Es versteht sich, daß der „große Mensch" zunächst auf Kälte und Mißverständnis stoßen, ja daß sein Werk strikte Ablehnung erfahren kann; aber zu irgendeiner Zeit wird sein Schaffen fruchtbar, und sei es auch, daß sich an einer Feindschaft zu ihm die Nachfolgenden entzünden. Gerade die Vielfalt fruchtbarer Möglichkeiten eines Werkes zeugt von der „Größe" seines Autors, da in ihm der um-fassendste Perspektivenreichtum angetroffen wird, so daß seine Werke Anlaß zu gegensätzlichen Deutungen und widersprüchlichem Fortdenken geben. „Ich glaube, dass aus dem Vorhandensein der Gegensätze, und aus deren Gefühle, gerade der grosse Mensch, *der Bogen mit der grossen Span-nung*, entsteht" [132]. Zur „Grösse" gehört das Böse und Verschlagene, aber auch das Arglose und die gelassene Ruhe des Starken und Lebensvollen, das Geistige und das Sinnliche, die Gesundheit und die Verfeinerung durch die décadence. „Der ‚grosse Mensch' ist gross durch den Freiheits-Spielraum seiner Begierden und durch die noch grössere Macht, welche diese pracht-vollen Unthiere in Dienst zu nehmen weiss" [133]. Die Bedingung zur Größe liegt in der Vielfalt der Möglichkeiten und Anlagen, auch der entgegen-gesetzten, und in deren Zügelung. Diese aber ist fern von jeder asketischen Unterdrückung eines Momentes, wodurch ein anderes zugunsten eines Ideals um so eher zur Herrschaft gelänge. Zügelung und Bändigung all dieser Affekte soll sich durch Aufrechterhaltung jenes „Freiheits-Spiel-raumes" [134], d. h. durch die Überwachung der Totalität der Möglichkeiten vollziehen, damit nicht ein Teil des Ganzen sich verselbständige, über andere mächtig werde und sie nach und nach vernichte. Die Bändigung der Affekte im „großen Menschen" meint nicht die mühsam-keuchende Anstren-gung der Kasteiung und Askese, sondern alle Kräfte halten sich mit „gött-licher Leichtigkeit", wie von dem inneren Schwerpunkt der Marionette gesteuert, die Waage. Der Begriff der „Grösse", welcher bisher mit dem der „Eigentlichkeit" bei Heidegger gewisse verwandte Züge trägt, erhält durch die Leichtigkeit in der Spannung eine eminent ästhetische Bedeutung. „Ich kenne keine andre Art, mit grossen Aufgaben zu verkehren als das S p i e l : dies ist, als Anzeichen der Grösse, eine wesentliche Voraussetzung" [135]. Wir

[131] Vgl. UB. VII, 247.
[132] WM. XIX, 321.
[133] WM. XIX, 302.
[134] s. o.
[135] EH. XXI, 211.

wiesen bereits mehrmals auf die fundamentale Bedeutung des Ästhetischen und auf seinen Bezug zum „Leben" hin. Auch im vorliegenden Falle ist es vor Mißverständnissen zu schützen, da es sich der Kennzeichnung durch „l'art pour l'art" entzieht und im eigentlichen Sinne metaphysische Bedeutung hat. Die Dinge werden nicht nach Wertkategorien bemessen, sondern der „grosse", d. h. der „ästhetische" Mensch läßt sie in ihrer Ganzheit gelten mit dem Wissen, daß alles, was ist, notwendig ist. Diese Auffassung ist weit entfernt von jedem dumpfen Fatalismus, der sich einer fremden Schicksalsmacht resignierend unterstellt; denn: „So wie meine innerste Natur es mich lehrt, ist alles Nothwendige, aus der Höhe gesehn und im Sinne einer *grossen* Oekonomie, auch das Nützliche an sich, — man soll es nicht nur tragen, man soll es *lieben* . . . *Amor fati:* das ist meine innerste Natur" [136]. Die liebende Bejahung alles Seienden als des Notwendigen nimmt dem Dasein den Charakter eines bloßen Determiniertseins, weil das Bejahte das Dasein selbst als das Ganze und nichts Fremdes mehr ist. Selbst das Kranke wird als seiend und damit als notwendig für die „grosse Gesundheit" anerkannt. Von diesem Sein des Notwendigen sprechen an vielen Stellen die autobiographischen Äußerungen Nietzsches. Briefe, die er von Freunden und Bekannten erhält, werden danach beurteilt, ob sie „zufällig", oder ob sie, einem tieferen Gesetz gehorchend, gerade in diesem Augenblick eintreffen. Neue Bekanntschaften sind in ihrer Bedeutung durch Ort und Stunde bestimmt, wo und wann sie geschlossen werden usw. Am 20. September 1884 schreibt er an Peter Gast: „Gestern rechnete ich aus, daß die entscheidenden Höhepunkte meines ‚Denkens und Dichtens' (‚Geburt der Tragödie' und ‚Zarathustra') mit dem Maximum der magnetischen Sonnen-Einwirkung zusammengefallen, — umgekehrt mein Entschluss zur Philologie (*und* Schopenhauer) (eine Art Selbst-Irrewerden) und insgleichem ‚Menschliches, Allzumenschliches' (zugleich schlimmste Krisis meiner Gesundheit) mit einem Minimum —" [137]. Alles Seiende ist dadurch gerechtfertigt, daß es sich mit Notwendigkeit in das Ganze des „Lebens" einläßt und in ihm das freie Spiel aller Kräfte mit Leichtigkeit befördert. Daß sich stets einzelne Momente isolieren und, das Ganze störend, die Vorhand gewinnen, ist ein Faktum, widerspricht aber gemäß dem Doppelsinne von Ganzheit und Perspektive nicht der Idee einer Totalität des „Lebens".

Die Bejahung der Notwendigkeit alles Seienden sucht über die Momente des eigenen Daseins hinauszugreifen und dieses durch eine Art mythischer Gemeinsamkeit mit anderen bedeutenden Menschen in einen weiteren Zusammenhang einzuordnen. Dafür ist bezeichnend, wie Nietzsche sich durch „stilisierende Rückdatierungen" ins „legendenhaft Typische" [138] erheben möchte. So sieht er den Ablauf seines Lebens in engster Ver-

[136] NW. XVII, 297.
[137] Nietzsches Briefwechsel mit Peter Gast. S. 153.
[138] Ernst Bertram: Nietzsche, Versuch einer Mythologie. Berlin 1920, S. 33.

knüpfung mit dem seines Vaters. „Im gleichen Jahre, wo sein Leben abwärts gieng, gieng auch das meine abwärts" [139]. An anderer Stelle erscheint es ihm wichtig, daß er an einem Geburtstag des preußischen Königs Friedrich Wilhelm IV. geboren sei [140]. Sein Studium in Leipzig beginnt er nach seiner Ansicht zu einem nicht unbedeutsamen Zeitpunkt: „Am andern Tage meldete ich mich auf dem Universitätsgericht, es war gerade ein Tag, den die Universität durch eine Festschrift und durch Doktorernennungen feierte, der Tag, an dem vor hundert Jahren Goethe sich in das Album eingezeichnet hatte" [141].

Diese letzte Art der Identifizierung ist besonders bezeichnend, weil Goethe für Nietzsche zum eigentlichen Repräsentanten des „grossen Menschen" wird. Dabei bewundert er eher die Gesamtperson Goethe als sein dichterisches Werk, gegen welches er manche Einwände vorzubringen hat. Wir wiesen bereits auf die wechselnde Beurteilung hin, welche die Genien der Geistesgeschichte erfahren und erwähnten in diesem Zusammenhang, daß Goethe von der Polemik noch am ehesten verschont bleibt. Natürlich ließen sich eine ganze Reihe von Belegen zusammentragen, in denen Nietzsches Vorbehalte besonders gegen den Dichter des „Faust" klar zutage treten. H. E. Gerber hat im ersten Teil seiner Arbeit [142] die Gründe für diese Differenzen deutlich aufgezeigt. Im Vergleich jedoch zu Sokrates, Schopenhauer, Wagner etc. wird Goethe im Ganzen durchgehend positiv bewertet, ja zuweilen emphatisch als Heros der „Grösse" gefeiert. Der Grund liegt darin, daß Goethe im Unterschied zu anderen nicht von *einer* Perspektive aus die größte Hochschätzung erfahren kann, um dann von einer zweiten aus verworfen zu werden. Er ist für Nietzsche immer „gross", in welcher Optik dieser ihn auch betrachtet. Er läßt sich nicht festlegen, sondern vereinigt alles das in sich, was sich bei anderen in einzelne Momente zerstreut hat, kurz: Goethe stellt für Nietzsche ein Ganzes dar. „Händel, Leibniz, Goethe, Bismarck — für die *deutsche starke Art* charakteristisch. Unbedenklich zwischen Gegensätzen lebend, voll jener geschmeidigen Stärke, welche sich vor Ueberzeugungen und Doktrinen hütet, indem sie eine gegen die andere benutzt und sich selber die Freiheit vorbehält" [143]. Zu Goethes Größe rechnet Nietzsche die Souveränität seiner

---

[139] EH. XXI, 175. Ganz Ähnliches macht Thomas Mann für sein Leben geltend. „Am Schluß eines damals verfaßten, auch ins Englische übersetzten Lebensabrisses hatte ich im halb spielerischen Glauben an gewisse Symmetrien und Zahlenentsprechungen in meinem Leben die ziemlich bestimmte Vermutung geäußert, daß ich im Jahre 1945, siebzigjährig, im selben Alter also wie meine Mutter, das Zeitliche segnen würde." (Thomas Mann: Die Entstehung des Doktor Faustus., Amsterdam 1949. S. 9.)

[140] Vgl. EH. XXI, 180.

[141] R. XXI, 43.

[142] Hans Erhard Gerber: Nietzsche und Goethe. Studien zu einem Vergleich. Bern 1954.

[143] WM. XIX, 276.

Person, die sich nicht in Parteiungen verliert. Das Gelten-lassen alles Seienden mündet nicht in einen platten Determinismus, sondern gerade in den *ästhetischen* Zustand, in dem der „grosse Mensch" mit den „Ueberzeugungen und Doktrinen" [144] spielt, gewinnt er eine höhere Art der Freiheit; denn im Ergreifen eines einseitigen Momentes begäbe er sich ihrer, indem er das Ganze des „Lebens" und damit den Grund seines eigenen Daseins verlöre. „Bei Goethe eine Art von fast *freudigem* und *vertrauendem Fatalismus,* der nicht revoltirt, der nicht ermattet, der aus sich eine Totalität zu bilden sucht, im Glauben, dass erst in der Totalität Alles sich erlöst, als gut und gerechtfertigt erscheint" [145]. „. . . Aber ein solcher Glaube ist der höchste aller möglichen Glauben: ich habe ihn auf den Namen des *Dionysos* getauft —" [146]. Die „Grösse" zeigt sich in der Anerkennung alles Seienden und dessen Organisation in einem Ganzen. Sie ist der höchste Ausdruck des vollen „Lebens" und fungiert unter diesem Aspekt als ein Kriterium ästhetischer Bewertung.

Wie überträgt sich die „Grösse" des Künstlers auf sein Werk, und welche Stilcharaktere werden diesem zukommen? Wie im „grossen Menschen" die Totalität aller Möglichkeiten zur Geltung gelangt, so legt es das „grosse" Kunstwerk darauf an, der Fülle und dem Perspektivenreichtum des Seienden gerecht zu werden. Der Roman etwa wird eine exakte und detaillierteste Phänomenbeschreibung geben wollen. Nichts ist belanglos und zufällig, sondern alles wird bedeutsam, weil es notwendig der Teil eines Ganzen ist und auf dieses bezogen wird. Damit wird der Stil, den man als den „realistischen" bezeichnet hat, durchbrochen; denn alles ordnet sich mit strikter Notwendigkeit in einen ästhetischen Gesamtplan ein, und die Realien in ihrer Vereinzelung verlieren jede Eigenbedeutung. Das Ergebnis der Komposition ist schließlich das, was wir bei Thomas Mann als den „strengen Satz" erkennen werden. Die Einzeldinge sind dabei nicht nur auf das „ästhetische" Ganze bezogen, sondern stehen zugleich untereinander in vielverzweigten Relationen, wenn sie auch zeitlich und räumlich getrennt sein mögen. Nichts geschieht daher zufällig, sondern was sich auch ereignet, das hat sein Analogon im Früheren und Andern und feiert daher im Augenblick seines Entstehens immer schon das Fest der „ewigen Wiederkehr des Gleichen". Diese fundamentale, auf das Ganze des Lebens abzielende Idee Nietzsches steht im Verhältnis der Polarität und zugleich der Entsprechung zum Gedanken des „Willens zur Macht". In jener bekundet sich die ruhige Gelassenheit alles Seienden in der notwendigen Verknüpfung des umfassenden *Ganzen;* dieser bezeichnet das schweifende Über-sich-hinaus-wollen eines sich immer wieder *vereinzelnden* Individuums, das sich gemäß seinen Bedürfnissen die Welt zurechtlegt; und in der Tat sieht Nietzsche einmal in den „perspektivischen Schätzungen" den „Willen zur Macht" [147] am Werke. Martin Heidegger hat in seinem erst

---

[144] s. o.

[145] WM. XVIII, 75.

[146] G. XVII, 150.

[147] WM. XIX, 91.

kürzlich erschienenen zweibändigen Werk über Nietzsche auf die enge Korrelation beider Ideen hingewiesen und sie in Beziehung zu seiner „ontologischen Differenz" von Seiendem und Sein gesehen. „Wer den Gedanken der ewigen Wiederkehr nicht als das philosophisch eigentlich zu Denkende mit dem Willen zur Macht zusammendenkt, begreift auch nicht den metaphysischen Gehalt der Lehre vom Willen zur Macht hinreichend in seiner ganzen Tragweite" [148]. Beide Momente konstituieren zusammen auch das „grosse Kunstwerk"; denn „der ästhetische ‚Mikro-Kosmos' ist vor allem Kosmos, für sich selbst ist er keineswegs ‚klein', sondern er hat die Totalität aller seiner Möglichkeiten in sich ‚zur Wirklichkeit reifen' lassen" [149].

3. KUNST UND ERKENNTNIS

Bisher untersuchten wir die Beziehung der Kunst zum „Leben" und fanden in dessen Totalität sowohl den Ursprung jeder künstlerischen Regung als auch den Maßstab ästhetischen Bewertens. Dieses anfangs einheitliche Ganze bleibt in seinen Äußerungen aber nicht eindeutig, sondern streut sich in verschiedene Funktionen, deren vielschichtige Beziehungen zueinander im Folgenden thematisch werden. Im Rahmen dieser Erörterung beschränken wir uns allerdings auf das Verhältnis von Kunst und Erkenntnis, während andere Lebensfunktionen wie: Moral, Religion usw. vernachlässigt werden können, da sie für die Stellung der Kunst im Denken Nietzsches von untergeordneter Bedeutung sind. Das Verhältnis von Kunst und Erkenntnis dagegen ist nicht durch eine fixe Rangordnung bestimmt, in der die Geltungsbereiche exakt abgegrenzt wären. Sie überlagern sich vielmehr und werden jeweils verschieden bewertet. Gemeinsam ist ihnen lediglich, daß sie auf das „Leben" in dem umfassenden Sinne, wie wir es bisher verstanden, bezogen sind.

So sind also für Nietzsche auch Erkenntnis und Wahrheit auf Wertschätzungen gegründet. Diese sind Ausdruck eines Lebenswillens, der etwas für wahr halten muß, nicht weil es „an-sich" wahr wäre, sondern weil die Projektion des „Wahren" im Dienste eines Bedürfnisses oder einer Wünschbarkeit steht. Eine erkenntnistheoretische Scheidung von An-sich und Erscheinung wird damit überflüssig, weil sowohl die wahre als auch die scheinbare Welt lediglich Antworten auf bestimmte Triebe sind. „Wir haben *unsere* Erhaltungs-Bedingungen projicirt als *Prädikate des Seins* überhaupt" [150]. Daher scheint das Ideal einer streng „sachlichen" Erkenntnis nicht nur begrenzt, sondern sogar überholt zu sein, und so liegt denn

[148] Martin Heidegger: Nietzsche. 2 Bde. Pfullingen 1961, 1. Bd. S. 29.
[149] Oskar Becker: Von der Hinfälligkeit des Schönen und der Abenteuerlichkeit des Künstlers in Festschrift für E. Husserl. Halle 1929. S. 50.
[150] WM. XIX, 24.

auch das Ziel der Nietzscheschen Destruktion der Wissenschaftstheorie in dem Nachweis, daß die bisherige Erkenntnis sich auf eine An-sich-Welt berief, ohne die Lebensbedingung als Prinzip zu berücksichtigen. Die platonisch-kantische Dichotomie der Welt ist demnach ein Symptom der Degenereszenz, da sie sich von dem einheitlichen Grunde entfernt hat. Die großen philosophischen Systeme werden nicht deshalb in erster Linie abgelehnt, weil sie logisch oder sachlich „falsch" wären, sondern weil sie als Funktionen eines verarmten „Lebens" erkannt werden. Theoretisches Erkennen hilft die Krankheit fördern, so daß es den Prozeß, als dessen Symptom es selbst erscheint, seinerseits noch beschleunigt. „An und für sich ist schon jeder hohe Grad von Vorsicht im Schliessen, jeder skeptische Hang eine grosse Gefahr für das Leben" [151]. Zum Schutz gegen die verderbliche Skepsis befiehlt sich deshalb Nietzsche: „Ich will, ein für alle Mal, Vieles *nicht* wissen. — Die Weisheit zieht auch der Erkenntniss Grenzen" [152]. Die Lebensfeindlichkeit des Erkennens besteht einmal darin, daß die kritische Reflexion und Analyse der Affekte und Gedanken die Unmittelbarkeit des menschlichen Daseins stört. Zum anderen führt sich die Erkenntnis selbst bis zu einer Grenze, an der ihr unerbittlich Einhalt geboten wird. Wenn der Erkennende einzusehen beginnt, daß sich die Logik „an diesen Grenzen um sich selbst ringelt und endlich sich in den Schwanz beisst", dann schlägt die „Gier der unersättlichen optimistischen Erkenntniss in tragische Resignation und Kunstbedürftigkeit" [153] um. Die Kunst fungiert dann als Heilmittel gegen das Leiden, welches der gescheiterte Erkenntniswille verursacht hat. „Die Kunst ist mächtiger als die Erkenntniss, denn *sie* will das Leben, und jene erreicht als letztes Ziel nur — die Vernichtung" [154]. Diesen Ausführungen nach könnte es so scheinen, als ob in der Reihe der Lebensfunktionen die Kunst ganz eindeutig vor der Erkenntnis rangierte. „Unsere Religion, Moral und Philosophie sind décadence-Formen des Menschen. — Die *Gegenbewegung: die Kunst*" [155].

Doch damit ist das Verhältnis von Kunst und Erkenntnis noch nicht hinreichend charakterisiert, und wir würden eine einzelne Perspektive unberechtigterweise absolut setzen, wollten wir nicht zugleich die gegenteilige

[151] FW. XII, 146.
[152] G. XVII, 55.
Anmerkung: Nicolai von Bubnoff verharmlost die feindliche Stellung Nietzsches zur Erkenntnis und Wahrheit, wenn er glaubt, hier werde nur einer „inhaltlich bestimmten ‚Wahrheit', der christlich-asketischen, wirklichkeitsfeindlichen und lebensverneinenden" (a. a. O. S. 155) der Krieg erklärt. Von Bubnoff versucht überhaupt zu sehr, Nietzsche für die herkömmliche systematische Philosophie zurückzugewinnen, indem er nur das mit ihr zu Vereinbarende rühmend hervorhebt, das Mehrdeutige seiner Erkenntnislehre dagegen als Verwirrung und Irrtum zurückweist.
[153] GT. III, 105.
[154] PW. IV, 147.
[155] WM. XIX, 208.

Ansicht vernehmen. Nietzsche meint die bisherigen Erkenntnisse der Philosophie und Wissenschaften als Projektionen von „Erhaltungs-Bedingungen" zu entlarven. Sie gelten ihm zugleich als Symptome des verarmten „Lebens". Aber er selbst martert sich fortwährend mit den kalten und quälenden Reflexionen seines Denkens, das er doch gemäß seiner eigenen Theorie ebenso als Ausdruck von Lebensbedürfnissen erkennen könnte. Noch am 17. Oktober 1885 schreibt er an Franz Overbeck: „Es ist auch eine Art von *Resultat* und vielleicht nicht in jedem Betracht ein trauriges, zum Mindesten, wenn man ein Recht sich zugestehen darf, den Sinn seines Lebens in die Erkenntniss zu setzen. Zu ihr gehört Entfremdung, Entfernung, vielleicht auch Erkältung" [156]. Diese Erkenntnis ist am wenigstens dazu angetan, die Unmittelbarkeit des Lebens zu stärken; vielmehr stößt sie das Dasein erst recht in die Degenereszenz der Modernität hinab. Für das Denken Nietzsches gilt demnach dasselbe, was er an den Erkenntnissen anderer bekämpft. Dennoch hält das Pathos der „intellektuellen Redlichkeit" dem Bedürfnis, die Welt durch den schönen Schein erträglich zu machen, stand und erlangt eine Eigenberechtigung, die sich von allen Wünschbarkeiten unabhängig weiß. Vom Aspekt des Lebensganzen aus könnte zwar argumentiert werden, daß die theoretische Erkenntnis als Krankheit erst in ihrem vollen Ausmaße „inokuliert" werden müsse, damit im Endresultat die „grosse Gesundheit" um so eher gefördert werde. Aber der Wille zur Wahrheit um jeden Preis erlaubt nicht, die Erkenntnis in einen systematischen Zusammenhang einzuordnen und ihr eine nur vorübergehende und dienende Funktion zuzuweisen. „Verglichen mit dem *Künstler*, ist das Erscheinen des *wissenschaftlichen* Menschen in der That ein Zeichen einer gewissen Eindämmung und Niveau-Erniedrigung des Lebens (— aber auch einer *Verstärkung, Strenge, Härte, Willenskraft)*" [157]. Nietzsche läßt nichts darüber wissen, daß der eine im Dienste des anderen stände und im Gesamtplan der höheren Aufgabe seinen berechtigten Platz einnähme. Ein lakonisches „aber auch" bezieht beide Daseinsweisen gleichermaßen auf das „Leben" und erkennt jeder ihre Bedeutung zu, ja es heißt sogar an anderer Stelle, daß der „wissenschaftliche Mensch" die „Weiterentwicklung des künstlerischen" [158] sei. Die Hochschätzung der Erkenntnis steigert sich, und die Wahrheit ist schließlich noch das einzige Ziel, dem mit vollem Recht Opfer gebracht würden [159]. Vernunft und Erfahrung werden zu Göttern, „die in uns sind" [160], erhoben, und der „grösste Fortschritt" der Menschen wird darin gesehen, daß sie *richtig schliessen* lernen" [161]. Zugleich begegnet dieser Erkenntnisfreudigkeit die tiefste Skepsis und Erkenntnismüdigkeit als größte Gefährdung. „Es giebt keine alleinwissendmachende Methode der

---

[156] Nietzsches Briefwechsel mit Franz Overbeck, S. 311.
[157] WM. XIX, 225.
[158] MA. VIII, 194.
[159] Vgl. M. X, 48.
[160] M. X, 39.
[161] MA. VIII, 238.

Wissenschaft! Wir müssen versuchsweise mit den Dingen verfahren . . ." [162].
Daher ist in jedem Augenblick, wenn vom Pathos der Wahrheit die Rede
ist, die *Suche* nach der Wahrheit, nicht deren Verfestigung und Dogmati-
sierung gemeint, wie Nietzsche selbst nachdrücklich betont [163]. Vom
Gesichtspunkt dieses unbedingten, denkenden Experimentierens aus wird
die Kunst in ein schlechteres Licht gerückt. Sie hat nun nicht mehr jene
dominierende Stellung inne, die ihr in anderen Perspektiven zuerkannt
wird, sondern sie wird bis zur völligen Bedeutungslosigkeit erniedrigt.
„Wer sich nicht von einer [164] Kunst lange Zeit völlig entwöhnt hat, sondern
immer in ihr zu Hause ist, kann nicht von ferne begreifen, *wie wenig* man
entbehrt, wenn man ohne diese Kunst lebt" [165]. Aber es bleibt nicht einmal
bei der Gleichgültigkeit gegenüber der Kunst, sondern es werden ernste
Vorwürfe gegen sie erhoben, deren schärfster und zugleich ältester
Zarathustra in den Mund gelegt wird. Die Dichter werden der Lüge
bezichtigt.

Wegen der Mehrdeutigkeit der Zarathustra-Rede „Von den Dichtern" [166]
können wir auf eine kurze Interpretation dieses Kapitels nicht verzichten.
Es beginnt mit einem klaren Bekenntnis zum Diesseits. Die Ablehnung
einer jeden Metaphysik wird deutlich in der Parodie auf den Chorus
Mysticus am Ende des Goetheschen „Faust". Schon in der Rede „Auf den
glückseligen Inseln" war das Wort gefallen: „Alles Unvergängliche — das
ist nur ein Gleichniss! Und die Dichter lügen zu viel" [167]. Zarathustra hatte
hier bereits das Lob auf Werden und Vergänglichkeit verkündet, und die
Schaffenden waren aufgerufen, „Fürsprecher und Rechtfertiger" [168] alles
Zeitlichen zu sein. Wenn die Unvergänglichkeit nur ein Gleichnis, dieses
aber das eigentliche Medium des Dichtens ist, dann wirken die Poeten mit,
eine Nebelwelt des Unirdischen und Unverbindlichen zu schaffen. Aus
diesem Grunde bringt sie Nietzsche an anderer Stelle in die Nähe der
„homines religiosi" [169]. Als Zarathustra die Abwertung der „Unvergänglichkeit" wiederholt [170], fehlt zunächst der Zusatz, daß die Dichter lügen.
Der emsige und gedächtnisstarke Jünger muß den Lehrer erst an das früher
Gesagte erinnern, worauf er zur Antwort erhält: „Aber auch Zarathustra ist
ein Dichter" [171]. Er wird irre an der wirklichen Meinung seines Vorbildes
und die endgültige Belehrung lautet: „Aber gesetzt, daß Jemand allen
Ernstes sagte, die Dichter lügen zuviel: so hat er Recht, — *wir* lügen
zuviel" [172]. Die folgende Charakterisierung der Dichter beschreibt ihre Eitel-

---

[162] M. X, 284.
[163] Vgl. MA. VIII, 392.
[164] Damit meint natürlich Nietzsche die Kunst der Musik oder Dichtung überhaupt, nicht aber irgendeine Kunstfertigkeit im speziellen Sinne.

[165] MA. IX, 58.
[166] Z. XIII, 166 ff.
[167] Z. XIII, 108.
[168] Z. XIII, 109.

[169] J. XV, 79.
[170] Vgl. Z. XIII, 166.
[171] a. a. O.
[172] Z. XIII, 167.

keit, Oberflächlichkeit und Anmaßung, „einen besonderen geheimen Zugang zum Wissen" [173] zu haben. Ihre Gestalten sind für Zarathustra bloße Traumgeburten und auf „Dichter-Gleichniss" reimt er „Dichter-Erschleichniss" [174]. Aber nicht nur der Götter, sondern auch der „Übermenschen" ist er müde, obwohl er selbst deren Künder ist. Wenn er an den Dichtern verzweifelt, sich aber ebenso als Dichter bezeichnet, dann wendet er sich damit nicht zuletzt gegen sich selbst. Die vorliegende Rede ist demnach der Ausdruck einer tiefen Traurigkeit und Skepsis, die nicht nur den Poeten, sondern zugleich seiner eigenen Person gilt. Daher „zürnt ihm sein Jünger" [175], denn der Jünger will den Meister stets stark wissen, ohne ihn in seiner Müdigkeit und seinem Zweifel verstehen zu können. Aber schon hat Zarathustra sein Auge „nach Innen gekehrt" [176], und von den kommenden Dichtern weiß er zu sagen, daß auch sie den Blick „gegen sich selber" [177] gerichtet haben. Nicht mehr die Dichtung schlechthin, sondern nur die Dichterexistenz der Moderne wird angegriffen. Die Kennzeichen eines solchen Künstlertums: „sie trüben all ihre Gewässer, dass es tief scheine", „Eitelkeit", „Zuschauer will der Geist des Dichters" usw. stimmen daher überein mit dem, was Nietzsche Wagner zum Vorwurf macht. Das Bekenntnis Zarathustras „Ich wurde der Dichter müde, der alten und der neuen" [178] endet schließlich in einer Zukunftsvision, in der die Künstler „verwandelt" [179] erscheinen.

Die Rede „Von den Dichtern" ist durch eine fortschreitende Zentrierung auf die Innerlichkeit Zarathustras bestimmt. Der Prozeß läßt sich durch folgende Stationen kennzeichnen: Die Dichter lügen; wir lügen; Zarathustra kehrt den Blick nach innen; er sieht die kommenden Dichter als „Büsser des Geistes" [180]. Der Weg führt von der Erkenntnis der realen Gegebenheit, daß die Dichter lügen, über die Einbeziehung des Ichs zum tiefsten Kern der Verinnerlichung, die jedoch nicht in monomanischer Isolation erstickt. Stattdessen bricht aus diesem Innern ein neues Wissen hervor, welches sogar die Zukunft visionär erfaßt. Die Dichter lügen, weil sie sich an ein einzelnes Moment der äußeren Welt des Scheines verlieren, weil „sie ihrem Selbst nicht folgen" [181], nicht nur weil sie den wissenschaftlichen Erkenntniswahrheiten widersprechen. Statt aus dem Ganzen ihres eigenen Daseins zu schaffen, haben sie ein „Unvergängliches" entworfen, um sich an ihm zu berauschen. Sie haben Götter gesetzt, obgleich sie wußten, welch Geistes Kinder diese waren. „Ich nenne Lüge: Etwas *nicht* sehn wollen, das man sieht, Etwas nicht *so* sehn wollen, wie man es sieht" [182].

[173] a. a. O.
[174] a. a. O.
[175] Z. XIII, 168.
[176] a. a. O.
[177] Z. XIII, 169.
[178] Z. XIII, 168.
[179] Z. XIII, 169.
[180] a. a. O.
[181] Paul Böckmann: Die Bedeutung Nietzsches für die Situation der modernen Literatur in „Deutsche Vierteljahresschrift für Literaturwissenschaft und Geistesgeschichte," Bd. 27, 1953, S. 84.
[182] J. XVII, 244.

Die Dichter werden von dem Vorwurf der Lüge befreit sein, wenn sie wie Zarathustra „gegen sich selber den Blick gerichtet"[183] haben und „Büsser des Geistes" geworden sind, d. h., wenn sie Abbuße geleistet haben für den Geist einer Kunst, der ein „Pfau der Pfauen" und ein „Meer der Eitelkeit"[184] ist. Diese Buße aber vollzieht sich in der kritischen Bewußtheit ihrer Existenz und Fragwürdigkeit ihres Dichtens.

Wenn jedoch die Dichter denen gleichen, welche Götter erfinden, dann sind sie — sollte man meinen — dazu ebenso berechtigt wie die Griechen, welche die Olympier als Gegengewicht gegen das „Absurde" ihres Daseins erfanden. „Um leben zu können, mussten die Griechen diese Götter, aus tiefster Nöthigung, schaffen"[185]. Ihre Flucht in den schönen Schein ist nach Nietzsche nicht in einem abwertenden Sinne zu verstehen. Nun aber wird das „Dichter-Gleichniss" als erschlichene Lüge entlarvt, und den Poeten wird nicht mehr zugestanden, was bei den Griechen noch ein Zeichen von Größe war. Der Grund liegt darin, daß der Denker der Moderne den Mythos der Alten in seiner Bedingtheit erkannt hat und ihn auf Lebensbedürfnisse zurückzuführen vermag. Die großen Kunstwerke der Vergangenheit stützten sich auf Vorstellungen, „welche wir jetzt als falsch erkennen"[186]. Ebenso ist für die Dichter der naive Glaube unmöglich geworden, was ihnen selbst bewußt sein muß. Gerade darin besteht nun ihre Lüge, daß sie wissen, ohne sich dieses Wissen einzugestehen. Weil Zarathustra den Anspruch der Bewußtheit an den Menschen der Modernität mit äußerster Schärfe erfaßt, ist auch *er* Lügner. Die Erkenntnis seiner eigenen Unwahrheit hebt ihn dann aber doch wieder über die anderen hinaus, so daß er zum ersten „Büsser des Geistes" wird. Die Dichter dagegen verhalten sich so, als ob sie die Notwendigkeit moderner Reflexion überhaupt nicht anfechte. Weil der Mythos als bedingt erkannt ist, wird auch das „Dichter-Gleichniss" fragwürdig; denn sein Zeichencharakter ist nichtig geworden, es zeigt ins Leere. Daher fordert die Erkenntniswahrheit der Modernität ihr Recht und wird zum Widersacher der Dichtung, indem sie diese fortwährend durchkreuzt und gefährdet. In dieser radikalen Zuspitzung werden nicht nur bestimmte Inhalte oder Formen der Dichtung, sondern sogar der Akt des Dichtens selbst fragwürdig. Die Kunst leuchtet bloß noch als „Abendröthe" und ist schon von der „Magie des Todes" umspielt[187].

Wir sahen, wie einerseits das Denken an seine eigene Grenze gelangt, das „Leben" schwächt und zu einer völligen Auflösung des menschlichen Daseins führt, und wie die Einsicht in die Unzulänglichkeit der Erkenntnismittel schließlich in „Kunstbedürftigkeit" umschlägt. Andererseits wird die Kunst zu einer Zeit, die sich vom Ganzen des Lebens entfernt und den Mythos destruiert hat, in der Perspektive moderner Kritik und Reflexion zu einem höchst fragwürdigen Unternehmen. Der Anspruch der Modernität

---

[183] s. o.
[184] Z. XIII, 169.
[185] GT. III, 33.

[186] MA. VIII, 188.
[187] MA. VIII, 195.

ist so stark, daß Zarathustra sogar der „alten" Dichter [188] müde wird. Kunst und Erkenntnis stehen somit in einem unseligen, aber vielleicht gerade deswegen fruchtbaren Spannungsverhältnis, in dem sie sich fortwährend befeinden und gegenseitig gefährden [189]. Sie sind Pole eines zerfallenen Ganzen, dessen lebensmächtige Einheit zum Disederat der „grossen Gesundheit" gehört. „Meine allgemeine Aufgabe: zu zeigen, wie Leben, Philosophie und Kunst ein tieferes, verwandtschaftliches Verhältnis zu einander haben können, ohne dass die Philosophie flach ist und das Leben des Philosophen lügenhaft wird" [190].

4. DIE EXISTENZ DES KÜNSTLERS

Nietzsches Denken über das Wesen der Kunst ist zugleich auch stets eine Expedition nach dem „Leben" als dem einheitlichen Grunde alles Seienden. Die detailliertesten Fragen der Ästhetik werden niemals losgelöst von jenem Ganzen, über welches der Philosoph nichts Allgemeingültiges auszumachen weiß. Die Formprobleme bestimmter Dichtungsgattungen sind wenig bedeutsam; stattdessen wird wichtig, ob ein Künstler aus der Fülle seiner Gesundheit schafft, oder ob ein verarmtes „Leben" sein Werk bedingt, ob sein Pessimismus ein Symptom der Stärke oder der Schwäche ist und ob sein Künstlertum auf dem Ganzen des Lebens ruht oder ob sich ein einzelnes Moment nach vorne gedrängt und den Künstler

[188] Vgl. Z. XIII, 168.

[189] Das Neben- und Gegeneinander von Kunst und Kritik werden wir von Nietzsche her eingehender an Werken Thomas Manns zu erläutern haben.

[190] WW. VI, 105. Maria Bindschedler („Nietzsche und die poetische Lüge", Basel 1954) versucht, die Spannung zwischen Erkenntnis und Dichtung durch einen doppelten Wahrheitsbegriff bei Nietzsche zu erklären. Von einem überzeitlichen, absoluten Sinn der Wahrheit werde die Kunst als Lüge entlarvt. Ein zweiter Wahrheitsbegriff, den Maria Bindschedler den „virtuellen" nennt (S. 62 f.), verwirkliche sich erst in menschlich- geschichtlicher Tat und Leistung und rechtfertige schließlich auch die Kunst. Das Verhältnis von absoluter und „virtueller" Wahrheit habe seine Parallele in der ontologischen Differenz von Sein und Seiendem bei Heidegger (S. 64).
Wir vermögen jedoch keinen absoluten Wahrheitsbegriff bei Nietzsche zu finden; sein Denken ist vielmehr auf der Suche nach dem umfassenden Lebensganzen, auf dessen Grunde erst die Frage nach „wahr" und „falsch" gestellt werden kann. Wollte man Heideggers Begriff des Seins zur Interpretation heranziehen, dann käme diesem das „Leben" am nächsten, welches aber gerade die Kunst ins hellste Licht rückt; denn diese ist das „grosse Stimulans des Lebens" (s. o.). Erst im jeweiligen menschlichen Dasein der Moderne bricht das Bedenken gegen Kunst und Mythos auf, und die Erkenntniswahrheit wird zur Rivalin des Dichters. Das Verhältnis der beiden Wahrheiten wäre demnach gerade ein entgegengesetztes zu dem, welches Maria Bindschedler beschreibt. Wenn schon bei Platon und im Mittelalter die Dichter der Lüge bezichtigt werden, dann bemerkt sie mit Recht, daß hier im Unterschied zu Nietzsche von einer gesicherten Position aus argumentiert wird (S. 65). Indem sie aber auch für Nietzsche einen absoluten Wahrheitsbegriff beansprucht, deckt sie diesen Unterschied wieder zu.

unter die Herrschaft eines festgestellten Ideals gezwungen hat. Schon aus dieser Art, ästhetische Phänomene zu befragen, geht deutlich hervor, daß sich Nietzsches Kunstauffassung nicht als „Ästhetizismus" etikettieren läßt. Die fortwährende Bezugnahme auf das „Leben" führt zu einem in der bisherigen systematischen Ästhetik weitgehend fehlenden Interesse an der Daseinsweise desjenigen Menschen, der Kunstwerke schafft. Die Existenz des Künstlers wird in einem bisher nicht gekannten Ausmaße thematisch und wird seitdem bis in unsere Tage sowohl von Philosophen und Wissenschaftlern als auch von den Künstlern selbst immer wieder kritisch erörtert und dichterisch gestaltet. Für Kant, Hegel und Schopenhauer war der Künstler nur insofern von Bedeutung, als in ihm eine hervorragende Konstitution bestimmter Vermögen anzutreffen war, die zwar frei spielten, aber ausnahmslos auf ihre Erkenntnisfunktionen bezogen wurden. In diesem Sinne charakterisiert Kant das Genie als die „musterhafte Originalität der Naturgabe eines Subjekts im *freien* Gebrauche seiner Erkenntnisvermögen" [191]. Nietzsche vermißt daher in der bisherigen Ästhetik eine Beschreibung der Künstlerexistenz, welche der Künstler selbst zu geben hat. Die Bestimmung des Schönen leidet nämlich darunter, daß sich immer nur die Nicht-Künstler und bloß Rezeptiven zu Wort gemeldet haben. Andererseits ist dieser Mangel verständlich und sogar ein „nothwendiger Fehler", denn „der Künstler, der anfienge, sich zu begreifen, würde sich damit *vergreifen,* — er hat nicht zurück zu sehen, er hat überhaupt nicht zu sehen, er hat zu geben. — Es ehrt einen Künstler, der Kritik unfähig zu sein, — andernfalls ist er halb und halb, ist er ‚modern'" [192]. Obwohl Nietzsche die mangelnde Reflexion als „nothwendigen Fehler" erkennt, möchte er dennoch eher diesen korrigieren, als der Notwendigkeit weichen; denn er bemüht sich selbst angestrengt um Klärung des Künstlerdaseins. Er begreift sich damit als „modern", als „halb und halb", d. h. als Dichter *und* Analytiker. Wenn Stefan George stattdessen mit Bezug auf Nietzsche meint:

> „. . . sie hätte singen
> Nicht reden sollen diese neue seele" [193],

dann engt er „diese neue seele" ein [194].

[191] I. Kant: Kritik der Urteilskraft. Hrsg. von Karl Vorländer. Hamburg 1959, S. 173.

[192] WM. XIX, 222.

[193] Stefan George: Gesamtausgabe der Werke. Berlin 1927—34, Bd. 6/7, S. 13.

[194] Stefan George zitiert hier zwar Nietzsche, der selbst in dem „Versuch einer Selbstkritik" (1886) zur „Geburt der Tragödie" schreibt: „Sie hätte s i n g e n sollen, diese ‚neue Seele'! — und nicht reden!" (GT. III, 7). Aber diese Äußerung bezieht sich nur auf das Erstlingswerk, das zwischen Philologie und Dichtung schwebt und in keiner der beiden Sphären zu Hause ist. Daher fährt Nietzsche fort: „Wie schade, dass ich, was ich damals zu sagen hatte, es nicht als Dichter zu sagen wagte: ich hätte es vielleicht gekonnt! Oder mindestens als Philologe: — bleibt doch auch heute noch für den Philologen auf diesem Gebiete beinahe alles zu entdecken und auszugraben!" (a. a. O.)

Sie läßt sich niemals als Nur-Künstler oder Nur-Philosoph erfassen, und auch das abgegriffene Klischee vom „Dichter-Denker" wird ihr nicht gerecht, da sie beide Möglichkeiten weder in Einklang bringen, noch in einer unverbindlichen Zwischenform vermischen konnte. Vielmehr ertrug Nietzsche an sich selbst die fortwährende Spannung von kalter Reflexion und trunkenem Dithyrambus und erlitt somit als Repräsentant der Moderne das spezifische Verhältnis von Kunst und Erkenntnis, wie wir es im vorigen Kapitel zu beschreiben versuchten [195].

Die Beziehung der Erkenntnis zur Kunst ist jedoch nur *eine* Ausfaltung der gesamten ästhetischen Problematik und nicht einmal die vordringlichste. Das ganzheitliche „Leben" wird im „modernen" Menschen zerspaltet und fällt in divergierende Funktionen auseinander. Der Künstler kämpft daher nicht nur um seine Selbstbehauptung gegen den Anspruch des theoretischen Erkennens, sondern lehnt sich ebenso auf gegen die Gesellschaft, das platte Leben und gegen sein eigenes Werk. Seine Existenz wird dadurch zu einer höchst komplexen und in sich wenig eindeutigen Daseinsform, um deren Beschreibung und Klärung Nietzsches Denken im ganzen Werke fortwährend kreist. Vielfältige und oft mehrdeutige Äußerungen beleuchten das Dasein des Künstlers von den verschiedensten Seiten. Die als Paradoxien verkleideten Charakterisierungen, daß er „mit Vernunft rase" [196], oder daß er einer „leidenschaftlichen Indifferenz" [197] huldige, setzen nur wenige extreme Pole, durch die das Phänomen des Künstlers eingegrenzt werden soll. Aber damit sind manche andere Dimensionen des Problems — wie etwa die Relation: Künstler und Gesellschaft — nicht erfaßt, weil selbst die Antithese sich als unzureichend erweist. Ein Blick auf das Gesamtwerk Nietzsches zeigt, daß nicht die Antinomie, sondern der dauernde Wechsel der Perspektive die Methode ist, mit Hilfe derer die Künstlerexistenz umschrieben wird. Sie wird von immer neuen Blickpunkten beurteilt und bewertet.

Gemessen an der Wahrhaftigkeit und der „intellektuellen Redlichkeit" erscheint der Künstler als Schauspieler, Lügner und Scharlatan. „Es führt zu wesentlichen Entdeckungen, wenn man den Künstler einmal als Betrüger fasst" [198]. Aber eine solche Entdeckung bewährt sich nur, solange Erkenntnis, Wahrhaftigkeit usw. die Teilaspekte sind, auf die das Phänomen der Künstlerexistenz bezogen ist. Sobald eine andere Optik eingenommen wird, ist die vorige Äußerung, wenn auch nicht falsch, so doch überholt, und eine neue tritt an deren Stelle. So wird den Künstlern zugestanden, daß sie „ohne Schauspielerei es schwerlich auf die Länge aushielten" [199]. Ihre Lust

---

[195] Anmerkung: Fast allzu bildfreudig, aber äußerst treffend schreibt Julius Zeitler: „Nietzsche mutet an wie ein Schläfer, der bald auf dieser, bald auf der anderen Seite liegt, der sich auf einem zerwühlten Lager zwischen Kunstträumen und Wissenschaftswirklichkeiten hinüber und herüberwälzt" („Nietzsches Ästhetik" S. 3).

[196] Nietzsches Briefwechsel mit Peter Gast vom 20. 3. 1883, S. 113.

[197] WM. XIX, 226.   [199] FW. XII, 129.   [198] MA. IX, 100.

zu betrügen ist also von einem Lebensbedürfnis motiviert und erweist sich somit als begründet, wenngleich sie nicht vollends gebilligt wird, denn „das Schmerzlichste, was der Denker zu den Künstlern sagen kann, lautet so: ‚könnt ihr denn nicht eine Stunde *mit mir wachen?'“* [200]. Weil der Künstler das Höchste anstrebt und das Wesen des „Genies" darin besteht, „ein hohes Ziel *und* die Mittel dazu wollen" [201], täuschen sie sich über die hemmenden Ansprüche einer lähmenden und unproduktiven Reflexion hinweg; sie „wollen" auch den Schein als „Mittel", ohne sich allerdings dem Vorwurf des Betruges entziehen zu können. So ist der Künstler der gespannte Bogen zwischen dem großen Ziel, sich dem Totum der Welt zu nähern und der kritischen Selbstanalyse, die seine Existenz als Lüge entlarvt. Er ist „Hanswurst und Gott benachbart; der Heilige und die Canaille" [202]. Der Nimbus überirdischer Vermögen wird dem Genie selbst fragwürdig, und es erkennt die realen, ja sogar banalen Bedingungen, die sein Schaffen bestimmen. Intuition und Sehertum lassen sich psychologisch oder physiologisch zergliedern und bleiben bloße Vorurteile der Nichtkünstler, welche den Ursprung eines Kunstwerkes nicht sehen und daher übermenschliche Fähigkeiten zur Erklärung heranziehen. In Wirklichkeit aber haben die Künstler „Alle jenen tüchtigen Handwerker-Ernst, welcher erst lernt, die Teile vollkommen zu bilden, bis er es wagt, ein grosses Ganzes zu machen" [203]. Wenn das Publikum dennoch beim Künstler geheimnisvolle Kräfte vermutet, dann bestärkt er die Masse in ihrem frommen Glauben, und diese ahnt nicht, daß gerade sie das Zustandekommen eines Genies begünstigt. Sie ist in mehr als einem Sinne die Voraussetzung für den Künstler, der *biologisch* nichts anderes ist als das „Schlussergebniss der accumulirten Arbeit von Geschlechtern" [204]. In anderer Hinsicht ist die Masse in ihrer spezifisch gesellschaftlichen Struktur die *soziologische* Bedingung des Genies. Sie duldet nicht nur in ihrer Mitte den „outsider" und großen Einsamen, sondern sie provoziert und erhebt ihn geradezu. Der Künstler weiß, daß sie zu vielen Zugeständnissen bereit ist, er schmeichelt ihr und wirbt um ihre Gunst, indem er sein Werk „nach dem Willen der Natur zum Wohle der anderen Menschen" [205] schafft, obgleich er andererseits nur eine „Kunst für Künstler" befürwortet. Er betrügt also nicht nur sich selbst, sondern täuscht ebenso durch seine Effekte und Schauspielerei sein Publikum, mit dem er deshalb trotz seiner Extravaganz in Eintracht, ja als Günstling der Massen zu leben scheint.

Aber der Künstler muß gleichzeitig erkennen, daß sein Werk von niemandem so verstanden und geliebt wird wie von ihm selbst. Andererseits kann er die Erwartungen, welche die Gesellschaft in ihn gesetzt hat, nicht erfüllen; denn er geht nicht in dem Anspruch auf, eine Funktion gesellschaftlicher

[200] MA. IX, 27.
[201] MA. IX, 167.
[202] WM. XIX, 226.

[203] MA. VIII, 159.
[204] G. XVII, 147.
[205] UB. VII, 112.

Bedürfnisse zu sein. Er erkennt die Diskrepanz zwischen Künstlertum und gesellschaftlich-tätigem Leben und die Kluft zwischen seiner Kunst und dem Publikum: „wie ungeheuer ist sie als Ursache, wie gelähmt, wie nachklingend ist sie als Wirkung" [206]. Die Gesellschaft, welche das Werk des Künstlers mißversteht und für ihre Belange verwendet, kann nicht der einzige Grund seines Schaffens sein. Die soziologischen Bedingungen erweisen sich als unzureichend für die Erklärung der Künstlerexistenz. Was aber ist das „Ungeheure" der Ursache, welche die Kunst bedingt und mit der verglichen die Wirkung nur ein schwacher Abglanz ist? Als die eigentlichen Voraussetzungen des künstlerischen Schaffens gelten für Nietzsche der „Rausch" und „eine *extreme Schärfe* gewisser Sinne" [207]. Damit sind die beiden Momente des Dionysischen und Apollinischen abermals ins Spiel gebracht. Sie haben zunächst vornehmlich physiologische Bedeutung, wenn sie im Künstler die großen „Ausnahme-Zustände" [208] hervorbringen, deren Nähe zum Rausch und zur Hysterie gleichzeitig Krankheit herbeiführen, „so dass es nicht möglich scheint, Künstler zu sein und nicht krank zu sein" [209]. Die Krankheit schärft die Sinne des Künstlers und ist insofern seine Auszeichnung, als sie die kunstschaffenden Vermögen anreizt. Zugleich jedoch ist sie sein Stigma, das ihn unerbittlich in die Isolation und sogar in offene Gegnerschaft gegen die Gesellschaft treibt. Der Kranke und Leidende erhebt seine Schwäche zu einem Wert, und „mit Verachtung gedenkt er der gemüthlichen warmen Nebelwelt, in der der Gesunde ohne Bedenken wandelt" [210]. So ist der Künstler nicht nur der Günstling der Massen, die er mit seinen Kunststücken entzückt und betört; er ist auch der Schwache und Unterlegene, dem ein tatkräftiges Handeln versagt und ein normales Leben nicht vergönnt ist. Wenn er selbst das Produkt höchster biologischer Anspannung der Gesellschaft ist, dann schlägt sie in ihm schon in Lebensschwäche und Krankheit um. Ist er aber nicht zugleich der eigentliche Anwalt der „grossen Gesundheit" und des starken ungebrochenen „Lebens"?

Wir scheinen uns im Kreise zu drehen, da von keiner der bisher verfolgten Blickrichtungen eine befriedigende Bestimmung der Künstlerexistenz gelang. Sowohl die Spannung von Kunst und Erkennen als auch die soziologischen und physiologischen Bedingungen des Künstlers erweisen sich als berechtigte, aber nicht zureichende Perspektiven. Wir sehen uns daher auf die Lebensganzheit als tragenden Grund aller Phänomene verwiesen und versuchen von ihr her, zu einer umfassenderen Deutung der Künstlerexistenz zu gelangen.

Warum verachtet der Künstler das gesunde „Leben", für welches er sich doch so leidenschaftlich einsetzt, indem er es durch seine Kunst vor Verstellung bewahrt? Dieser vermeintliche Widerspruch löst sich jedoch auf,

[206] a. a. O.
[207] WM. XIX, 220.
[208] a. a. O.

[209] a. a. O.
[210] M. X, 106.

da die Welt der „Gesunden" keineswegs identisch ist mit dem vollen und ungebrochenen „Leben". Sie ist vielmehr die Verengung und Perversion jenes ursprünglichen Totum; denn sie hat sich durch verschiedene Idealismen in eine „Nebelwelt" geflüchtet, in der sie nicht erkennt oder nicht erkennen will. Sie ist zutiefst krank, und nur im Verhältnis zu den Künstlern scheint sie gesund zu sein, weil sie in ihrer Banalität „ohne Bedenken", d. h. ohne das Bewußtsein ihrer eigenen Dekadenz lebt. Der Künstler dagegen kennt seine Krankheit, da er sie als Depravation der „grossen Gesundheit" versteht. Er weiß zugleich, daß die banale und „kleine Gesundheit" eine noch schlimmere Degeneration des „Lebens" bedeutet, da sie sich selbst genügt und daher niemals aus ihrer Verengung herausstrebt. Deshalb nimmt er die décadence bewußt auf sich, um den verderblichen Mangel gerade dadurch aufzuzeigen und dem platten „Leben" den Keim der Krankheit und damit die Sehnsucht nach der „grossen Gesundheit" zu „inokulieren". Ein solches Sakrifizium bindet ihn einerseits an die Welt der „Gesunden", weil er das Opfer zugleich auch immer für die ganz anderen bringt. Dennoch ist er von ihnen durch die verschiedene Existenzweise radikal getrennt. „Was ist am typischen Menschen *mittelmäßig*? Dass er nicht die *Kehrseite der Dinge* als nothwendig versteht: dass er die Uebelstände bekämpft, wie als ob man ihrer entrathen könne; dass er das Eine nicht mit dem Anderen hinnehmen will, — dass er den *typischen Charakter eines Dinges,* eines Zustandes, einer Zeit, einer Person verwischen und auslöschen möchte, indem er nur einen Theil ihrer Eigenschaften gutheisst und die anderen *abschaffen* möchte" [211]. Der „mittelmässige" Mensch ist aus dem Ganzen des „Lebens" herausgefallen und vermag es nicht mehr in seiner Totalität zu bejahen. Er flüchtet sich in den „Teil" als einseitiges Moment und sucht sich von allem Schädlichen und Fragwürdigen zu befreien. Der „ästhetische" Mensch dagegen wird dem „Charakter eines Dinges" gerecht, weil er auch das Zwiespältige an ihm gelten läßt und nicht zugunsten banaler Lebensbedürfnisse im Eindeutigen beruhigt verweilt. Auch der moderne Künstler vermag das Ganze nicht mehr unmittelbar zu ergreifen, aber sein Dasein ist dadurch gekennzeichnet, daß er fortwährend versucht, das Ganze zu umstellen, ohne es zu verstellen. Er muß es in stetig neuen Experimenten von den verschiedensten Blickrichtungen aus angehen, muß es in Gegensätzliches aufreißen, ohne bei der Antithese als Prinzip stehen zu bleiben. Die Gesamtheit des „Lebens" gibt er als Desiderat nicht auf, obwohl er weit von ihr entfernt ist; in Hinsicht auf diese große „Leitidee" stößt er seine faktischen Meinungen und Entscheidungen immer wieder um und macht sich von neuem auf den Weg.

Das hohe Ziel und die Verachtung der „Nebelwelt" schließen nicht aus, daß der Künstler sich trotzdem nach dem normalen Leben sehnt. Er hält seinen Verlockungen nur mit Mühe stand und ist oft geneigt, in die Dienst-

[211] WM. XIX, 274.

barkeit der Welt zu treten, weshalb nichts „corruptibler als ein Künstler" [212] ist. „Denn freilich ist es ein Leben von mannichfacher Qual und Scham in einer Welt unstät und unheimisch zu sein und doch zu ihr reden, von ihr fordern zu müssen, sie verachten und doch die Verachtete nicht entbehren zu können —, es ist die eigentliche Noth des Künstlers der Zukunft" [213]. Die Eigenart der Künstlerexistenz besteht darin, daß sie einerseits mit der Welt spielt, um sie wirbt und sie betrügt, daß sie aber andererseits aus dieser Welt ausgeschlossen ist und ihre Isolation sogar bejahen und auf ihr bestehen muß. Weil Spiel und Schein die Mittel des Künstlers sind, sich zu verwirklichen, ist er all denen unterlegen, die sich einer ernsthaften Betätigung widmen und den praktischen Anforderungen tüchtig und aufrecht Genüge leisten. „An sich ist nun der Künstler schon ein zurückbleibendes Wesen, weil er beim Spiel stehen bleibt, welches zur Jugend und Kindheit gehört: dazu kommt noch, daß er allmählich in andere Zeiten zurückgebildet wird. So entsteht zuletzt ein heftiger Antagonismus zwischen ihm und und den gleichaltrigen Menschen seiner Periode und ein trübes Ende . . ." [214]. Indem die Künstler hinter den anderen Menschen zurückbleiben und sich nicht einspannen lassen in den Fortschritt gesellschaftlicher Errungenschaften, gewinnen sie zugleich wiederum eine gewisse Überlegenheit über die emsigen „Honigsammler" [215], da sie geradezu als universale Betrachter das Totum des Seienden, nicht aber einzelne Erfolgsmomente anstreben. Am 23. Februar 1886 charakterisiert Nietzsche in einem Brief an E. Rohde seine Situation, die eine ganz ähnliche wie die des Künstlers ist: „Alter Lieber Freund Rohde, es scheint mir, Du verstehst Dich besser auf das Leben, dadurch daß Du Dich hineingestellt hast; während ich es immer mehr von ferne sehe — vielleicht auch immer deutlicher, immer schrecklicher, immer umfänglicher, immer anziehender. Aber wehe mir, wenn ich einmal diese Entfremdung nicht mehr aushalte!" [216] Was den Künstler über seine Mitmenschen hinaushebt, macht ihn gleichzeitig zum Unterlegenen, wenn man ihn von der Optik des normalen Lebens aus bemißt. Andererseits ist er auf den „Antagonismus" zwischen sich und der Welt angewiesen, denn es ist unmöglich, „dass der um das nackte Fortleben kämpfende Mensch *Künstler* sein könne" [217]. Sein Verzicht auf die Stärke der Lebenswelt ermächtigt ihn erst, sich dem eigentlichen, vollen und starken „Leben" zu nähern. Daß ihm auch dies faktisch nicht gelingt, verschärft zwar die Fragwürdigkeit seiner Existenz, vermag ihn aber nicht von seinem einzigen Desiderat abzubringen. Während der vernünftige Mensch das Gefährliche und Ungeheure nur abwenden kann, will der Künstler eine „fortwährend einströmende Erhellung, Aufheiterung, Erlösung" [218].

[212] GM. XV, 439.
[213] UB. VII, 322.
[214] MA. VIII, 155.
[215] GM. XV, 269.
[216] Nietzsches Briefwechsel mit E. Rohde. S. 414.
[217] GT. III, 278.
[218] WL. VI, 91.

Wir sahen, daß der Künstler von der Teilnahme am normalen Leben ausgeschlossen ist, da er sich dem Zugriff der Gesellschaft zu entziehen hat, daß er weiterhin bei keinem Ideal zur Ruhe kommt und sich radikal auf sich selbst verwiesen sieht. Findet er aber nicht stattdessen ein stilles, aber genügsames Glück in der Erfüllung seines eigenen Werkes? Leistet ihm nicht dieses, was dem Nicht-Künstler die Befriedigung seines Berufes bringt, so daß der Künstler in seinem Schaffen einen vollwertigen Ersatz für seinen Mangel an Lebenstüchtigkeit erreicht? Man möchte also glauben, daß er ohne großen Verzicht der Realität den Rücken kehren kann. „Ein vollkommener und ganzer Künstler ist in alle Ewigkeit von dem ‚Realen', dem Wirklichen abgetrennt; andererseits versteht man es, wie er an dieser ewigen ‚Unrealität' und Falschheit seines innersten Daseins mitunter bis zur Verzweiflung müde werden kann, — und dass er dann wohl den Versuch macht, einmal in das gerade ihm Verbotenste, in's Wirkliche überzugreifen, wirklich zu *sein*" [219]. Die Kunst kann ihm also keineswegs den Verlust an Realität ersetzen, sondern er versucht, immer wieder in die Lebenswirklichkeit zu fliehen. Das fortwährende Scheitern an den Grenzen des Ganzen und der Scheincharakter seines Werkes lassen bei ihm „Verzweiflung" und Ermattung aufkommen, und er sehnt sich nach dem Eindeutigen, Einseitigen und Banalen. Dieses nämlich ist auch für den Künstler *die* Realität, in der er sich als Mensch mit all seinen Lebensbedürfnissen verwirklichen könnte. Andererseits ist diese Wirklichkeit für ihn das „Verbotene", da sie das ästhetische Ganze verstellt, welches im Kunstwerk angestrebt wird. Gelingt es dem Künstler einmal, das Totum wenigstens approximativ in sein Werk einzufangen, dann vermag er es nicht festzuhalten. Sobald der Schaffensakt abgeschlossen ist, tritt der Künstler aus dem ästhetischen Zustand des „Rausches" heraus. „Als Schaffender lebst du über dich hinweg — du hörst auf, dein Zeitgenosse zu sein" [220]. Dieser Zustand aber geht nun zu Ende, und auf die höchste Anspannung folgen Ermüdung und quälende Ernüchterung. Der Künstler bleibt hinter seinem eigenen Werk zurück. Dieses hat sich verselbständigt, ist seiner Eigengesetzlichkeit gefolgt und bringt dem Autor zum Bewußtsein, daß er seine Herrschaft darüber verloren hat. Die Enttäuschung des Künstlers ist umso härter, da er in seinem Werk den Abglanz seiner einstigen „Größe" erkennen muß, die er selbst nicht mehr erreichen kann; denn „alles Grosse, ein Werk, eine That, wendet sich, einmal vollbracht, unverzüglich *gegen* den, der sie that. Ebendamit, dass er sie that, ist er nunmehr *schwach,* — er hält seine That nicht mehr aus, er sieht ihr nicht mehr in's Gesicht" [221]. Der Künstler kann daher nicht bei einem vollendeten Werke haltmachen. Wie er weder in einem Ideal noch in der „Nebelwelt" der Normalen zur Ruhe kommen kann, so kann er ebenso-

[219] GM. XV, 376.
[220] ZZ. XIV, 16.
[221] EH. XXI, 254.

wenig in seinem Geschaffenen auf die Dauer Genüge finden, sondern er wird unaufhaltsam weitergetrieben, weil seine Existenz die des „Wanderers" ist. So wird er fortwährend erfahren: „Einem schöpferischen Menschen kommt nach jeder Erntezeit das Gefühl, daß nunmehr der Wind über die abgemähten Felder wehe und irgend einen ungeheuren Verlust beseufze" [222].

[222] ZZ. XIV, 16.

II. KUNST UND KUNSTLEREXISTENZ
IM WERKE THOMAS MANNS

A. Interpretation der Essays

1. DAS „LEBEN" BEI NIETZSCHE UND THOMAS MANN

In seinem Lebensabriß schreibt Thomas Mann nicht ohne spöttischen Seitenhieb auf die philologische Emsigkeit der Literaturwissenschaftler: „Zu untersuchen, welche Art von organischer Einbeziehung und Umwandlung Nietzsches Ethos und Künstlertum in meinem Falle gefunden hat, bleibt einer Kritik überlassen, die sich dazu bemüßigt findet"[1]. Unsere Fragestellung zielt allerdings weniger auf die geistesgeschichtlichen Voraussetzungen des Mannschen Werkes als auf die Grundproblematik der Kunst und Künstlerexistenz, deren Wesensmerkmale wir am Beispiel Thomas Manns erforschen wollen; d. h. unser Interesse ist eher ein systematisches als ein historisches, wenngleich auch der geistesgeschichtliche Aspekt nicht völlig außer acht gelassen werden soll. Gemeinsame kulturelle Voraussetzungen, eine gewisse gleichartige Veranlagung und eine fast genau entsprechende Problemlage brächten Thomas Mann schon in die Nähe Nietzscheschen Denkens, selbst wenn er sich nachweisbar mit dessen Werk nicht so eingehend beschäftigt hätte. Unsere Aufgabe kann daher nicht darauf beschränkt werden, einen Katalog philologisch nachprüfbarer Entlehnungen aufzustellen. Er würde ohnehin zu umfangreich werden. Zudem wies Thomas Mann, der sein eigenes Werk zugleich immer mit den Augen eines Literaturkritikers betrachtete, auf eine ganze Reihe von Nietzsche-Zitaten in seinen Romanen und Erzählungen hin. Damit erleichterte er den Interpreten die Arbeit des Aufspürens, machte diese aber auch in etwa überflüssig, da ihre einzige Leistung nur noch darin bestehen kann, ein längst bekanntes Faktum durch bloße Summation zu erweitern. Der Nachweis eines Nietzsche-Zitates soll daher nur dann erbracht werden, wenn er für die Einzelinterpretation der Dichtung notwendig wird.

Selten ist ein Künstler durch Werk und Person eines anderen Großen der Geistesgeschichte derart tief und vor allem so anhaltend beeindruckt gewesen, wie Thomas Mann durch Nietzsche. Aber selten hat auch ein

---

[1] Thomas Mann: Lebensabriß in „Die neue Rundschau", 41. Jahrg. Bd. I. 1930, S. 741.
Im Folgenden zitiert als Lebensabriß undder entsprechenden Seitenzahl.

Autor den Einfluß seines „Vorbildes" so kritisch reflektiert und ist sich über sein Verhältnis zu ihm so deutlich im klaren gewesen. Es gibt kaum ein Essay, selten einen Aufsatz oder gar eine kurze Notiz, in der nicht von Nietzsche die Rede wäre, ob Thomas Mann nun gerade über Tolstoi, Goethe, Freund, Lessing oder Liebermann schreibt. Er weiß bei sich eine Geschichte und Entwicklung des Nietzsche- Erlebnisses zu verfolgen, denn es „vollzog sich gleichsam in mehreren Schüben und verteilte sich auf Jahre"[2]. Früh schon fühlt er eine „Verwandtschaft" mit ihm, und die eigentümliche „Faszination", die von Nietzsche ausgeht, ruft in ihm eine „Mischung von Ehrfurcht und Erbarmen"[3] für ihn hervor. Schon in den „ersten an die Öffentlichkeit gelangten Prosaversuchen" ist der „geistige und stilistische Einfluß Nietzsches"[4] spürbar, und das bedeutende Kapitel der „Buddenbrooks", in dem der Senator sich für eine kurze Zeit im metaphysischen Rausch der Schopenhauerschen Philosophie hingibt, zeigt am Schluß einen Ausblick auf das stärkere, vollere Leben in seiner brutalen Schönheit. Hier spricht schließlich nicht mehr der weltverneinende Pessimismus Schopenhauers, sondern die dionysische Lebensverherrlichung Nietzsches, zu der allerdings dem décadent Thomas Buddenbrook die „große Gesundheit" fehlt. In der Tat bezeugt Thomas Mann selbst, daß er der Philosophie Schopenhauers „erst nach einiger Bekanntschaft mit Nietzsche begegnet"[5] sei. Mit direktem Bezug auf das genannte Kapitel der „Buddenbrooks" kommentiert er in dem Essay über Schopenhauer: „Hier dachte freilich einer, der außer Schopenhauer auch schon Nietzsche gelesen hatte und das eine Erlebnis ins andere hineintrug, die sonderbarste Vermischung mit ihnen anstellte"[6]. An zahlreichen Stellen beruft sich Thomas Mann auf die „Fundamente" seiner „geistig-künstlerischen Bildung" und nennt in diesem Zusammenhang stets das „Dreigestirn ewig verbundener Geister": Schopenhauer, Wagner und Nietzsche[7]. Von diesen übte der letztere zweifellos den stärksten Einfluß auf ihn aus, so daß die frühe Leidenschaft zu Schopenhauer und die bis ins hohe Alter fortdauernde Passion für Wagners Musik erst durch die Kritik Nietzsches an beiden geschärft wurden[8]. Dabei steht ihm „nicht der späte und steilgroteske, sondern der aufgeklärte Verfasser von ‚Menschliches, Allzu-

[2] Lebensabriß S. 742.
[3] Neue Studien. Stockholm 1948, S. 106.
[4] Lebensabriß S. 741.
[5] Lebensabriß S. 742.
[6] Adel des Geistes S. 366.
[7] Vgl. Betrachtungen eines Unpolitischen. S. 63 f.
[8] Auch Carl Helbling ist der Meinung: „Nietzsche wurde zu Manns eigentlichem Lehrer." Während Schopenhauer und Wagner den Pessimismus des ausgehenden 19. Jahrhunderts repräsentieren, läßt er Thomas Mann in Nietzsche gerade den Kritiker der décadence sehen. (Vgl. Carl Helbling: Die Gestalt des Künstlers in der neueren Dichtung. Eine Studie über Thomas Mann. Bern 1922, S. 120.)

menschliches'" [9] vor Augen. Von der Beschäftigung mit Nietzsche gesteht schließlich Thomas Mann, daß alle seine „Begriffe von Kunst und Künstlertum auf immer davon bestimmt, oder, wenn nicht bestimmt, so doch gefärbt und beeinflußt wurden — und zwar in einem nichts weniger als herzlich-gläubigen, vielmehr einem nur allzu skeptisch verschlagenen Sinn" [10].

Wie sehr Thomas Mann von Nietzsches Person fasziniert ist, wenn er den „beherrschenden Genius" in seiner „überschattenden Größe" [11] enthusiastisch feiert, so zwiespältig ist seine Haltung zu seinem Werk und vor allem zu dessen Wirkung. Jederzeit zollt er seine Achtung der bewunderten und zugleich bemitleideten Hamletnatur, die zur Erkenntnis berufen, aber nicht dazu geschaffen war. Wenn er Bedenken gegen die „anti-humane Lehre" [12] anmeldet, versäumt er nicht, auf die Diskrepanz von Autor und Werk hinzuweisen: „Zuweilen, privat, in seinen Briefen, kam ein ganz anderer Nietzsche zum Vorschein, als der seiner Bücher" [13]. Schon früh distanziert sich Thomas Mann von der „Mode- und Gassenwirkung" [14], die sich in der Nachfolge Nietzsches als brutale Lebensverherrlichung zu erkennen gibt und sich in einer verantwortungslosen Verleugnung des Geistes gefällt, ohne daß jene Schwärmer aber zuvor den Weg der leidvollen Erkenntnis bis zu ihrer Grenze gegangen wären. Aber die Wirkung ist nicht völlig losgelöst von dem Werk, welches sie initiierte, und eine Ursache bleibt nicht ungestraft, die derartige Folgen zeitigt. Die Kritik bleibt daher nicht stehen bei jenen losen Mißbräuchen der Nietzscheschen Philosophie, sondern greift auf diese unmittelbar über. Zwei Irrtümer möchte Thomas Mann diesem Denken nachweisen: „Der erste ist eine völlige, man muß annehmen: geflissentliche Verkennung des Machtverhältnisses zwischen Instinkt und Intellekt auf Erden, so, als sei dieser das gefährlich Dominierende, und höchste Notzeit sei es, den Instinkt vor ihm zu retten" [15]. Die Wahrheit sei jedoch das Gegenteil, und man habe alle Ursache, dem Geiste beizuspringen und ihn vor der erdrückenden Macht des Nur-Vitalen und Ungeistigen zu bewahren. Nietzsches Meinung sei daher wohl nur als Ergebnis einer historischen Situation und als „Korrektur rationalistischer Saturiertheit" [16] zu erklären, während Thomas Mann nicht glaubt, daß das Leben vom Geiste ernstlich gefährdet sein könne. Den zweiten Irrtum sieht er in dem falschen Verhältnis von Leben und Moral, die Nietzsche in einen Gegensatz bringe. Tatsächlich aber gehörten beide zusammen; denn „Ethik ist Lebensstütze, und der moralische Mensch ein rechter Lebensbürger, — vielleicht etwas langweilig, aber höchst nützlich. Der wahre Gegensatz ist der von Ethik und *Ästhetik*. Nicht die Moral, die Schönheit ist totverbunden, wie viele Dichter gesagt und gesungen haben,

[9] Betrachtungen eines Unpolitischen S. 448.
[10] a. a. O. S. 66.
[11] Altes und Neues. S. 168.
[12] a. a. O. S. 217.
[13] a. a. O.
[14] Lebensabriß S. 741.
[15] Neue Studien. Stockholm 1948 S. 135
[16] a. a. O. S. 136.

— und Nietzsche sollte es nicht wissen?" [17] Beide Vorwürfe richten sich also gegen eine irrige Einschätzung des Lebens, und dies ist in der Tat der Punkt, an dem Thomas Mann von Nietzsche ganz erheblich abweicht. Damit sei nicht gesagt, daß er der Problematik des Nietzscheschen Denkens nicht verpflichtet bliebe; „denn er bezeugt selbst ausdrücklich, daß er dem von ihm bewunderten Philosophen vor allem die „Idee des Lebens" [18] verdanke. Die Fragestellungen sind die gleichen geblieben, aber die jeweiligen Antworten haben sich verschoben, da Phänomene wie Geist, Leben, Kunst usw. andere Beziehungen eingegangen sind. Dabei ist die Kritik an Nietzsche nicht eindeutig, und keineswegs ergreift Thomas Mann ausschließlich für den Intellekt Partei, um das verderbliche Aufkommen des Lebens zu dämpfen. In welchem Lichte erscheint bei Thomas Mann dieses „Leben"?

Er selbst bestätigt an zahlreichen Stellen, daß er seinen Lebensbegriff von Nietzsche übernommen, daß er ihn aber nach seinen Vorstellungen umgeformt habe. Nicht vom „Leben" in seinem Macht- und Schönheitsrausch sei er in erster Linie beeindruckt gewesen, sondern er habe es vielmehr in einer „anderen, leiseren und verschlageneren Gefühlsnuance", nämlich als die „Liebenswürdigkeit, das Glück, die Kraft, die Anmut, die angenehme Normalität der Geistlosigkeit, Ungeistigkeit verstanden" [19]. Solche Beschreibungen charakterisieren all jene Gesunden und Blonden, um deren Zuneigung ein Tonio Kröger sich angestrengt bemüht, obwohl seine Sehnsucht die Verachtung nicht ausschließt; denn die Hans Hansen sind zwar einerseits kräftig und tüchtig, andererseits aber geistlos, banal und gewöhnlich. Nimmt man schließlich noch die Ansicht Thomas Manns hinzu, daß Ethik und Moral „Lebensstützen" [20] seien, dann scheint es so, als sei hier der Nietzschesche Lebensbegriff verharmlost und um seine Universalität gebracht. Die bisherige Forschung sieht daher mit einem gewissen Recht, daß Thomas Mann Nietzsches Vorstellung vom „Leben" ins Mittelmäßige abgebogen hat, zumal er selbst in seinem Lebensabriß auf die „Verbürgerlichung" [21] anspielt und sie verteidigt. Man hat sich in den meisten Fällen mit dieser Umwandlung begnügt und auf ihr den vielbeschriebenen Gegensatz von Künstler und Bürger aufgebaut. Dabei hat man jedoch übersehen, daß sowohl im dichterischen Werk als auch in den Essays der „verbürgerlichte" und verharmloste Lebensbegriff bei Thomas Mann nicht alleine steht, sondern daß ebenso das umfassende „Leben" als Totalität aller möglichen Erscheinungen, als das Zusammen von steilster Intellektualität und rauschhaftester Enthemmung Platz hat und im Spätwerk sogar eine fundamentalere Bedeutung erhält als das banale Leben eines Hans Hansen.

[17] a. a. O. S. 136 f.
[18] Betrachtungen eines Unpolitischen S. 76.
[19] a. a. O. S. 17 f.
[20] Neue Studien. Stockholm 1948, S. 136.
[21] Lebensabriß S. 742.

Es wird daher zu zeigen sein, daß das Verhältnis von Leben und Geist keineswegs so eindeutig zu bestimmen ist, wie es scheinen möchte. Weder die Antithese, noch der Primat des einen vor dem anderen können der Beziehung beider Phänomene gerecht werden. Die Literatur über Thomas Mann spricht von zahlreichen Gegensätzen, die sie bei ihm zu finden glaubt: Geist-Leben, Kunst-Leben, Künstler-Bürger usw. Als ob die unversöhnliche Antinomie schon ein Indiz für die Tiefe eines Problembewußtseins und für die Ernsthaftigkeit denkerischer Bemühungen eines Dichters sei! Blickt man nämlich auf Thomas Manns Reflexionen *und* Dichtungen, dann erfährt man, daß für ihn ebensowenig wie für Nietzsche die Antithese als Denk- und Stilprinzip fungiert. Das Verhältnis des scheinbar Entgegengesetzten ist in Wirklichkeit ungemein komplizierter, als daß es auf eine logische Formel des gegenseitigen Sich-Ausschließens gebracht werden könnte, denn „auch das Leben verlangt nach dem Geiste. Zwei Welten, deren Beziehung erotisch ist, ohne daß die Geschlechtspolarität deutlich wäre, ohne daß die eine das männliche, die andere das weibliche Prinzip darstellte: das sind Leben und Geist. Darum gibt es zwischen ihnen keine Vereinigung, sondern nur die kurze, berauschende Illusion der Vereinigung und Verständigung, eine ewige Spannung ohne Lösung"[22]. Spannung bedeutet aber nicht starre Gegensätzlichkeit, sondern sie bezeichnet eine fruchtbare Polarität, in der das eine auf das andere notwendig bezogen bleibt, ohne daß beide miteinander identisch sind. Dabei sind die Pole in ihren Funktionen vertauschbar, so daß der Geist einmal der gebende, ein andermal der empfangende ist; denn er ist nicht eindeutig als männliches oder weibliches Prinzip fixiert. Die Antithese von Geist und Leben erklärt Thomas Mann deshalb als ein Produkt der „Zivilisationsliteraten"[23], welche durch Rationalisierung und Politisierung die Welt formelhaft bestimmen und daher einengen. Sie erklären das Leben als ausgemachten Feind jeder fortschrittlichen Menschheitsvernunft und versuchen, es mit allen Mitteln zu unterdrücken. Er, der Künstler, verurteilt dagegen einen solchen „Radikalismus" als eine Form des „Nihilismus"[24] und sieht die Ermöglichung der Freiheit einzig in dem „Vorbehalt gegen extreme und militante Alternativen"[25]. Eine jegliche Fixierung der Phänomene: Geist, Leben, Kunst usw. verstößt nicht nur gegen die recht verstandene Humanität im Thomas Mannschen Sinne, sondern sie ist ebenso von der Sache her unmöglich und führt als Erkenntnisprinzip unweigerlich in den Irrtum. Das Seiende läßt sich nicht in Extreme aufreißen und auf eindeutige Gegensätze festlegen; denn die „Grenzen zwischen Kunst und Leben, die Grenze überhaupt zwischen den Bezirken des Menschentums sind fließend geworden"[26]. Alles steht mit allem in vielfältigen und reichverzweigten Beziehungen; das eine ist ohne das andere nicht denkbar, und doch hat jedes

[22] Betrachtungen eines Unpolitischen S. 561.
[23] a. a. O. S. 281.
[24] a. a. O. S. 560.
[25] Altes und Neues S. 285.
[26] a. a. O. S. 385.

Ding auch in sich selbst Wirklichkeit. Dem Künstler gelingt es noch am ehesten, dieser höchst komplexen Weltstruktur, die auch das Widersprüchliche in sich verträgt, nahe zu kommen, da er die Gegensätze sieht, ohne sie in der Alternative zu belassen. „Was in der Philosophie die Dialektik ist, das ist beim Dichter das Schauen, der geöffnete Blick für die Widersprüche, für das Böse im Guten, die Verderbnis der Idee durch ihre Verwirklichung, die fundamentale Tragik des Menschenlebens" [27]. Der Dichter also erfährt das Ineinander des scheinbar Gegensätzlichen, er erblickt das eine im anderen und bezieht beides aufeinander. Was aber ist der eigentliche Bezugspunkt, von dem ausdrücklich nie die Rede ist und der doch immer im Hintergrunde steht?

Obwohl das Kunstwerk, vornehmlich das epische, allem Einzelnen seine ganze Aufmerksamkeit widmet, lange bei jedem Detail verharrt und vor lauter Freude an allen Erscheinungen dieser Welt kaum zu einem Ende gelangen kann, behält es das „Ganze unerschütterlich im Auge" [28]. Daher ist das Verhältnis des Künstlers zu den Dingen ein völlig verschiedenes von dem der Kritiker und Analytiker zu den jeweiligen Gegenständen ihres Interesses. Diese erfassen das Seiende zwar schärfer, bestimmter und für alle anderen in höherem Grade mitteilbar, aber sie trennen auch zugleich, was wesensmäßig zusammengehört und verfälschen es in bestimmter Hinsicht. Dazu sind sie genötigt und berechtigt, weil sie ihre vordringlichste Aufgabe darin erkennen, normal-menschlichen Lebensbedürfnissen zu folgen; denn der Kritiker urteilt von einem bestimmten Standpunkt aus, er ergreift Partei. Das Handeln im gesellschaftlich-politischen Raum ist angewiesen auf eindeutig verstandene Sachverhalte, welche sowohl Solidarität als auch Gegnerschaft konstituieren. Daher ist hier die Parteinahme unumgänglich. Der Künstler dagegen entzieht sich dieser Nötigung und intendiert mit seinem Werke etwas anderes. „Ich scheue zurück vor einer Analyse, nicht nur weil ich die erledigende Wirkung des kritischen Wortes im Grunde hasse, sondern namentlich, weil Zergliederung — Teilung, ein Nacheinander des Betrachtens bedeutet, die Sonderung des Geistigen vom Künstlerischen etwa, wodurch ich das Ganze zu kränken fürchte. Natürlich gibt es da nichts als Einheit" [29]. Um die Totalität des Menschlichen geht es schließlich auch dem Thomas Mann der späteren Jahre, wenn das Politisch-Soziale eine größere Rolle in seinem Denken spielt. Aber auch dann erhebt er es nicht zum alleinigen Maßstab des Urteilens und Handelns, sondern besteht ausdrücklich darauf, daß es lediglich ein „Teilgebiet des Menschlichen ausmacht" [30]. Die Verwirklichung eines „integralen Menschen" [31], d. h. eines solchen, der, alle Einzelmomente beachtend, sich zu einer Totalität bildet, sieht er — ähnlich wie Nietzsche — in Goethe vollendet. Dieser habe sich auf das Ganze verlassen und zutiefst

[27] a. a. O. S. 429.
[28] Altes und Neues S. 393.
[29] Betrachtungen eines Unpolitischen S. 399 f.
[30] Altes und Neues S. 649.
[31] Neue Studien. Stockholm 1948. S. 30.

gewußt, daß „ein großer Dichter vor allem groß — und erst dann ein Dichter ist"[32]; denn Größe bezeugt sich gerade im Gelten-lassen und Einbeziehen aller Teile in das umfassende Ganze.

Wir sahen an anderer Stelle, daß Nietzsche diese Totalität „Leben" nennt. Es ist Grund und Maßstab der Kunst, der Erkenntnis: kurz, des Geistigen überhaupt, so daß alles zu Funktionen eines einheitlichen Lebensganzen werden kann. Schon für Nietzsche fordert der Primat des „Lebens" nicht die Verneinung des Geistes, sondern dieser soll einbezogen werden in das Totum alles Seienden. In einen Gegensatz zum „Leben" tritt er lediglich dann, wenn er sich aus dem Ganzen herauslöst und als vereinzeltes Moment in theoretischer Verengung erstarrt, d. h. wenn das „Leben" erkrankt ist. Ebenso verbietet sich Thomas Mann, zwischen Geist und Leben „einen scharfen Trennungsstrich zu ziehen"[33], und wieder beruft er sich auf Goethe, der schon gewußt habe, „daß der Gedanke ein Dankesgeschenk des Geistes ist an das Leben, und daß erst im Geiste das Leben wahrhaft lebt"[34]. Aber nun vermag Thomas Mann — und darin besteht der wesentliche Unterschied zu Nietzsche — der Metaphysik des „Lebens" kein rechtes Vertrauen mehr zu schenken. Es ist in seiner dionysischen und schönheitstrunkenen Rauschhaftigkeit sogar als Desiderat fragwürdig geworden und hat geschichtlich seine eigene Bedürftigkeit entlarvt. Dagegen hat sich das Geistige wiederum stärker emanzipiert und tritt mit größerer Eigenberechtigung an die Seite des Lebens, wird bald dessen Partner, bald dessen Widersacher, ohne jedoch jemals in ausschließlichen Gegensatz zu ihm zu treten. Der Geist ist nicht mehr bloß eine Funktion des Lebens, sondern beide sind als gleichrangige Größen wesensmäßig aufeinander bezogen, ohne miteinander identisch zu sein. Jener weiß sich diesem dauernd verpflichtet, da er sich allererst auf dem Leben als seinem Boden vorzufinden weiß. Andererseits bedarf dieses der klärenden und vermenschlichenden Korrektur durch den Geist, um sich vollends verwirklichen zu können. Auf diese Weise entfaltet sich eine Humanität, „die den Begriff des Lebens und seiner Gesundheit der Biologie, die ein besonderes, ein ausschließliches Anrecht darauf zu haben glaubt, aus den Händen nimmt und ihn auf freiere sowohl wie frömmere, vor allem auf wahrheitsgemäßere Weise zu verwalten sich anheischig macht. Denn der Mensch ist kein bloß biologisches Wesen"[35]. Hier charakterisiert der Begriff des „Lebens" das Dasein des *Menschen,* welches nicht mit biologischen Kategorien allein zu erfassen ist, sondern in seiner Komplexität weit über eine physiologisch erklärbare Struktur hinausführt. Das Leben ist nun nicht mehr eingeschränkt auf das Dasein des Bürgers, das im Gegensatz zur Künstlerexistenz stehen soll, sondern es ist ein Moment, welches notwendig

---

[32] a. a. O.
[33] Altes und Neues S. 220.
[34] a. a. O. S. 215.
[35] Neue Studien. Stockholm 1948 S. 90.

52

in das Ganze des menschlichen Daseins überhaupt eingelassen ist. Dieses aber räumt ebenso dem Geistigen einen berechtigten Platz ein, ohne den Intellekt für seine Machtbedürfnisse zu mißbrauchen. Geist und Leben stehen in einem fruchtbaren Spannungsverhältnis und beziehen sich auf das Ganze, ohne daß dieses durch den Primat des einen vor dem anderen fixiert werden könnte. Die Kunst versucht, beide Pole zu vermitteln.

2. REALITÄT UND PERSPEKTIVISCH-VERMITTELNDE FUNKTION DER KUNST

Kritische Analyse und menschliches Handeln zerstören das umfassende Beziehungssystem alles Seienden. Der Tätige kann die Dinge nicht so gelten lassen, wie sie sind, sondern er muß sie verändern und auf ihre Brauchbarkeit hin verwerten. Feste Vorstellungen, seien sie nun moralisch-praktischer oder wissenschaftlich-theoretischer Art, fungieren als apriorische Setzungen, auf welche alle Phänomene bezogen werden. Weil solche Fixierungen Grenzen festlegen und die Erscheinungen in ihrem Blickfeld einengen, sind sie zugleich Ursache der Widersprüche und Alternativen. Daher ist die Ganzheit der aufeinander bezogenen Momente „Geist" und „Leben" weder begrifflich noch praktisch im politisch-sozialen Bereich zu verwirklichen. Stets wird einer der Teile überwiegen, so daß der andere unterdrückt und damit die Totalität gestört wird. Man möchte daher annehmen, daß dem Künstler, dem es nachweisbar um die Aufrechterhaltung des Totum alles Seienden geht, der politisch-praktische Lebensbereich in seinem innersten Wesen fremd, ja sogar zuwider ist. Der Titel: „Betrachtungen eines Unpolitischen" scheint dieser Ansicht Recht zu geben, wenn man nicht das Werk selbst kennte und nicht wüßte, daß hier die Politik gerade im Mittelpunkt des Interesses steht. Das vielumstrittene Buch lehnt sich sowohl im Inhalt als auch im Titel offensichtlich an Nietzsches „Unzeitgemäße Betrachtungen" an und verfolgt ein ähnliches Ziel wie diese. Hier wie dort entzieht sich der Autor der jeweils herrschenden Zeitströmung und übt Kritik an dem gegenwärtigen Geist der Kultur und Zivilisation. Dadurch aber nimmt er zugleich Bezug auf seine Zeit; er wird wieder „zeitgemäß" und „politisch", so daß die Titel beider Werke paradox erscheinen. Dennoch wird sich zeigen, daß Thomas Manns Verhältnis zur Politik ein anderes ist als das eines Nicht-Künstlers zu den Fragen seiner Zeit.

Der auffallende Wandel der politischen Haltung Thomas Manns seit den „Betrachtungen eines Unpolitischen" ist oft beschrieben und nicht selten kritisiert worden. Wenige Jahre später glaubte man den Autor dieses sehr „deutschen" Buches eine andere Sprache reden zu hören und zu erleben, wie er jeder Rechtfertigung des Irrationalen, Wilden und Ungebändigten entsagte und immer entschiedener in das Lager derer hinüberwechselte, die er neulich erst als „Zivilisationsliteraten" bekämpft und verspottet hatte. Bald schon schreibt er über seine leidenschaftlich-polemischen „Betrachtungen": „Ich gebe ihre Meinungen preis. Ihre Erkenntnis aber bleibt unverleugbar richtig . . ." [36]. „Meinungen", das sind die Stellungnahmen zu konkreten Fragen, die in den jeweiligen geschichtlichen Situationen aufgeworfen und verschieden beantwortet werden. „Aber mein Kritizismus bezog sich von jeher auf das *Leben,* nicht auf irgendwelche politische Fatalitäten" [37]. Die „Erkenntnis" besteht in der auch später aufrechterhaltenen Einschätzung des Verhältnisses von Geist und Leben, welche in ihrem Zusammenspiel ein Ganzes bilden und den Grund für jede Einzelkritik hergeben. Die Leitidee der „Betrachtungen" gilt der Beziehung von Kultur und Zivilisation. Jene organisiert, bindet, bändigt und bezieht das Böse und Wilde in ihren Umkreis ein — diese löst auf und zersetzt alles Unmittelbare durch Theorie und Analyse. Jene manifestiert sich in Kunst, Religion und Musik, diese äußert sich als Kritik und Literatur. Jene ist deutsch und konservativ, diese ist westlich, aufklärerisch und fortschrittsgläubig. Das nationalfreudige Bekenntnis Thomas Manns zielt jedoch nicht auf die völlige Ausschaltung des wissenschaftlich-kritischen Momentes, von dem er ausdrücklich bekennt, daß es sich mit seinem eigenen Künstlertum aufs engste verbindet. Er wendet sich vielmehr gegen die einseitige Optik des Nur-Wissenschaftlichen und steht damit ganz in der Linie Nietzscher Kulturkritik, die im „theoretischen Menschen" die Lebensverarmung bekämpft. Eine solche Position bedeutet für den Künstler Thomas Mann nicht eine eindeutige Parteinahme, sondern sie ist das Ergebnis eines stetigen Strebens nach der Bewahrung der Totalität alles Menschlichen. Vertritt er in und nach dem ersten Weltkrieg die Belange des Lebens gegen den wissenschaftlich-theoretischen Fortschritt, dann stellt er sich später in Zeiten der Geistbedrohung und allzu ungebärdigen Lebensverherrlichung auf die Seite des geistig-kritischen Prinzips, bis er schließlich im „Doktor Faustus" die Gefährdung des spezifisch „Deutschen" vom Blickpunkt westlicher Humanität entlarvt; denn mittlerweile hat sich die geschichtliche Lage radikal verändert, und die alte Meinung der „Betrachtungen": „Nie hat in Deutschland eine Seele daran gedacht, das Nietzsche sche Lebenspathos zu politisieren" [38] ist widerlegt worden. Die zeitweise uneingeschränkte Sympathie für die amerikanische Welt liegt zum Teil in dem persönlichen Schicksal des Emigranten begründet, und bezeichnenderweise deutet sich bei seiner Rückkehr nach Europa eine neue Wandlung der politischen Ansichten an, wenn er 1953 schreibt, daß das europäische Abendland den „überlegenen Vermittler" spielen soll zwischen den „streitenden Weltmächten, deren blinde Verstrickung in defensive Aggression

[36] Kultur und Sozialismus in „Die Forderung des Tages" Berlin 1930 S. 187.
[37] Betrachtungen eines Unpolitischen. S. 136.
[38] Betrachtungen eines Unpolitischen S. 202.

54

die Menschheit an den Rand des Verderbens gebracht hat" [39]. Europa soll nun also die vermittelnde Funktion übernehmen, die Thomas Mann vor mehr als 30 Jahren Deutschland zugetraut hatte.

Diese Art wechselnder Optik ist ein Wesensmerkmal ästhetischer Sehweise, die stets auf das Totum der Erscheinungen ausgerichtet ist. Wenn Nietzsche mit Bezug auf den Künstler von „leidenschaftlicher Indifferenz" [40] spricht, dann ist damit genau die Haltung Thomas Manns zu den Gegenständen seiner Kritik charakterisiert. Der grundsätzliche Wille zur Parteilosigkeit entspringt einem konservativen Bemühen um die Bewahrung der menschlich-kulturellen Totalität. In der politischen Wirklichkeit aber ist die Harmonie aller Momente niemals gewährleistet; sie verschieben sich vielmehr andauernd zugunsten des einen vor dem anderen. Die Indifferenz des Künstlers führt daher in der Gegenüberstellung mit der Realität zu einer leidenschaftlichen Parteinahme, da die Gefährdung des erstrebten Ganzen der Welt nach einem Gegengewicht verlangt. Die Parteilosigkeit ist demnach keine ästhetizistisch-interesselose Haltung, welche sich vor allen politischen Fragen verschließt. Die Indifferenz des am Ganzen des Seienden interessierten Menschen schlägt vielmehr in jeder geschichtlichen Situation um und wird zur Rebellion gegen die Vereinzelung, Vereinseitigung und ideologische Fixierung, so daß sich der Künstler in jedem Augenblick engagiert. Das intendierte Ganze wird zwar faktisch niemals erreicht, aber es gibt dennoch den Bezugspunkt her, von dem die verschiedenen Hinsichten ausgehen und sich als konkrete Entscheidungen manifestieren. „Ich bin ein Mensch des Gleichgewichts. Ich lehne mich instinktiv nach links, wenn der Kahn nach rechts zu kentern droht, — und umgekehrt" [41], schreibt Thomas Mann an Karl Kerényi. Indem hier der Künstler als Politiker stets auf die Seite des Bedrohten tritt, wird seine „Indifferenz" „leidenschaftlich", und er vereinigt in sich gleicherweise Fortschritt und Reaktion. Da er jedoch die einzelnen Fakten auf das Ganze der Welt bezieht, setzt er sich von der ideologischen Verfestigung der „Zivilisationsliteraten" ab. Das Politisch-Gesellschaftliche ist für ihn noch nicht das Ganze des Lebens, sondern jenes muß erst in dieses einbezogen werden. Von hier aus gewinnt der Titel „Betrachtungen eines Unpolitischen" einen neuen und berechtigten Sinn. Das Politische hat für den Künstler nur einen Platz in dem größeren, umfassenderen Zusammenhang. Erhebt es sich selbst zu einer unabhängigen und beherrschenden Stellung, dann versteht sich Thomas Mann in der Tat als einen „Unpolitischen", und er scheint darin Nietzsche zu folgen, wenn es bei diesem heißt: „. . . was gross ist im Sinn der Cultur, war unpolitisch, selbst *antipolitisch* . . . Goethen gieng das Herz auf bei dem Phänomen Napoleon, — es gieng

---

[39] Nachlese. S. 159.
[40] Nietzsche: WM. XIX, 226.
[41] Thomas Mann — Karl Kerényi: Gespräch in Briefen. Hrsg. von Karl Kerényi. Zürich 1960, S. 42.

ihm *zu* bei den ‚Freiheitskriegen' . . ." [42]. Die Beziehung von Kunst und Realität hat sich damit als nicht eindeutig fixierbar erwiesen. Keineswegs sind beide Bereiche so streng geschieden, daß der Künstler sich von allen gesellschaftlich-politischen Anforderungen fernhalten kann. Wir sahen, wie er sich positiv zur sozialen Wirklichkeit verhält, wie aber zugleich dieses Verhältnis ein anderes ist als das des Nur-Politikers, welcher den Teil für das Ganze nimmt. Beiden gemeinsam ist jedoch die Unmöglichkeit, die Totalität aller Einzelmomente politisch in Einheit zu realisieren, mag sich Thomas Mann noch so sehr „um seiner humanen Kulturidee willen . . . taktisch beweglich" [43] halten. Gelingt ihm aber nicht stattdessen dieses hohe Ziel in seiner Kunst?

Der Künstler bezieht in seinem politischen Handeln zwar alle Einzel-entscheidungen auf das Totum der Welt, aber die gesellschaftliche Wirk-lichkeit fordert das Nacheinander dieser verschiedenen Haltungen, so daß sich jede für sich leicht in der Geschichte isoliert und vereinseitigt. Im Kunstwerk dagegen gelingt es ihm, die vielfachen Momente in *einer* Zeit-ebene zu beachten, so daß ihre Beziehungen gegenwärtig und nicht erst in historischer Abfolge gestiftet werden. Das Verhältnis von Leben und Geist bedarf nicht einer konkreten geschichtlichen Lage, um von ihrer Per-spektive aus beurteilt zu werden. Die Beziehung selbst ist schärfer profiliert, aber auch schwieriger zu beschreiben, da die Korrelate einander näher gerückt sind. Der Wechsel der Optik von einem Phänomen zum anderen wird sichtbarer, da sie nicht durch zeitliche Abstände getrennt sind. In ein und demselben Zeitpunkt erscheint das Leben in der Perspektive des Geistes und umgekehrt. Eine Parteinahme für eines der beiden Momente ist daher im Kunstwerk nicht erforderlich, da der Künstler hier nicht um seine *„Meinung"* befragt, sondern zur *„Erkenntnis"* angehalten wird. So ergibt sich die überraschende Tatsache, daß die Essays und theoretischen Schriften eigentlich praktischen, die Kunstwerke im Vergleich dazu aber theoretischen, d. h. auf Erkenntnis gerichteten Charakter haben; denn in den Romanen und Erzählungen Thomas Manns wird die Beziehung etwa von Geist und Leben in eigentlicher Form erst thematisch. Die beziehung-stiftende Funktion der epischen Kunst ist dabei die Ironie, welche den dauernden Wechsel der Hinsichten herbeiführt. Ihr Ursprung liegt in dem Streben nach dem Mittleren und zwischen den starren Alternativen Ver-mittelnden. „Die *vermittelnde* Aufgabe des Künstlers, seine hermetisch-zauberhafte Rolle als Mittler zwischen oberer und unterer Welt, zwischen Idee und Erscheinung, Geist und Sinnlichkeit kommt hier zum Vorschein . . . Dies Mittlertum ist die Quelle ihrer Ironie" [44]. Ihre perspektivisch- vermit-telnde Funktion zeigt sich am deutlichsten darin, daß sie immer eine „Ironie nach beiden Seiten hin, etwas Mittleres, ein Weder-Noch und Sowohl-

[42] Nietzsche: G. XVII, 102.
[43] Max Rychner: Thomas Mann und die Politik in „Welt im Wort" 1949, S. 383.
[44] Adel des Geistes, S. 336 f.

Als auch"[45] ist. Der Sinn dieser Ironie fällt schließlich mit dem der Kunst überhaupt zusammen, wenn beide zum Ausdruck bringen, daß der Geist um das Leben wirbt und das Leben nach dem Geiste verlangt. „Man könnte die Ironie gleichsetzen mit dem Kunstprinzip des Apollinischen, wie der ästhetische Terminus lautet, denn Apollo, der Fernhintreffende, ist der Gott der Ferne, der Gott der Distanz, der Objektivität, der Gott der Ironie — Objektivität ist Ironie — und der epische Kunstgeist; man könnte ihn als den Geist der Ironie ansprechen"[46]. Nur in Beziehungen und Zusammenhängen wird die Fülle des Seienden bewahrt und adäquat erfaßt, während begriffliche Fixierungen die Dinge verfälschen. Daß solche Betrachtungen und Gestaltungen der Welt nicht nur das Werk Thomas Manns charakterisieren, sondern sich auch bei anderen Autoren des 20. Jahrhunderts auswirken, zeigt sich am Beispiel Robert Musils, wenn von Ulrich gesagt wird: „Ungefähr wie ein Essay in der Folge seiner Abschnitte ein Ding von vielen Seiten nimmt, ohne es ganz zu erfassen, — denn ein ganz erfaßtes Ding verliert mit einem Male seinen Umfang und schmilzt zu einem Begriff ein — glaubte er, Welt und eigenes Leben am richtigsten ansehen und behandeln zu können"[47]. Die Welt ist somit ein „unendliches System von Zusammenhängen", in der es keine „unabhängige Bedeutungen"[48] gibt. Die Eigentümlichkeit der Kunst-Ironie besteht also gerade darin, daß sie objektiv ist und damit zugleich den Anspruch einer Wahrheitserkenntnis in sich aufgenommen hat.

Man ginge allerdings fehl, wenn man glaubte, die Kunst gehe in diesem Anspruch auf und habe damit eine, auch für die Einzelwissenschaften verbindliche Erkenntnistheorie entworfen; denn die Wirklichkeit des Erkennenden ist eine andere als die Wahrheit des Künstlers. Indem die Kunst in dauerndem Wechsel der Optik dem Totum des Seienden sich zu nähern versucht, verläßt sie immer wieder die empirische Realität des „normalen" Lebens, welches nach unbedingter Eindeutigkeit verlangt. Der Künstler mag „dem durch die Wirklichkeit gegebenen Detail noch so untertan sich zeigen, mag ihr letztes Merkmal begierig und folgsam für sein Werk verwenden: dennoch wird für ihn — und sollte für alle Welt! — ein abgründiger Unterschied zwischen der Wirklichkeit und seinem Gebilde bestehen bleiben: der Wesensunterschied nämlich, welcher die Welt der Realität von derjenigen der Kunst auf immer scheidet"[49]. Die alltägliche Wirklichkeit, aus welcher der Künstler nicht völlig heraustreten kann, widersetzt sich einer ästhetischen Ordnung von Beziehungen und folgt einer anderen Gesetzlichkeit der Lebensbedürfnisse. Sie läßt aber ihrerseits die Kunst niemals als reinen Bereich des Scheins und Spiels bestehen, sondern bricht

---

[45] Betrachtungen eines Unpolitischen, S. 83.
[46] Nachlese, S. 166.
[47] Robert Musil: Der Mann ohne Eigenschaften. S. 257.
[48] a. a. O. S. 258.
[49] Altes und Neues, S. 24.

fortwährend in diesen ein und stellt ihre berechtigten Anforderungen. Diese sind umso eindringlicher, je gefährdeter die Realität ist, so daß die Spannung zwischen Kunst und Wirklichkeit in dieser Zuspitzung als spezifisch „modernes" Phänomen angesehen werden kann. „Modernität" bezeichnet nämlich für Thomas Mann die „abendländische Seelenlage, . . . deren Leidenderwerden in dem Jahrhundert zwischen Goethe und Nietzsche nur zu deutlich in die Augen springt" [50]. Gemessen an dem Anspruch der Realität erscheint nun auf einmal die Kunst als ein beschränkter Ausschnitt aus dem Totum, welches sie anfangs anstrebte. Sie war nämlich „nie ein bloßes Erdulden, passive Kunst ist nicht denkbar, stets war sie aktiv, war sie Wille zum Geist, zur Schönheit, stets war ihr Wesen Stil, Form und Auswahl, Verstärkung, Erhöhung, Entstofflichung, und jedes Lebenswerk eines Künstlers, ob klein oder groß, war ein Kosmos, ruhend in sich, geprägt mit dem Stempel seines Schöpfers" [51]. Die reine Objektivität des ironischen Kunstwillens verbindet sich mit der persönlich-subjektiven Haltung des Künstlers, der immer zugleich in einer gesellschaftlichen Wirklichkeit steht. Die Ironie, welche den universalen Betrachter und seine Freiheit zum Ziel hatte, wird durch die Aktivität des Schaffenden durchbrochen, der auch im Bereich der Kunst auf „Auswahl" nicht verzichten kann. Das Prinzip einer umfassenden Vermittlung zwischen Geist und Leben etwa läßt sich lediglich als Desiderat aufrechterhalten. In Wirklichkeit nämlich betrachtet die Kunst stets das eine Phänomen vom Blickpunkt eines anderen, ohne einen jenseits der Erscheinungen liegenden Standort zu erreichen, von dem sie alles Seiende in seiner Gesamtheit überschauen könnte. Ironische Vermittlung vermag nicht mehr im Sinne einer begrifflichen Synthese das Getrennte in einer höheren Einheit aufzuheben. Fortschreitend schafft sie Beziehungskreise und versucht, auf diese Weise der festgestellten Wirklichkeit Herr zu werden, aber sie leistet keine mythische Identität mehr. Der Künstler steht nämlich nicht außerhalb der Realität, er ist tief in ihre Widersprüchlichkeit verwickelt, so daß für ihn die Erkenntnis Nietzsches gilt: „. . . auch unter den Händen der grössten Maler-Denker sind immer nur Bilder und Bildchen *aus einem* Leben, nämlich aus ihrem Leben, entstanden . . ." [52].

3. DAS VERHÄLTNIS DES KÜNSTLERS ZUM LEBEN
UND ZUR GESELLSCHAFT

Das vorhergehende Kapitel verknüpfte die Frage nach den Wesensbestimmungen der Kunst mit dem Dasein des Künstlers, welches schon in Nietzsches Ästhetik einen bedeutenden Platz einnimmt; denn die Kunst-

[50] Adel des Geistes, S. 383.
[51] Betrachtungen eines Unpolitischen, S. 556.
[52] Nietzsche: MA. IX, 21.

problematik ist zugleich auch immer eine Lebensproblematik. Das leidenschaftliche Interesse an der Existenz des Künstlers rückt bei Thomas Mann noch deutlicher in den Vordergrund. In seinen Romanen und Erzählungen gibt es kaum einen Helden, der nicht selbst Künstler ist oder doch wenigstens ganz wesentliche Merkmale seines Daseins trägt. Wenn der ästhetische Zustand durch die oben beschriebene perspektivisch-vermittelnde Ironie bestimmt ist, dann umfaßt er mehr als die Werkkunst im üblichen Sinne; er wird ausgeweitet zu einer spezifischen Verhaltensweise des Menschen zur Welt. Daher wird man einem Hans Castorp, einem Joseph oder Felix Krull, deren Charaktere allesamt auf Vermittlung — wenn auch in vieldeutigem Sinne — angelegt sind, gewisse charakteristische Züge der Künstlerexistenz nicht absprechen können. Man könnte sie zum Teil „Lebenskünstler" nennen. Die Skala der verschiedenen möglichen Haltungen ist dabei so weitreichend, daß sogar ein Cipolla in „Mario und der Zauberer" und der verhaßte Diktator in dem Essay „Bruder Hitler" Wesensmerkmale des Genies, wenn auch des einseitigen und pervertierten, aufweisen. Alle diese verschiedenen Gestalten stellen nicht das ganze Phänomen *des* Künstlers dar, sondern sie sind insgesamt Abschattungen eines selbst nicht mehr darstellbaren Grundtyps, der sich nur noch in Teilaspekten realisieren läßt. Man darf also nur sehr bedingt von den Künstlergestalten auf eine Identität mit dem Autor schließen. Wäre er nämlich mit seinem Werk ineins zu setzen, dann hätte er es nicht darstellen können; „ein Homer hätte keinen Achill, ein Goethe keinen Faust gedichtet, wenn Homer ein Achill und wenn Goethe ein Faust gewesen wäre" [53].

Die verschiedenen Künstler im Werke Thomas Manns repräsentieren je nach dem Grade ihrer Gesundheit viele mögliche Haltungen dem Leben gegenüber. Ein Hanno Buddenbrook mit früher Liebes- und Todessehnsucht im Herzen hält den Anforderungen des Daseins nicht stand. Die Musik, der er sich rückhaltlos hingibt, die er aber selbst nicht künstlerisch bändigt, zehrt an ihm und treibt ihn immer weiter in die Krankheit. Kai Mölln, sein Freund und Sohn eines heruntergekommenen Adligen, meistert dagegen als Wortkünstler das Leben, dessen rohen Vertretern er ins Bein beißt. Stets sind die Musiker bei Thomas Mann gefährdeter als die Schriftsteller, deren kritische Distanz des Gedankens die Passion überwacht. Tonio Kröger und Gustav Aschenbach rechtfertigen ihr Dasein durch bedeutende künstlerische Leistungen, wenn sie diese auch nur in Todesnähe und durch ein willensstarkes Trotzdem erzwingen können. Joseph, Felix Krull und Gregorius schließlich bewältigen sogar das Leben durch das Spiel mit ihm. Sie sind zwar weder robust, noch eigentlich charaktervoll; sie sind eher verschlagen, schön und vor allem gesegnet und erwählt (Vgl. „Der Erwählte"; Krull hat den sprechenden Vornamen Felix; auf Joseph ruht der Segen des Vaters und Gottes). Sie siegen nicht eigentlich über das Leben, weil sie dessen rohe Mittel besser zu handhaben ver-

[53] Nietzsche: GM. XV, 376.

stünden als andere, sondern weil das Leben und seine gesunden Geschöpfe eine merkwürdige Schwäche für jene anmutigen Hochstapler und Scharlatane an den Tag legen. Sie werden nicht nur geduldet, sondern oft genug provoziert und sogar verhätschelt, so daß dem Leben selbst wohl eine starke Neigung zum Schönen und Spielerischen innewohnen muß. All jenen „Künstlern" ist eine gewisse Hinfälligkeit eigen, die sie vom gesunden Leben scheidet, in welche dieses aber oft genug bis zur Narrheit verliebt zu sein scheint. Ihre Schwäche ist zugleich ihre Stärke, und so wird andeutungsweise schon sichtbar, daß Gesundheit und Normalität nicht eindeutig zu bewerten sind.

Daß die Schönheit eine innere Beziehung zum Tode unterhält, ist eine Gewißheit, die Gustav Aschenbach nicht als erstem aufgeht; sie tritt vor allem seit der Romantik den Künstlern immer deutlicher ins Bewußtsein. Nietzsche erkennt schließlich mit voller Schärfe die Gefahr, welche in der Loslösung des Geistigen vom „Leben" liegt und stellt ihr die „grosse Gesundheit" entgegen. Zugleich aber kann er, wie wir sahen, der décadence nicht jeden Wert absprechen und gibt sogar zu, daß die Krankheit ein Stimulans zum stärkeren „Leben" sein könne. Dieser Gedanke wird von Thomas Mann aufgenommen und weitergeführt. Da er dem Leben nicht mehr, wie Nietzsche, die Vorrangstellung einräumt, tritt das Geistige gleichbedeutend an seine Seite. Da die décadence eine Voraussetzung des Geistes ist, wird sie demnach wesentlich positiver eingeschätzt. Diese Entwicklung übersieht Gerhard Jacob, wenn er von Thomas Mann sagt: er „übernimmt die Kritik Nietzsches, aber er ist unfähig, aus dieser Erkenntnis heraus, seine romantische Krankheit zu überwinden. Von seiner Kunst kann keine Gegenbewegung ausgehen. Sein Künstlertum ist und bleibt das eines Romantikers" [54]. Ebenso legt R. A. Nicholls in seiner sonst so verdienstvollen Arbeit den Akzent allzusehr auf die negative Seite der „destructive self-knowledge" [55] des Künstlers und Erkennenden überhaupt. Das „Leben" in seiner vollen und prallen Gesundheit ist für Thomas Mann nicht mehr das große Desiderat, wie Nietzsche es sah. Dieser gesteht zwar den Phänomenen: Kunst, Moral und Religion eine gewisse Eigenberechtigung zu, aber er betrachtet und bewertet sie im Grunde — besonders in Zeiten metaphysischer Hochgestimmtheit — als Funktionen des „Lebens", für welches Thomas Mann nicht mehr eindeutig Partei ergreift. Die Ursachen der Kritik an der Nietzscheschen Position liegen einmal in dem Mißtrauen des Skeptikers gegen die allzu enthusiastisch vorgetragene Metaphysik begründet, zum anderen wurzeln sie in konservativen, ethischen Vorbehalten gegen die gefährliche Züchtung eines brutalen Stärke-Rausches. Die Folge der anderen Einschätzung des Verhältnissses von Geist und Leben zeigt sich konsequenterweise in einer neuen Bewertung der Krankheit.

[54] Gerhard Jacob: Thomas Mann und Nietzsche. Zum Problem der Décadence. Diss. Leipzig 1926, S. 44 f.

Das gesunde Leben ist nicht mehr völlig autark; es trägt in sich selbst den Mangel und verlangt nach seinem Gegenteil. „Die Wahrheit ist, daß ohne das Krankhafte das Leben seiner Lebtage nicht ausgekommen ist, und es gibt schwerlich einen dümmeren Satz, als den, daß aus ‚Kranken nur Krankes kommen kann'" [56]. Dabei ist nicht allein die biologische Seite der Krankheit ausschlaggebend, welche für sich wertlos ist. Sie muß vielmehr auf die Totalität des Menschlichen, des Vitalen *und* Geistigen gleichermaßen bezogen werden. „Es kommt darauf an, *wer* krank ist: ein Durchschnittsdummkopf, bei welchem die Krankheit des geistigen und kulturellen Aspektes freilich entbehrt, oder ein Nietzsche, ein Dostojewski" [57]. Das „Leben" im Sinne Nietzsches wird von Thomas Mann nicht mehr als das umfassende Ganze unbedingt anerkannt. Das Totum würde seines eigentlichen Charakters beraubt, wollte man die Krankheit, die zugleich eine Voraussetzung der Geistigkeit ist, aus ihm ausklammern. Da das Leben nach dem Geiste verlangt, schließt sich der Kreis wieder, so daß die Dekadenz einen berechtigten Platz innerhalb der menschlichen Totalität erhält. Je nach der Konstitution des Verhältnisses von Geist und Leben, ob das eine oder andere Moment gefährdet ist, will die Krankheit bewertet sein; „es ist die Verschiedenheit der Perspektiven, unter der die Krankheit gesehen werden kann: als Lebensminderung oder als Lebenssteigerung" [58].

Das Verhältnis von Geist und Leben scheint in seiner Beziehung auf das Ganze recht ausgewogen, wenn auch durch Spannungen bewegt zu sein. Umso schärfer aber sind die Pole in der Realität getrennt. Der von Krankheit geplagte und zur Geistigkeit bestimmte Mensch erkennt und erlebt meist nicht mehr die Einordnung seines Leidens in einen größeren Sinnzusammenhang. Ihm ist als einem Opfer — man denke an Adrian Leverkühn — geradezu die härteste Probe vom Leben aufgegeben, damit er sich von ihm löse und es dadurch gewissermaßen erlöse. Ein „auf die Spitze getriebener Ausdruck" [59] dieser menschlichen Problematik ist der Dichter und Künstler überhaupt. Auf ihn scheint sich die Hauptlast der fortwährenden Lebenserneuerung herabzulassen, ohne daß er selbst die Früchte seiner Anstrengung ernten könnte. Die Krankheit des Künstlers wird durch seine Erkenntnisfähigkeit verschärft, indem sie die Unmittelbarkeit und naive Lebensstärke empfindlich stört. Doch dieses Schicksal teilt er mit allen anderen Erkennenden, und die eigentliche Gefahr besteht für ihn darin, daß sich die kritische Reflexion und Analyse gegen sein eigenstes Medium, gegen die Kunst richtet, obgleich diese nach Nietsche „*Bejahung, Segnung, Vergöttlichung des Daseins*" [60] sein soll. Die Kunst ist zwar einerseits eine Form des Geistes, geht aber andererseits nicht in Theorie und reiner Intellektualität auf, sondern ist wesensmäßig auf das Naive und Unge-

[55] R. A. Nicholls: Nietzsche in the Early Work of Thomas Mann. 1955, p. 19.
[56] Neue Studien. Stockholm 1948. S. 90 f.
[57] a. a. O. S. 110.
[58] a. a. O. S. 89 f.
[59] Adel des Geistes, S. 565.
[60] Nietzsche: WM. XIX, 228.

brochene angewiesen. „Ein Künstler ist vielleicht nur eben so weit Künstler und Dichter, als er dem Primitiven *nicht* entfremdet ist" [61]. Die Reflexion richtet sich also gegen die Kunst, welche gerade die Vermittlung des Geistigen und Sinnlichen anstrebt und trifft sie damit in ihrem innersten Wesen.

Wenn Nietzsche aus der Perspektive der Wahrheitserkenntnis an der Falschheit und Lügenhaftigkeit des Künstlers Kritik übt, dann beurteilt er ihn nicht nur vom Standpunkt der theoretischen Wahrheitserkenntnis, sondern ebenso von dem der Wahrhaftigkeit, so daß die Lüge der Künstler oft gleichbedeutend ist mit ihrer Flucht in eine beruhigende Metaphysik. Dieses Pathos der „intellektuellen Redlichkeit" erhält bei Thomas Mann eine stärkere moralische Bedeutung, wenn er gegen die Ausschweifung und Libertinage künstlerischer Tätigkeit Bedenken hegt. „Auf jeden Fall scheint der Essay als kritische Überwachung meines Lebens ein Zubehör meiner Produktivität bleiben zu sollen" [62]. Das „Schreiben" ist als geistig-sittliches Korrektiv für das „Musizieren des Epikers" [63] notwendig. Nicht immer verteilen sich ästhetische Passion und kritisch-moralischer Anspruch so säuberlich auf die verschiedenen Formen: Kunstwerk und Essay. Oft vollzieht sich die „Verschmelzung der kritischen und dichterischen Sphäre" [64] im Kunstwerke selbst. In einem solchen Falle fordert Thomas Mann, daß der „intellektuelle Gedanke . . . zweckvoll in Hinsicht auf die Komposition" [65] sein müsse und eine wissenschaftliche Erkenntnis etwa nur dann im Kunstwerk am Platze sei, wenn sie sich in dessen Gesamtplan einordnen lasse. Demgemäß hat Herman Meyer [66] überzeugend nachgewiesen, wie in Thomas Manns „Der Zauberberg" alle Reflexionen in das Ganze des Romans integriert sind. Trotzdem bleibt immer noch die Frage offen, ob die Dichtung ohne diese theoretischen Besinnungen nicht reiner und wertvoller sei; denn der Leser möchte vielleicht eher die Reflexionen aus dem Munde eines Naphta oder Settembrini als aus dem des Erzählers vernehmen. Wir fragen daher nicht, ob die Einschaltungen theoretischer Erörterungen im Roman ästhetisch gerechtfertigt sind, sondern wir fragen nach der inneren Notwendigkeit einer Vermischung von Theorie und Dichtung. Weshalb genügt dem Künstler nicht die Immanenz ästhetischer Formkomposition, und warum sind etwa philosophische Exkurse im Kunstwerk nicht völlig „unbedeutend" und leicht „abzutun" [67], wie Herman Meyer meint?

Die Kunst kann mit ihren Mitteln das intendierte Ganze nicht mehr umfassend darstellen, da sie ihrerseits auf schon erschütterten Grundlagen

[61] Betrachtungen eines Unpolitischen, S. 143.
[62] Lebensabriß, S. 759.
[63] a. a. O.
[64] Altes und Neues, S. 143.
[65] Betrachtungen eines Unpolitischen, S. 221.
[66] Herman Meyer: Zum Problem der epischen Integration in „Trivium", 8. Jahrg. (1950) S. 299 ff.
[67] a. a. O. S. 313.

ruht. Weder von einer Metaphysik des „Lebens", noch von einer verbindlichen Erkenntnistheorie kann ihr ein Sinn zuwachsen. Was ihr zu vermitteln aufgetragen ist, erweist sich in seinen Einzelmomenten schon als fragwürdig. Thomas Mann fordert zwar immer noch, daß Wahrheit und Schönheit „aufeinander bezogen werden" [68], aber faktisch ist das Allgemeine im Besonderen nicht mehr darstellbar, weil das „Allgemeine" selbst zu einem Einzelnen relativiert ist. Ähnlich wie Nietzsche hält Thomas Mann den alten Anspruch der Kunst aufrecht, ohne ihm in der konkreten Werkgestalt folgen zu können. Die Erkenntnis hat die Skepsis des Künstlers der Modernität immer mehr verschärft, so daß sie die Unmittelbarkeit seines künstlerischen Schaffens unterhöhlt. „Denn die Kunst wird unmöglich, der Künstler wird unmöglich, wenn sie durchschaut sind" [69]. Die Reflexion, welche einerseits die Kunst gefährdet, vermag diese andererseits nicht zu ersetzen. Sie führt sich vielmehr selbst bis an ihre Grenzen und schlägt dort wieder in „Kunstbedürftigkeit" um, ja sie wird sogar in das Kunstwerk aufgenommen und soll ihm als Stütze dienen. Dieser Zirkel bewirkt, daß Kunst und Künstler derart in den Mittelpunkt des Interesses treten können, daß ein großer Teil moderner Dichtung eine ästhetischkritische Behandlung ihres eigenen Wesens ist. Es versteht sich, daß dabei die Stilmittel der Parodie und Travestie eine bedeutende Funktion erlangen.

Demgegenüber erwartet die Gesellschaft von der Kunst für ihre Lebensbedürfnisse Lösungen und Leitbilder, welche ihr andere Kulturerscheinungen (Philosophie und Religion) nicht mehr zu geben vermögen. Der Künstler kann diese Forderung nicht übersehen, da er selbst in konkreten sozialen Bindungen steht. Dennoch zieht er sich — wie wir sahen — auf seine Existenzproblematik weitgehend zurück und gerät deshalb leicht in den Ruf eines Ästhetizisten. Er muß jedoch auf seinem Außenseiterdasein bestehen, damit seine Kunst nicht zu einer Funktion gesellschaftlicher Bedürfnisse herabsinkt. Ihm eignet daher wesensmäßig eine „gewisse Oppositionsstellung gegen Wirklichkeit, Leben, Gesellschaft" [70]. In keinem Fall aber steht der Künstler für Thomas Mann der normalen Lebenswelt völlig indifferent gegenüber, da seine Existenz durch die Beziehung zu jener — und sei es auch nur durch die der völligen Andersartigkeit — ganz wesentlich mitbestimmt wird, zumal er sich als Mensch fortwährend in diese „warme Nebelwelt" [71] zurücksehnt, ungeachtet dessen, daß er sie verachtet.

Andererseits gesteht er der Gesellschaft zu, daß sie vom Künstler bestimmte Erwartungen hegt und ihm mit Mißtrauen begegnet, wenn er diese nicht erfüllt. Thomas Mann ist sogar erstaunt über die „Ehren, welche die Gesellschaft dieser Spezies erweist" [72], und er wollte es ihr nicht verargen, wenn sie die Dichter — wie Platon schon vorschlug — aus dem

---

[68] Adel des Geistes, S. 329.
[69] Betrachtungen eines Unpolitischen, S. 163.
[70] Altes und Neues, S. 435.
[71] Nietzsche: M. X, 106.   [72] Altes und Neues, S. 435.

Staate verwiese. Daß ein Künstler die Kritik von Seiten der Gesellschaft in solchem Maße anerkennt und sie sogar schärfer pointiert, als diese je dazu imstande wäre, zeigt deutlich, daß er immer wieder den Horizont des ästhetischen Zustandes überschreitet, um sich selbst aus der Perspektive der Nichtkünstler zu beurteilen. „Aber ein Künstler, ohne jeden Einschlag von Scharlatanerie, jede Neigung zu femininer Lüge hat es vielleicht nie gegeben, und der Künstler überhaupt, dieser ‚über alle Maßen sinnliche und eitle Affe', wie Nietzsche ihn genannt hat, wird die Zuchtrute der Literatur, der Kritik, der boshaften und selbst infamen Erkenntnis immer vortrefflich brauchen können, um nicht geistig zu entarten und den Glanz und die Ehren, mit denen die Welt seinem Talente dankt schließlich mit verdummtem Gewissen entgegenzunehmen" [73]. Hierin liegt neben den moralischen Bedenken gegen jede musische Ausschweifung die zweite Ursache für die notwendige Verbindung von Kritik und Dichtung. Sie ist nicht, wie im ersten Falle, in der „intellektuellen Redlichkeit" gegen sich selbst begründet, sondern sie ist die Folge des nicht erfüllten gesellschaftlichen Anspruchs. Die Spannung von Reflexion und Dichtung ist somit aufs engste mit der Stellung des Künstlers in der Gesellschaft verknüpft. Er ist „versatilen Gemüts" [74], während die Nichtkünstler ihren festgelegten Aufgaben geradewegs und eindeutig folgen. „Der Künstler ist und bleibt Zigeuner . . . Da es seine Sache ist, aus mancherlei Seelen zu reden, so ist er notwendig Dialektiker" [75]. Diese Charakteristik bezieht sich zunächst auf sein Verhältnis zu den von ihm geschaffenen Gestalten, aber sie läßt sich zugleich übertragen auf seine Beziehung zur Kunst einerseits und Reflexion andererseits. Zwischen diesen Sphären „zigeunert" er, kommt in keiner zur Ruhe und ist im Sinne Nietzsches ein „Wanderer", der sich in jeder neuen Konstellation verwandelt. Die Unsicherheit seiner gesellschaftlichen Stellung zeichnet sich zugleich in dem gespannten Verhältnis zur Kunst ab. Die Notwendigkeit der Reflexion gehört wesensmäßig zu seiner Existenz hinzu und ist in der Art, wie sie sich im Künstler manifestiert, verschieden von der des Nichtkünstlers, für den sie eine eindeutige und sich selbst genügende Funktion erfüllt, während sie beim Künstler stets auf die Kunst bezogen wird. Daß Theorie und philosophische Erörterung im Kunstwerk selbst Platz finden und nicht von ihm getrennt und für den Essay aufgespart werden, ist lediglich die radikale Zuspitzung eines Phänomens, welches das Dasein des Künstlers von Grund aus bestimmt. Das Gedankliche wird schließlich sogar neben den ästhetischen Gesichtspunkten zu einem Wertkriterium, und Erich Heller ist zuzustimmen: „jedes bedeutende Werk der Literatur hat eine *Syntax von Ideen,* die in letzter Instanz über seinen Rang und seine Größe mitentscheidet" [76].

[73] Betrachtungen eines Unpolitischen, S. 189.
[74] Nachlese, S. 24.
[75] Betrachtungen eines Unpolitischen, S. 395.
[76] Erich Heller: Thomas Mann. Der ironische Deutsche. S. 46.

Die Skepsis des Künstlers gegen seinen Wert für die Gesellschaft und gegen die nur-ästhetische Haltung zur Welt ändert jedoch nichts an der grundsätzlichen Anerkennung der Kunst. Trotz aller Widerstände hält er an ihr fest und bejaht um ihretwillen auch seine problematische Existenz, oder wie Benno von Wiese formuliert: „Die Kritik des Künstlers an sich selbst bedeutet noch keine Negierung der Sache, die durch ihn, den Künstler, erst zu sich selber kommt und dafür seines exzentrischen Ausnahmedaseins bedarf" [77]. Der Künstler protestiert zwar fortwährend gegen das normale Leben, aber in dieser Rebellion erfüllt er, willentlich oder unbewußt, eine Funktion dieses Lebens, denn es braucht den Einbruch des Widerständigen. Niemals kann er sich ganz von ihm lösen, um ihm als autarkes Individuum gegenüberzustehen. Selbst das Kunstwerk ist sowohl in seinem Entstehen als auch in seiner Aufnahme von der geschichtlichen Situation abhängig. „Ein Kunstwerk ist nicht an sich und von vornherein gut oder schlecht; es ist keine Sache mit unleugbar feststehenden Eigenschaften, es ist vielmehr ein schwebendes Anerbieten an das Herz und den Geist des Menschen und erst zusammen damit wird es zur wirkenden Einheit, zum Wert" [78]. Zwischen dem Künstler und seinem Publikum muß eine „Sympathie" [79] bestehen, welche die Voraussetzung eines jeden Werkes ist.

Auch nicht seinem eigenen Werke steht der Autor absolut frei gegenüber, sondern er unterwirft sich dem „Geist der Erzählung" [80] und folgt einer kunstimmanenten Gesetzlichkeit, so daß er gleichzeitig mit Sprache und Form und dadurch mit einer Art objektiven Geistes sympathetisch verbunden ist. Wie sich der Künstler aber nicht völlig an die Gesellschaft verliert, so gibt er ebensowenig dem Zug seines Werkes rückhaltlos nach. Leidenschaftliche Hingabe und kühle Distanzierung sind die Pole, zwischen denen er andauernd wechselt. Nur so bewahrt er seine Freiheit und wird zugleich dem Totum der Welt und seiner eigenen Person gerecht. „Ich glaube nicht, daß ohne Sympathie überhaupt Gestalt werden könne" [81]. Andererseits aber weiß Thomas Mann: „Erkennende Hingabe, hellsichtige Liebe — das ist Passion" [82]. Er selbst ist geradezu ein Virtuose in der Hingabe an alle Phänomene und in deren Anverwandlung. Spricht er in seiner Vaterstadt Lübeck, dann weiß er zu reden von der Kraft der Geschlechter und vom Werte der Heimat, daß nämlich der Stil eines Schriftstellers eigentlich die „Sublimierung des Dialektes seiner Väter" [83] sei. In die Vorstellungswelt Goethes wiederum schwingt er ein, wenn er

---

[77] Benno von Wiese: Der Künstler und die moderne Gesellschaft in „Akzente" 1958, S. 119.
[78] Altes und Neues, S. 536.
[79] Der Tod in Venedig in „Erzählungen", S. 452.
[80] Altes und Neues, S. 687.
[81] Betrachtungen eines Unpolitischen, S. 136.
[82] a. a. O. S. 66.   [83] Altes und Neues, S. 305.

ihn 1949 in Frankfurt feiert und von dessen Begriff des Symbols seine Gedanken leiten läßt. Immer aber ist es ein distanzierte Sympathie, immer eine leidenschaftliche Kritik, mit der er sich den Phänomenen zuwendet. Diese Polarität nennt er selbst „zweifelnde Liebe" [84], und sie ist ein Wesensmerkmal der Künstlerexistenz, die sich das Einzelne nie für das Ganze zu sehen vornimmt, sondern die stets alle Perspektiven auf das Totum des Seienden bezieht. Mag sich der Künstler daher in die Sphäre der Reflexion oder gar in die der Politik einlassen, er wird sein Künstlerdasein nicht verleugnen können, denn er betrachtet die Welt aus einer ästhetisch-kritischen Haltung, die alles mit allem in einem Beziehungssystem verbunden denkt.

B. INTERPRETATION DER ERZÄHLWERKE

Die vorhergehenden theoretischen Überlegungen sollten zeigen, in welchem Maße die Problematik der Kunst und Künstlerexistenz bei Thomas Mann derjenigen Nietzsches ähnlich ist. Es wurde weitgehend darauf verzichtet, in jedem Einzelfalle die geistesgeschichtlichen Einflüsse in ihrer historischen Folge nachzuzeichnen. Gleichartigkeit und Verschiedenheit in der Betrachtung ästhetischer Phänomene sollten durch Gegenüberstellung und Beschreibung systematisch erhellt werden. Da jedoch Theorie und Reflexion niemals die einzig wesensgemäßen Medien des Künstlers sind, durch welche er sich seiner Existenz bewußt wird und er sich stets zugleich im Kunstschaffen selbst verwirklicht und bewährt, reichen seine kritischen und essayistischen Äußerungen nicht aus, um die Künstlerexistenz in ihrem Verhältnis zur Kunst wenigstens annähernd zu bestimmen. Aus dem früher beschriebenen Merkmal der Polarität von Kunst und Reflexion ergibt sich auch für uns die Notwendigkeit, das Augenmerk auf die Dichtungswirklichkeit selbst zu richten, d. h. die systematische Darstellung verlangt aus sich heraus nach einer Interpretation des Kunstwerkes, welche in vielen Fällen die Ergebnisse der theoretischen Erörterung bestätigt, sie aber mitunter auch umstößt.

Die Auswahl der hier zu behandelnden Werke ist weder willkürlich, noch nach einer für uns nur günstigen Ökonomie getroffen. Der eigentliche Grund für die Behandlung des „Tonio Kröger" und des „Doktor Faustus" muß durch die Interpretation einsichtig werden. Eine äußere Ursache für diese Auswahl kann allerdings jetzt schon angedeutet werden. Nach Thomas Manns eigenen Äußerungen sei im „Tonio Kröger" (1903) das „Nietzschesche Bildungselement" erstmals in vollem Maße zum Durchbruch gekommen. Es sollte „fortan vorherrschend bleiben" [85]. Der „Doktor Faustus" (1947) schließlich ist der Höhe- und gleichzeitig Wendepunkt in

[84] Altes und Neues, S. 276.
[85] Betrachtungen eines Unpolitischen. S. 83.

der Anteilnahme an Nietzsches Schicksal und Werk. „Tonio Kröger" und „Doktor Faustus", zwischen denen ein zeitlicher Abstand von nahezu 45 Jahren liegt, stellen Beginn und Vollendung der Nietzsche-Wirksamkeit in Thomas Manns Werke dar und sind somit geradezu berufen, die Problematik und Spannweite seines Verhältnisses zu der bewunderten und bemitleideten „Hamletnatur" aufzudecken.

1. „TONIO KRÖGER"

In seinem Lebensabriß (1930) gesteht Thomas Mann, daß der „Tonio Kröger" jetzt immer noch vor allen seinen Werken seinem Herzen am nächsten stehe [86]. Angesichts der Mehrdeutigkeit solcher Urteile Thomas Manns ist uns auch bei der Beurteilung dieses Bekenntnisses äußerste Vorsicht geboten. Einerseits bedeutet seine innige Sympathie zu dieser Erzählung und seinem Helden noch nicht eine vorbehaltlose *ästhetische* Hochschätzung; andererseits entzündet sich an diesem Werke trotz „Immensee" — Atmosphäre mit „Sehnsucht", „Wehmut" und „Walnußbaum" nicht allein die Herzenswärme. „Tonio Kröger" ist nach Thomas Mann vielmehr schon eine „Synthese aus Intellektualismus und Stimmung, aus Nietzsche und Storm" [87], und wir werden nachzuweisen haben, wie gerade das erstgenannte Moment sich dichterisch auswirkt und fortwährend die poetische Unmittelbarkeit durchkreuzt.

Die beiden ersten Kapitel der Erzählung zeigen den Helden in seiner Beziehung zu seinem Altersgenossen Hans Hansen und der heimlich geliebten blonden Inge. Der zum Künstlerdasein vorbestimmte Knabe muß schon früh das schmerzvolle Ausgeschlossensein aus der normalen Lebenswelt erfahren. Die bewußte Hinwendung zur Kunst im dritten Kapitel steigert die Erkenntnisfähigkeit, welche einerseits die Leiden vergrößert und die Gesundheit schwächt, andererseits aber gerade dadurch die Künstlerschaft wiederum verschärft. Die Spannung zwischen Sehnsucht nach dem gewöhnlichen Leben und dem Berufensein zu kältester Geistigkeit wird Schritt für Schritt bewußtseinsmäßig erfaßt, bis sie sich schließlich in der Erklärung Lisawetas vom „verirrten Bürger" [88] zu einer Formel für Tonios Künstlerexistenz verdichtet. Eine Reise nach dem Norden, die den jungen, aber mittlerweile nicht mehr unbekannten Dichter nach dreizehnjähriger Abwesenheit durch seine Heimatstadt führt, verstärkt die Erfahrung seines Außenseiterdaseins, als man ihm in seinem, nun zu einer Volksbibliothek eingerichteten Vaterhaus mit Mißtrauen begegnet und ihn in seinem Absteigequartier beinahe verhaftet hätte. In einem Badeort in Dänemark sieht

[86] Vgl. Thomas Mann: Lebensabriß, S. 745.
S. 745.
[87] Betrachtungen eines Unpolitischen, S. 98.
[88] Thomas Mann: Erzählungen. Frankfurt/M. 1958, S. 305. (Im Folgenden werden Zitate aus „Tonio Kröger" mit E. und der betreffenden Seitenzahl gekennzeichnet.).

er, selbst unerkannt, Hans Hansen und Ingeborg Holm wieder. Schmerz und Enttäuschung der Jugendzeit werden wieder lebendig, und während weniger Stunden einer Tanzlustbarkeit, die Tonio Kröger nur abseits aus einem dunklen Winkel miterlebt, ersteht die ganze Vergangenheit. Die Gestalten der früheren Tanzstunde kehren z. B. in anderen Personen wieder: Monsieur Knaak lebt hier in dem geschäftigen Festveranstalter fort, und ein schwächliches Mädchen mit schwarzen Augen fällt beim Tanze hin wie ehemals Magdalena Vermehren. In einem Brief an Lisaweta schließlich bekennt Tonio Kröger seine Liebe und Sehnsucht zu den „Blonden und Blauäugigen" und erklärt sie für „gut und fruchtbar" [89].

Der Weg der sich entfaltenden Künstlerexistenz führt vom Leiden an der Trennung vom normalen Leben über die hellsichtige Erkenntnis des eigenen Außenseiterdaseins bis zu dessen endgültiger Klärung und Anerkennung. Die Rückkehr zu seinem Ausgangspunkt bedeutet für Tonio Kröger mehr als bloße Vergegenwärtigung des Vergangenen; sie führt ihn über die Stätte seines jugendlichen Liebesschmerzes hinaus, führt ihn noch weiter nach Norden und läßt dort das nur sentimentale Verhältnis zu dem geliebten Leben in eine Bejahung der eigenen Existenz umschlagen. Von einer eigentlichen „Entwicklung" des Helden zu sprechen, verbietet schon der Charakter des Kindes, welches bereits mit allen Merkmalen des Künstlerdaseins gezeichnet ist. Jeder Versuch, aus diesem Banne auszubrechen und „gewöhnlich" zu leben, würde scheitern. „Denn etliche gehen mit Notwendigkeit in die Irre, weil es einen rechten Weg für sie überhaupt nicht gibt" [90]. Dennoch dreht sich die Erzählung nicht im Kreise, sondern sie führt von der Verzweiflung über das eigene Dasein zu dessen bewußtseinsmäßigen Durchdringung und Hinnahme, ohne daß die Existenz des Künstlers allerdings von ihrer Fragwürdigkeit befreit würde. Aber aus der Einsicht heraus, daß die Welt „geordnet und gebildet sein will" [91], muß Tonio Kröger der Kunst einen wiedergewonnenen und erhöhten Wert beimessen und in ihrem Auftrage sich sein Leben „ein wenig schwer" [92] machen. Von seinem Herzen spricht am Ende des ersten Kapitels der Erzähler: „Sehnsucht war darin und schwermütiger Neid und ein klein wenig Verachtung und eine ganze keusche Seligkeit" [93]. Das Werk schließt mit der beinahe wörtlichen Wiederholung dieser früheren Analyse; aber nun ist an die Stelle der objektiven Erzählform „es war" die Bekenntnis-Aussage „es ist" getreten. Tonio Kröger beschreibt seine Liebe zur Lebenswelt: „Sehnsucht ist darin und schwermütiger Neid und ein klein wenig Verachtung und eine ganze keusche Seligkeit" [94]. Der Held der Erzählung hat damit den Erzähler eingeholt; er hat dessen Bewußtseinsstufe erklommen und ist selbst zum Erzähler seiner Existenz geworden, zu der er sich darüber hinaus bekennt und die er bejaht. Tonio Kröger ist

[89] E. S. 338.
[90] E. S. 332.
[91] E. S. 338.

[92] E. S. 337.
[93] E. S. 281.
[94] E. S. 338.

zum Künstler gereift und hat sich Schritt für Schritt dem Künstlertum des Erzählers genähert. Daß andererseits dieser sein Dasein im Akt des künstlerischen Schaffens an seinem Helden klärt, soll hier nicht geleugnet, aber nicht weiter untersucht werden. Wesentlich ist, daß Erzähler und Held der Erzählung in engstem Wechselverhältnis stehen und sich gegenseitig stützen, ohne jedoch miteinander vollends identisch zu werden, wenn auch Kunst und Künstlerexistenz die bevorzugten Gegenstände ästhetischer Gestaltung werden. „Kein Problem, keines in der Welt, ist quälender als das vom Künstlertum und seiner menschlichen Wirkung" [95].

„Aber was ist der Künstler?" fragte schon Nietzsche mehrfach und wiederholt nun Tonio Kröger im Gespräch mit Lisaweta [96]. Von den verschiedensten Blickrichtungen aus wird diese Frage verfolgt. Am Beispiel des Offiziers, welcher „tief empfundene" [97] Gedichte in einer Gesellschaft vorträgt, wird das Dilettantentum der Gewöhnlichen, die sich überflüssigerweise zu Kunstübungen angeregt fühlen, verspottet. Nicht die normalen Lebensbürger in ihrer prallen Gesundheit sind zur Kunst berufen; schon eher dagegen ist der Bankier, der sein Verbrechen mit einer Freiheitsstrafe abbüßt, befähigt, gelungene Werke zu produzieren, und erst recht wird man dem Novellisten Adalbert hohes artistisches Können zutrauen. Freiwillig entzieht er sich den gefährlichen Einflüssen des Natürlichen, damit seine Kunst nicht durch banale Empfindungen verunreinigt werde. Das Caféhaus ist die Stätte, an der er sich mit den „Sensationen" [98] des Blutes nicht einzulassen braucht und die zugleich den Namen für diese Art Literatentum hergibt. Aber alle diese Gestalten repräsentieren nur vereinzelte Momente der Künstlerexistenz und machen als solche den Literaten noch nicht zum Dichter. Auch Tonio Kröger erkennt die Dummheit des gewöhnlichen Lebens und dessen gefahrvolle Wirkung auf sein Dasein, „denn es ist aus mit dem Künstler, sobald er Mensch wird und zu empfinden beginnt" [99]. Im Unterschied zu Adalbert jedoch kann er die Welt der Normalen und Gesunden nicht verachten; er liebt sie vielmehr und sein „bürgerliches Gewissen" [100] läßt ihm sogar jegliches Künstlertum als höchst fragwürdig erscheinen. Der „Verdacht" [101] gegen dieses findet seinen deutlichsten Ausdruck im Gespräch mit Lisaweta, welche den von Erkenntnis Getriebenen auf die Einseitigkeit seines Urteils hinweisen muß: „Übrigens wissen Sie sehr wohl, daß Sie die Dinge ansehen, wie sie nicht notwendig angesehen zu werden brauchen" [102]. Zum Wissen getrieben, aber dennoch gleichzeitig angewidert von „Erkenntnisekel" [103], der nach Thomas Mann „gut Nietzsches Gepräge" [104] hat, hält er der Freundin die Unbedingtheit Hamletschen Erkennenwollens entgegen und weist ihr dabei die Rolle des

[95] E. S. 299.
[96] E. S. 298.
[97] E. S. 305.
[98] E. S. 294.
[99] E. S. 296.
[100] E. S. 337.
[101] E. S. 298.
[102] E. S. 299.
[103] E. S. 300.
[104] Adel des Geistes, S. 565.

reinen und arglosen Horatio zu. Auch Lisaweta ist eine der Künstlergestalten in dieser Erzählung, aber als solche ist sie nur schwer zu bestimmen. Sie verkörpert nicht wie Adalbert oder der Bankier vereinzelte, extreme Züge der Künstlerexistenz, durch welche sie festzulegen wäre. So lebensvoll und liebenswürdig sie als menschliche Gestalt ist, so schemenhaft wirkt sie als Künstlerin. Man sieht und erlebt sie zwar bei der Arbeit, aber von ihrem Werk erkennt man lediglich die ersten Farbflecke. Der Brief an Lisaweta könnte später vermuten lassen, daß sie die umfassendste Künstlergestalt in diesem Werke darstelle und daß Tonio Krögers Weg dahin gehe, sein Künstlertum dem ihrigen völlig anzugleichen. Aber ihrer unreflektierten und menschlich richtigen Art fehlt die eigentlich steigernde Polarität, so daß Bürgerliebe und Kunst für sie zwei nebeneinander bestehende Bereiche darstellen, während Tonio Kröger beide Sphären gleichzeitig und ineinander verschlungen zu verwirklichen trachtet. Lisaweta ist die einzige Künstlergestalt, deren Arbeit durch die aufregende Frühlingswitterung nicht unmöglich gemacht wird. Sie darf sich mit dem Natürlichen einlassen, ohne von ihm gestört zu werden. Als Malerin und Frau östlicher Herkunft ist sie im Besitz einer vom kritischen Wort noch nicht bis zur äußersten Nervosität gereizten Vitalität. Sie nennt sich selbst ein „dummes malendes Frauenzimmer" [105] und spielt dabei auf ihre Naivität an, die sich allerdings niemals platt und banal gibt. Wenn Tonio Kröger am Ende scheinbar zu ihrem Künstlertum zurückkehrt, dann hat er in Wirklichkeit eine Stufe erreicht, welche ihre Position in sich aufgenommen hat und durch die Alternative hindurchgegangen ist. Auch jetzt wird die Ausnahmeexistenz, das Leben „zwischen zwei Welten" [106] nicht harmonisch eingeordnet in ein bürgerliches Dasein, aber es wird in seiner Spannung als wertvoll anerkannt. Lisaweta fungiert im Gesamtplan der Erzählung als eine Art Katalysator, indem sie den Helden aus der einseitigen Optik herausreißt, ihn zur Klärung der eigenen Existenz anhält und dazu beiträgt, daß er „in Gelassenheit etwas Ganzes zu schmieden" [107] vermag, wenn auch sein „Herz lebt" [108].

In dem Gespräch mit der sympathischen Malerin äußert sich Tonio Kröger über die schmerzvoll empfundene Diskrepanz zwischen Künstlertum und Bürgerlichkeit. Diese nimmt von jenem kaum Notiz und nur „Leute mit ungeschickten Körpern und feinen Seelen, Leute, die immer hinfallen" [109] bringen dem Künstler Verständnis entgegen, wie Tonio Kröger nur von Magdalena verehrt wird. Aber das gleiche Mißtrauen, welches die Gesunden gegen die „Zigeuner im grünen Wagen" [110] hegen, spürt er

[105] E. S. 229.
[106] E. S. 337.
[107] E. S. 282.
[108] an mehreren Stellen: E. S. 281., S. 287., S. 322., S. 336.
[109] E. S. 303.
[110] an mehreren Stellen: E. S. 275., S. 279., S. 291.

in einem viel schärferen Maße. Er reagiert sensibler, nervöser auf die Erscheinungen der Schwäche, ja er verbirgt nur mühsam sein Ekelempfinden, wie auch Nietzsche gerade als décadent Krankheit und Lebensverarmung leidenschaftlich bekämpft und um die „grosse Gesundheit" ringt. Im Unterschied zu diesem allerdings gipfelt für Tonio Kröger die Liebe zum Leben nicht in einer „trunkenen Philosophie" [111], sondern seine Sehnsucht gilt dem harmloseren, verbürgerlichten Leben, in dem das „Normale, Wohlanständige und Liebenswürdige" [112] zu Hause ist. Von ihm her gesehen erscheint der Künstler als zweifelhafte und verführerische Existenz, vor der man alle Lebensbürger warnen und bewahren müsse. „Das Reich der Kunst nimmt zu, und das der Gesundheit und Unschuld nimmt ab auf Erden. Man sollte, was noch davon übrig ist, aufs sorgfältigste konservieren" [113].

Andererseits kommt die Fragwürdigkeit der Kunst nicht nur zutage, wenn sie vom Blickpunkt des gesunden Lebens aus betrachtet wird; sie hat auch innerhalb ihres eigenen Bereiches ihre Grenze erreicht. Die erledigende Wirkung des Wortes und Gedankens macht jede neue Erkenntnis im vorhinein schal, so daß eine „ironische Müdigkeit aller Wahrheit gegenüber" [114] sich einstellt. Inhalte und Formen der Kunst sind zur höchsten gedanklichen und artistischen Meisterschaft gediehen und haben sich damit gleichzeitig erschöpft. Skepsis und ästhetische Reizbarkeit lassen alle künstlerischen Möglichkeiten als abgegriffen erscheinen und sind zudem nicht imstande, das Leben zu erlösen.

Die prägnante Charakteristik Lisawetas, Tonio Kröger sei ein „verirrter Bürger" [115], wird von diesem mit einem lakonischen „Ich bin erledigt" [116] quittiert. Nicht ohne Sarkasmus spielt er damit auf die vorhin besprochene Wirkung des literarischen Wortes an, welches erledigt und beiseitestellt. Aber nicht nur der Künstler in ihm ist getroffen, sondern „ich bin erledigt" ist zugleich die Erkenntnis des bürgerlichen Kaufmanns, der sich vor dem geschäftlichen Bankerott sieht. Was hier noch dumpfe Resignation hervorzurufen scheint, dennoch aber schon den Ansatz zu eigener Daseinserhellung in sich birgt, wird immer mehr geklärt und am Ende bejaht. Die Gewißheit, daß der Künstler „etwas Zweideutiges" [117] ist, wird nicht aufgegeben, aber sie wird schließlich positiv bewertet werden.

Gemäß dem Doppelsinn der Künstlerexistenz und der Kunst verfährt diese mit den entsprechenden Mitteln der Mehrdeutigkeit, welche in weiterer Bedeutung zwar ein Merkmal ästhetischer Darstellung überhaupt ist, die aber in unserem Falle als Prinzip der Erzählung fungiert und zwar in dem Sinne, daß einmal mehrdeutig erzählt, zum anderen aber die Mehrdeutigkeit selbst erzählt wird. Eine Kunst, welche sich auf sich selbst

---

[111] E. S. 302.
[112] a. a. O.
[113] E. S. 303.
[114] E. S. 301.

[115] E. S. 305.
[116] a. a. O.
[117] E. S. 337.

richtet, um ihr Verhältnis zu anderen Phänomenen darzustellen, ist deshalb noch nicht l'art pour l'art, sondern sie aktualisiert gerade in sich den Erkenntnischarakter und führt über sich selbst hinaus. Die Mehrdeutigkeit der Erzählung kommt bei Thomas Mann dadurch zustande, daß Charaktere, Empfindungen, Gegenstände usw. mit Eigenschaften ausgestattet werden, die erfahrungsgemäß getrennten Bereichen angehören und nur schwer in *einer* Sphäre miteinander zu verbinden sind. Dabei erhebt jedes dieser Einzelmomente den Anspruch, für sich den bezeichneten Gegenstand vollständig zu umfassen, so daß es jeweils zu vereinseitigten Urteilen kommt, wenn nur eine Blickrichtung eingehalten wird. Die Wahrheit nämlich ist, daß erst alle möglichen Bestimungen zusammen das Ganze des gemeinten Phänomens ausmachen. Da aber nicht sämtliche Momente gleichzeitig sichtbar gemacht werden können, andererseits jedoch das Totum erhalten werden soll, wird das Phänomen in scheinbare Gegensätze aufgerissen. In Wirklichkeit aber fungieren diese als die extremen Pole, welche das Ganze nach außen abgrenzen und zwischen sich eine Vielzahl von Möglichkeiten bestehen lassen. Es bleibt nicht bei der starren Antithese, sondern die Pole beginnen zu gleiten, so daß es nicht nur ein Ja oder Nein, sondern „dazwischen" viele andere Möglichkeiten gibt. Die Gesamtheit aller denkbaren Perspektiven würde erst das Totum umfassen, so daß die Personen und Gegenstände nicht eindeutig, sondern höchst komplex sind, da sie je nach der Blickrichtung des Betrachters immer neue Seiten zu erkennen geben. Daher erklärt Thomas Mann von Tonio Kröger, daß er sich als etwas „Ironisch- Mittleres zwischen Bürgerlichkeit und Künstlertum empfand, und wie schon sein Name das Symbol für jederlei Mischlingsproblematik abgeben mußte" [118]. Die Beurteilung eines Phänomens vollzieht sich daher niemals in der eindeutigen Fixierung, sondern in dauerndem Wechsel der Standorte wird der Gegenstand stetig umkreist. Nietzsche erklärt zu dieser Art des Beobachtens: „Es giebt *nur* ein perspektivisches Sehen, *nur* ein perspektivisches ‚Erkennen'; und *je mehr* Affekte wir über eine Sache zu Worte kommen lassen, je *mehr* Augen, verschiedene Augen wir uns für dieselbe Sache eïnzusetzen wissen, um so vollständiger wird unser ‚Begriff' dieser Sache, unsere ‚Objektivität' sein" [119]. Diese Methode der Gegenstandsbeschreibung hat über ihre erkenntnistheoretische Relevanz hinaus eine eminent ästhetische Bedeutung. Wenn der vermeintlich fixe Gegenstand — da er begrifflich-allgemein nicht vorzustellen ist — in Beziehungen aufgelöst wird, dann tritt er zugleich in Verbindung mit anderen, ebenfalls gleitenden Phänomenen, so daß zwischen ihnen eine Vielzahl von Relationen entsteht, welche in ihrer umfassenden Gesamtheit ein ästhetisches Ganzes bilden, in welchem nichts einzelnes aus dem System von Zugehörigkeiten herausfällt. Die perspektivische Betrachtung leistet also nicht nur eine gegenstandstheoretische Analyse und nur skepti-

[118] Betrachtungen eines Unpolitischen, S. 83.
[119] Nietzsche: GM. XV, 398 f.

zistische Relativierung, sondern es handelt sich bei ihr um den positiven Versuch, durch Betrachtung aller möglichen Momente und dauernden Wechsel der Blickpunkte das Ganze zu berücksichtigen und sich möglichst nahe an das Phänomen heranzutasten. Darüber hinaus stiftet sie ein System von Beziehungen und Entsprechungen, die sich schließlich zum „strengen Satz" im Thomas Mannschen Sinne und zu einem ästhetischen Kosmos bilden, in welchem das eine nicht ohne das andere denkbar wäre.

Wie aber verdichtet sich ein solches Stilprinzip in der Erzählung von Tonio Kröger? Auf dessen Namen wies uns der Autor schon hin, und seine gespannte Existenz „zwischen zwei Welten" [120] wird vom Helden selbst fast überdeutlich ausgesprochen. Auf die Komplexität seiner seelischen Zustände könnte sich Nietzsche bezogen haben, wenn er sagt, daß die „Seele" eine mehrdeutige und doch einheitliche „Vielheit der Affecte, mit Einem Intellecte, mit unsicheren Grenzen" [121] sei. Eine solche Buntheit kennzeichnet Tonio Krögers Empfindungen, wenn „Sehnsucht", „schwermütiger Neid", „ein klein wenig Verachtung" und eine „ganze keusche Seligkeit" [122] gleichzeitig und nebeneinander — die einzelnen Affekte sind durch „und" parataktisch gereiht — Bestand haben. Dem Knaben Tonio Kröger erscheint es „einerseits" [123] verachtenswert, daß seine Mitschüler an seinem Dichten Anstoß nehmen, „andererseits" [124] kann er ihnen eine gewisse Berechtigung für ihre Haltung nicht absprechen. Er liebt zwar seine „dunkle und feurige Mutter" [125], sieht aber „andererseits" [126] Ernst und Würde auf Seiten des Vaters, den er zu respektieren durchaus bereit ist. Obwohl er Hans Hansen liebt und rückhaltlos bewundert, möchte er dennoch nicht so sein wie er [127]. Daß er während der Tanzstunde „unter die Damen geraten" [128] muß, ist nicht von ungefähr, und er stellt schließlich Lisaweta unverhohlen die Frage, ob denn „der Künstler überhaupt ein Mann" sei, oder ob er nicht vielmehr das „Schicksal jener präparierten päpstlichen Sänger" [129] teile. Wenn er sich schließlich in seinem Brief an die Malerin dazu bekennt, daß er den Tragischen und Lächerlichen und vor allem denen, „die beides zugleich sind" [130], zugetan sei, dann gehört auch hier seine Liebe den mehrdeutigen und zwischen den Extremen sich bewegenden Charakteren. Da die so gearteten und komplizierten Gestalten Künstlerexistenzen seines Schlages sind, denn sowohl die Bürger als auch die Caféhausliteraten sind eindeutig, richtet sich sein Interesse wiederum auf die Kunst und das Dasein des Künstlers zurück; die früher geäußerte Behauptung, daß das Problem vom Künstlertum das quälendste in der Welt sei [131], klingt nun weniger abwegig und überheblich, da Tonio

[120] E. S. 337.
[121] Nietzsche: St. XVI, 74.
[122] E. S. 281 und S. 338.
[123] E. S. 274.
[124] a. a. O.
[125] E. S. 275.

[126] a. a. O.
[127] E. S. 276.
[128] E. S. 285.
[129] E. S. 296 f.
[130] E. S. 338.
[131] E. S. 299.

Krögers Dasein, indem es zwischen den Extremen gleitet und diese zugleich mitumfaßt, alle möglichen Existenzformen in sich aufnimmt und erträgt. Das Problem des Künstlers ist somit zum anthropologischen Problem schlechthin geworden. In der Jugend mußte Tonio Kröger die Erfahrung durchleiden, „daß er die Möglichkeiten zu tausend Daseinsformen in sich trage, zusammen mit dem heimlichen Bewußtsein, daß es im Grunde lauter Unmöglichkeiten seien"[132]. „Unmöglichkeiten" waren es insofern, als er nicht aus der Verpflichtung, aus sich ein Ganzes zu bilden, ausbrechen konnte, um eine einzelne der „Möglichkeiten" in praktisch-brügerlicher Daseinsform zu verwirklichen. Stattdessen brachte er sie alle bei sich ins Spiel, und die scheinbare Widersprüchlichkeit und Mehrdeutigkeit seiner Anlagen hatten den positiven Effekt, daß er einer banalen Vereinseitigung entging und zum umfassenden „ästhetischen" Menschen werden konnte. Er hatte zwar zeitweise daran gedacht, über den Umweg reiner Künstlerschaft Eingang in das gesunde Leben zu finden. „Es kam der Tag, wo er berühmt war, wo alles gedruckt wurde, was er schrieb, und dann würde man sehen, ob es nicht Eindruck auf Inge Holm machen würde . . ."[133]. Aber wie er damals schon gleichzeitig diese Hoffnung aus Skepsis dämpfen mußte, so nimmt er nun die Kunst um ihrer selbst willen auf sich, ohne von ihr eine konkrete Lebenshilfe für sich zu fordern.

Nicht nur die Phänomene des Menschlichen sind im „Tonio Kröger" bunt und vielgestaltig, sondern ebenso gleiten die Naturdinge zwischen ihren Grenzen. Die Beschreibung jahreszeitlicher Atmosphären zeigt diese niemals rein und ungebrochen. Beim Besuch Lisawetas vermischt sich des „Frühlings junger, süßer Atem" mit dem „Geruch von Fixativ und Ölfarbe"[134]. Stets sind die Zeiten solche des Schwindens und Übergangs. Entweder kündet des Himmels „blasses Spätsommer-Blau"[135] den nahen Herbst an, oder es ist trotz „Wintersonne" „naß und zugig"[136] in den Gassen, auf denen der schmelzende Schnee in „Eisbrei"[137] übergeht. Nur ein einziges Mal ist der Himmel „schimmernd klar"[138], als die Sonne alle Gegenstände in einen „unsäglich holden und duftigen Rosenschein"[139] taucht. Es ist der Tag der Ankunft Hans Hansens und Ingeborg Holms in Aalsgaard, der durch eine so festliche „Illumination"[140] eingeleitet wird. Aber die „unirdische Verklärung"[141] ist bloß ein schöner Schein und gleichsam nur den eintreffenden Gästen bereitet, während Tonio Kröger am Abend „schluchzte vor Reue und Heimweh"[142]. Charakteristisch für die oben beschriebene Art der ästhetischen Behandlung der Naturphänomene dagegen ist wiederum folgende Darstellung: „Naß und zugig war's in den giebeligen Gassen, und manchmal fiel eine Art von weichem Hagel, nicht Eis, nicht Schnee"[143]. Eis und Schnee fungieren hier als die extremen Pole

[132] E. S. 289.
[133] E. S. 287.
[134] E. S. 292.
[135] E. S. 310.

[136] E. S. 271.
[137] a. a. O.
[138] E. S. 326.
[139] a. a. O.

[140] a. a. O.
[141] a. a. O.
[142] E. S. 336.
[143] E. S. 271.

des zu beschreibenden Gegenstandes. Keines von beiden ist er, und auch der Ausdruck „Hagel" trifft nicht die Sache. Was da zur Erde fällt, ist etwas höchst Kompliziertes, Zwitterhaftes und nicht eindeutig Benennbares; aber es ist wirklich. Damit es überhaupt aussagbar wird, wird es einmal aufgelöst, gleichzeitig aber durch Setzung zweier Extreme eingegrenzt. Zwischen ihnen liegt irgendwo die Wirklichkeit. Hier äußert sich die freigewordene ästhetische Sehweise, von der Nietzsche sagt, daß sie die Begriffe „zerschlägt, durcheinanderwirft, ironisch wieder zusammensetzt, das Fremdeste paarend und das Nächste trennend . . ." [144]. Das fortwährend ersehnte, aber nie erreichte Ganze der Welt wird durch die perspektivische Umstellung angestrebt, indem die fixen Begriffe in gleitende Beziehungen aufgelöst werden. Wir werden sehen, wie diese Darstellungsweise im „Doktor Faustus" fast bis zur Manier gesteigert und selbst in einem brillanten, aber teuflischen Spiel zu einem Symptom der Apokalypse wird [145].

2. „DOKTOR FAUSTUS"

a) Die Teilidentität des Erzählers mit dem Chronisten, den übrigen Roman-figuren und deren Verhältnis zur Gestalt Nietzsches.

Als die Kritiker bald nach dem Erscheinen des „Doktor Faustus" (1947) in den sich soeben neu orientierenden Zeitschriften [146] das Wort ergriffen, galt ihnen das neue Werk Thomas Manns als ein ergreifendes Zeitdokument, in dem die Wurzeln des deutschen Übels bloßgelegt wurden. Das Erlebnis der ausweglos erscheinenden Nachkriegssituation erhitzte das literarische Gespräch und drängte zur weltanschaulichen Frage, ob in diesem Roman einem dumpfen Fatalismus das Wort geredet werde, oder ob Thomas Mann nicht wenigstens in einigen „positiven" Gestalten und

[144] Nietzsche: WL. VI, 90.
[145] Anmerkung: Helmut Koopmann hat auf das Frühwerk Thomas Manns den Begriff der „doppelten Optik" angewandt und ihn gleichzeitig zum Leitmodell seiner Interpretationen erhoben. (Vgl. „Die Entwicklung des ‚intellektualen Romans' bei Thomas Mann S. 28 ff.) Wenn auch auf diesem Wege vieles erschlossen wird, so ist der von Nietzsche übernommene Begriff doch mißverständlich. Erstens verwendet ihn der Philosoph selbst so gut wie gar nicht, und auch an der Stelle, die Hans Mayer (Hans Mayer, Thomas Mann S. 73) angibt, sucht man vergebens nach dieser speziellen Formulierung, wenn auch dem Sinne nach von zweifacher Publikumswirksamkeit Wagners die Rede ist. Zum andern steht der Begriff der „doppelten Optik" den Vorstellungen von Antithese, Antinomie, Dialektik usw. noch zu nahe, während die Erzählweise Thomas Manns gerade die starren Doppelheiten ins Gleiten bringt und so erst eine universale Bezüglichkeit erreicht. Auch bei Nietzsche finden sich analog dazu entschieden häufiger die Ausdrücke: „wechselnde Optik" und „Perspektivismus".
[146] Auf die Leistung der Emigranten muß dabei besonders hingewiesen werden.

Andeutungen „Lösungen" unirdischer Herkunft anzubieten habe. Der zeitkritische und ideengeschichtliche Aspekt dominierte auch in den Abhandlungen der folgenden Jahre, zumal man erfahren konnte, daß der Autor seine bürgerlich-deutsche Attitüde der „Betrachtungen eines Unpolitischen" aufgegeben und in dem neuen Werk mit seiner Vergangenheit endgültig abgerechnet hatte. Anlaß zu dieser berechtigten, aber nur teilweise angemessenen Blickrichtung ist die im Roman vorgegebene Verknüpfung eines Künstlerschicksals mit der europäischen und vor allem der deutschen Geschichte unseres Jahrhunderts. Das Leben Adrian Leverkühns und der ihn umgebenden Gesellschaft wird mit der Niederlage Deutschlands im ersten Weltkrieg von Zeitblom synchronisiert, während der Chronist selbst zu einer Zeit des zweiten Weltkrieges schreibt, in der sich das tragische Schicksal des Freundes nun im völligen Zusammenbruch einer Nation wiederholt. Aber die künstlerische Koordinierung der Geschehensebenen bedeutet noch längst nicht Real-Identität, und der geistig-politische Niedergang eines Volkes als Nation zieht nicht unbedingt das Ende des Romanes nach sich [147]. Einer solchen Ansicht liegt ein doppeltes Vorurteil zugrunde: Die Kunst ist auf Gedeih und Verderben dem Schicksal politischer Ereignisse ausgeliefert und zweitens: Wenn Thomas Mann die moderne Künstlergestalt und ihre Zeit in seinem Roman des Teufels sein läßt, dann erklärt er damit in etwa zugleich den Bankerott seines eigenen Künstlertums.

Aber Thomas Mann identifiziert sich und seine Kunst nie vollends mit dem von ihm Dargestellten und erst recht nicht mit dem Schicksal einer Einzelgestalt. Weder von der Künstlerexistenz Adrians, noch von den philosophischen und musiktheoretischen Exkursen, noch von den zeitkritischen Erörterungen allein ist der „Doktor Faustus" als Kunstwerk Thomas Manns zu erfassen. Alle diese Einzelmomente müßten gleicherweise berücksichtigt werden, so daß die ästhetische Ganzheit, in die sie eingelassen sind, bewahrt bliebe. Dabei liegt die größte Schwierigkeit für den Interpreten darin, daß Thomas Mann selbst im Roman fortwährend sein eigenes Werk kommentiert, so daß sich Analyse und Kritik beinahe erübrigen, weil diese das Kunstwerk immer schon selbst leistet und alles Wesentliche deutlich, ja fast überdeutlich ausspricht. Selbst Erich Heller scheint daher zu resignieren, wenn er zugeben muß: „Es gibt kaum einen kritischen Gedanken, den das Buch nicht über sich selbst denkt. Mit seinem Thema, daß die Kunst zu schwer geworden, macht es die Kritik entweder zu leicht oder unmöglich und manövriert den Kritiker in eine Lage, wo er mit jedem seiner kritischen Einwände bloß den Gegenstand seiner Kritik plagiiert" [148]. Haltungen und Meinungen, die im Roman eine einzelne Gestalt vertritt, werden von anderen wiederum relativiert, während der

[147] vgl. Hans Mayer: Thomas Manns „Doktor Faustus". Roman einer Endzeit und Endzeit des Romans in „Von Lessing bis Thomas Mann". Pfullingen 1959 S. 383 ff.
[148] Erich Heller: Thomas Mann. Der ironische Deutsche. Frankfurt/M. 1959 S. 331.

Erzähler sich jeglicher Stellungnahme enthält. Besonders augenfällig ist dieser ironische Objektivismus im XIV. Kapitel durchgeführt, in dem die Mitglieder der christlichen Studentenverbindung „Winfried" bei einer der „Gottes grüner Schöpfung gewidmeten Landfahrten" [149] über Wesen und Bestimmung der Jugend und des Deutschtums disputieren. Die Gesprächsteilnehmer sind auf bestimmte weltanschauliche Positionen festgelegt und tragen ihre Namen als Etiketten für ihre Ansichten. Deutschlands Sendung vertritt in jugendbewegten Worten der blonde Deutschlin, dessen Name eine Däumlings-Form jenes Menschenschlages ist, dem er die Zukunft zuschreibt. Teutleben tritt für die Bedeutung des Völkischen im weiteren Sinne ein und „Arzt" heißt jemand, der die Gesundung der Menschheit primär in einer Regelung der ökonomischen Verhältnisse gewährleistet sieht. Einzig Adrian beschränkt sich nicht auf eine bestimmte Haltung, sondern er ist der Opponent schlechthin. Seine Entgegnungen entstammen jedoch nicht der rabbulistischen Lust am Widersprechen; sein Protest gilt vielmehr den vereinseitigten, fixen Ideen, welche sein „ästhetisches" Gewissen, das zugleich einen Nietzscheschen Erkenntniswillen mitumfaßt, zum Widerspruch reizt. Darüber hinaus distanziert er sich von dem Gespräch als solchem, indem er es für herabwürdigend hält: „Wie peinlich, nach einem geistigen Gespräch noch wachen Sinnes umhergehen zu müssen!" [150] Angesichts der Aufgeblähtheit und Lächerlichkeit eines derartigen Studentendisputes ist Adrians spöttische Indifferenz verständlich. Sein Hochmut ist erklärlich in Gegenwart dieser bemühten und strammen Jünglinge, die nur deshalb gewisse Probleme behandeln, weil es zu ihrem Lebensalter hinzugehört und die sich später ein biederes Leben im Schutze bürgerlicher Sekurität einrichten, während sein Dasein von der Grundproblematik des Künstlers für immer bestimmt sein wird.

Adrians Kälte gegenüber den einzelnen Meinungen und Personen ist das Stigma einer Existenz, die nach Nietzsche von einer „leidenschaftlichen Indifferenz" [151] besessen ist. Die eindeutigen Stellungnahmen der übrigen Studenten zu den Fragen der Modernität scheinen dagegen eher der „Wärme einer Kuhherde" [152] zu entsprechen, und Adrian nimmt dieses Wort Nietzsches auf, wenn er die „Kuhwärme" [153] ironisiert und dem „Interesse" vor der „Liebe" den Vorzug gibt [154]. Dieses Interesse kennzeichnet das ästhetische Verhalten zu den Dingen, welches sich zugunsten des Ganzen niemals an das Einzelne und Eindeutige vollends verliert Thomas Mann bekennt einmal, daß er in die Kälte Adrians und in seinen

---

[149] Thomas Mann: Doktor Faustus. Stockholmer Gesamtausgabe Frankfurt/M. 1951 S. 170. (Im Folgenden zitiert als D. F.)
[150] D. F. S. 189.
[151] Nietzsche, WM. XIX, 226.
[152] Nietzsche, EH. XXI, 255.
[153] D. F. S. 106.
[154] vgl. a. a. O. S. 107.

„Mangel an ‚Seele'" stets „vernarrt" [155] gewesen sei und daß er sich — ausgenommen Hanno Buddenbrook — niemals in eine seiner Gestalten derart verliebt habe wie in diesen unseligen Musiker; er teile daher die „Empfindungen des guten Serenus für ihn" [156]. Erscheint Adrian Leverkühn unter allen Personen des Romans als die spannungsreichste Gestalt, die ihr Ausnahmedasein nur in äußersten Extremen aushält, so identifiziert sich Thomas Mann dennoch nicht völlig mit ihr. Die Anteilnahme an diesem Künstlerschicksal schließt die Distanzierung des maßvolleren, weniger exzentrischen Autors nicht aus. Adrian Leverkühn nämlich ist ein auf die Spitze getriebener Ausdruck der modernen Künstlerexistenz, die nicht mehr aus eigener Kraft Kunst und Leben gleichermaßen bestehen kann, sondern die nur noch mit Hilfe von Teufelswerk die sterile Perfektion bloßen Formenspiels überwinden kann.

War Tonio Kröger noch mit beiden Sphären verbunden, sowohl mit der der Kunst als auch der des bürgerlichen Lebens, und vermochte die Liebe und Sehnsucht nach der Welt der Gesunden und Mittelmäßigen sein Künstlertum zu beflügeln, so ist Adrian Leverkühn dagegen von frühester Jugend an in eisige Isolation verbannt, aus der es zunächst keinen Durchbruch zu den Kräften des Gefühls, der Vitalität usw. zu geben scheint. Sein leidvolles Ausnahmedasein erweckt zwar die Anteilnahme und sogar die Liebe des Autors, aber es bedarf gerade wegen seiner exzeptionellen Art einer Gegenfigur. Was Tonio Kröger noch in *einer* Person vereinigte, wird im „Doktor Faustus" auseinandergelegt und in mindestens zwei Gestalten dargestellt. Nicht nur Adrian, sondern auch Zeitblom verkörpert eine Möglichkeit Thomas Mannschen Künstlertums; beide sind die extremen Pole einer nicht mehr *eindeutigen,* aber dennoch *einheitlichen* Künstlerexistenz. Serenus Zeitblom wird zu negativ beurteilt, wenn Martin Greiner ihn als „Spießer", „Kammerdiener" und „stroherne Figur" [157] bezeichnet. Ihn als eine bloße Persiflierung des Studienrates und Bildungsphilisters [158] zu sehen, ist ebenso unzulänglich. Selbst Thomas Mann kaschiert in etwa die Bedeutung des Chronisten, wenn er vorgibt, daß diese Figur zur „Durchheiterung des düsteren Stoffes" [159] eingeführt sei. Das Dämonische solle durch ein „exemplarisch undämonisches Mittel" [160] hindurchgehen, damit das Schreckliche auf diese Weise erträglich werde und man von ihm Abstand gewinne. Es wird sich jedoch zeigen lassen, daß sich Zeitblom nicht mit seiner Funktion als versöhnliches Medium begnügt,

---

[155] Th. Mann: Die Entstehung des Doktor Faustus. Roman eines Romans. Amsterdam 1949 S. 81.

[156] a. a. O.

[157] Martin Greiner: Thomas Manns Faustus-Roman. Versuch einer Struktur-Analyse in „Die Sammlung" 9. Jahrg. 1954 S. 542.

[158] vgl. Friedrich Sell: Ein Kommentar zu Thomas Manns „Dr. Faustus" in „Die Wandlung" 3. Jahrg. 1948 S. 403—413.

[159] Th. Mann: Die Entstehung des Doktor Faustus. S. 32.

[160] a. a. O.

sondern daß er trotz seiner Schlichtheit und ironisch betrachteten klein-
bürgerlichen Eitelkeit wesentliche Züge des Thomas Mannschen Künstlertums verkörpert.

Die biographischen Beziehungen zwischen Thomas Mann und Zeitblom
werden z. T. vom Autor selbst ausdrücklich hervorgehoben. „Am 23. Mai
43, einem Sonntagmorgen, kaum mehr als zwei Monate nachdem ich jenes
alte Notizbuch hervorgezogen, dem Datum, an dem ich auch meinen Erzähler, Serenus Zeitblom, sich an sein Werk machen lasse, begann ich ‚Doktor
Faustus' zu schreiben" [161]. Dieser zeitliche Parallelismus bewirkt, daß
Erzähler und fingierter Chronist gleichermaßen unter dem Eindruck der
damaligen politischen Ereignisse stehen. Beide verbindet die Sorge um das
Schicksal Deutschlands, indem sie zwar die Beseitigung des totalitären
Regimes herbeisehnen, andererseits aber die Befreiung nicht durch eine
völlige Niederlage und Auflösung des Vaterlandes erkaufen möchten.
Obwohl sie beide erklärte Gegner des Nationalsozialismus sind, muß
Zeitblom gleichzeitig zugeben, daß die anderen Mächte „in der Kunst der
Gewalt" [162] den Deutschen nicht nachstehen, und auch Thomas Mann
schreibt zu dieser Zeit in sein Tagebuch: „Sieghafte Hoffnungslosigkeit" [163], und er zweifelt an der Fähigkeit der Siegermächte, „nach dem
Kriege den Frieden zu gewinnen" [164]. In den folgenden Jahren steigert sich
das Mißtrauen Thomas Manns gegenüber den „streitenden Weltmächten",
wenn er fürchtet, daß ihre „defensive Aggression" [165] die Menschheit ins
Verderben stürzt. Hatte Zeitblom beim Ausbruch des ersten Weltkrieges
an den „volkstümlichen Hochgefühlen" [166] teilgehabt, wenngleich er auch
damals schon gegen die Freisetzung des Atavistischen Bedenken hegte, so
ist seine spätere Haltung zu den Unternehmungen des Hitlerregimes und
des Krieges überhaupt eindeutig. „Vor sechsundzwanzig Jahren war es
der Widerwille gegen die selbstgerechte Tugend-Suada des Rhetor-Bour-
geois und ‚Sohnes der Revolution', der sich in meinem Herzen stärker
erwies denn die Furcht vor Unordnung und mich wünschen ließ, was jener
eben nicht wünschte . . . Seither hat die Geschichte mich gelehrt, unsere
Besieger von damals, die es nächstens im Bunde mit der Revolution des
Ostens wieder sein werden, mit anderen Augen zu betrachten" [167]. Aus
dem Munde Zeitbloms erfährt hier der Leser eine Rechtfertigung, aber
zugleich auch eine Korrektur der politischen Anschauungen Thomas Manns,
die sich in den genannten sechsundzwanzig Jahren, d. h. seit dem Erscheinen der „Betrachtungen eines Unpolitischen" in manchen Punkten geändert

[161] Th. Mann: Die Entstehung des Doktor Faustus. S. 31 f.
[162] D. F. S. 378.
[163] Th. Mann: Die Entstehung des Doktor Faustus. S. 101.
[164] a. a. O.
[165] Th. Mann: Nachlese. Prosa 1951—1955. Frankfurt/M. 1956 S. 159.
[166] D. F. S. 449.
[167] D. F. S. 508 f.

haben. Im gleichen Jahre etwa, in dem Zeitblom aus dem Schuldienst ausscheidet, verläßt daher Thomas Mann das Land, dessen „unpolitische" Kultur er einstmals verteidigte, um zunächst in der Schweiz und später in Amerika seinem Künstlertum zu leben.

Doch die Beziehungen zwischen ihm und Serenus Zeitblom beschränken sich nicht allein auf gleichartige Haltungen zur Zeitgeschichte. Der Humanist und Freund Adrians erscheint im Roman als der Gegenpol zur äußerst gefährdeten Künstlerexistenz, indem er zwar der Musik „von Herzen zugetan"[168] ist, sie aber niemals für seine „human temperierte"[169] Natur bedrohlich werden läßt. Dem Bereich des Dämonischen hält er die reinigende und bändigende Kraft der Literatur entgegen[170], welche im Sinne des Humanismus das Ideal des freien Menschen am ehesten aufrecht erhalte. Das Verhältnis von Hanno Buddenbrook und Kai Mölln kehrt in einer neuen Konstellation wieder und findet seine Entsprechung in der Polarität zwischen Leverkühn und Zeitblom. Wir sahen in dem früheren, systematischen Teil, wie sich in Thomas Manns Künstlertum beide Momente, sowohl das der Hingabe als auch das der kritischen Distanzierung, vereinen und wie die musikalisch-dämonische Ausschweifung fortwährend durch das kritische Wort korrigiert und gebändigt wird. Von hier aus wird verständlich, daß Zeitblom nicht nur als Chronist fungiert, der das vorliegende Material in geschichtstreuer Abfolge wiedergibt. Er ist darüber hinaus Erzähler und repräsentiert eine wesentliche Seite desjenigen Künstlertums, welches Thomas Mann für sich beansprucht. Man muß nur die Schilderungen gewisser Personen der Münchener Gesellschaft lesen, um zu erkennen, daß hier ein ironischer Kritiker am Werke ist, dem seine Chronistenfunktion nicht genügt und der weniger harmlos ist, als er sich selbst hinzustellen beliebt. Charakteristisch für ihn ist, daß er die Unzulänglichkeit seines Darstellungsvermögens fortwährend beteuert und für die scheinbare Willkür der Kapitelordnung den Leser um Entschuldigung bittet. Indem er auf diese Weise seine kunstvolle Erzähltechnik verschleiern möchte, macht er sie für den aufmerksamen Leser erst recht auffällig. Verwendet er z. B. in seiner Erzählung das Stilmittel der epischen Vorausdeutung, dann versucht er, diese durch außerkünstlerische Absichten zu kaschieren: „Solche Antizipationen ist ja der Leser bei mir schon gewohnt, und er möge sie nicht als schriftstellerische Zügellosigkeit und Wirrköpfigkeit deuten. Es ist einfach so, daß ich gewisse Dinge, die ich dann und dann werde zu erzählen haben, mit Furcht und Sorge, ja mit Grauen von weitem ins Auge fasse, daß sie mir sehr drückend vorstehen, und daß ich ihr Gewicht zu verteilen suche, indem ich sie vorzeitig anspielungsweise und freilich nur mir selbst verständlich zu Worte kommen — sie halb und halb

[168] D. F. S. 18.
[169] D. F. S. 10.
[170] vgl. D. F. S. 60.

bereits aus dem Sacke lasse" [171]. Mit solchen und ähnlichen Mitteln verdeckt diese „liebend verschreckte Seele" [172] ihre höchst raffinierte Erzähltechnik; so auch, wenn etwa dem Leser erklärt wird, das Kapitel über die Hallenser Universitätszeit verdanke eigentlich nur einem „Zufall" [173] die Ziffer XIII, obwohl sie im Grunde gerade diesem Abschnitt mit besonderer Bedeutung zukommt.

Herzliche Neigung und innige Anteilnahme lassen den Chronisten den Schicksalsweg des geliebten Freundes verfolgen. Fast immer trifft ihn der Leser in der Umgebung des unseligen Künstlers an, und sowohl Beruf als auch Familie scheinen hintanzustehen, wenn er in der Nähe Adrians sein kann. Schon früh bildet sich bei ihm der dringliche Wunsch, auf Leverkühn „achtzuhaben", welches ihm „höchst notwendig, wenn auch zwecklos" [174] erscheint. „Zwecklos" wäre die Bemühung, das tragische Geschick des Freundes aufhalten zu wollen, „notwendig" aber ist dieses „Achthaben", weil es ebenso für Zeitblom vorbestimmt ist, über den Lebensgang des Künstlers eines Tages „biographische Rechenschaft" [175] ablegen zu müssen. Der Künstler, der sich mit dem Ungeheuren einläßt, scheint seinen Biographen mit Notwendigkeit nach sich zu ziehen, weil die musische Hingabe aus sich heraus nach dem polar entgegengesetzten Moment des kritischen und befreienden, literarischen Wortes verlangt. Im Volksbuch überträgt Faust ausdrücklich seinem Famulus die Aufgabe eines Chronisten, damit die Nachwelt durch sein Beispiel abgeschreckt werde [176]. In Thomas Manns Roman erfordert das extreme Künstlerschicksal, welches sich zugunsten der Kunst mit den unteren Mächten verbindet, ebenso einen Wagner, weil das Opfer für sich allein unzureichend ist und vielmehr noch der Objektivierung und Distanzierung durch literarische Gestaltung bedarf. Die chronikalische Form erhält dadurch die wesentliche ästhetisch-kritische Bedeutung des apollinischen Prinzips. Während daher fast alle übrigen Gestalten, die in den Bannkreis des Teufelsjüngers treten,

---

[171] D. F. S. 427 f.
[172] Th. Mann: Die Entstehung des Doktor Faustus. S. 32.
[173] D. F. S. 168.
[174] D. F. S. 169.
[175] a. a. O.
[176] Auch hier schon ist Wagner die Sphäre des Ungeheuren nicht völlig fremd, wenn ihm Faust den Auftrag erteilt: „Daneben bitte ich, daß du meine Kunst, Thaten, und was ich getrieben habe, nicht offenbarest, biß ich Todt bin, alsdann wöllest es auffzeichnen, zusammenschreiben, unnd in eine Historiam transferiren, darzu dir dein Geist und Auwerhan helffen wirt, was dir vergessen ist, das wirdt er dich wider erjnnern, denn man wirdt solche meine Geschichte von dir haben wöllen." (Das Volksbuch vom Doctor Faust nach der ersten Ausgabe 1587 hrsg. von Robert Petsch. Halle ²1911 S. 111.) Friedrich Sell hat darauf hingewiesen, daß der Name des Tiefseeforschers Capercailzie, mit dem Adrian in Meerestiefen taucht, das schottische Wort für „Auerhahn" ist (vgl. Friedr. Sell: Ein Kommentar zu Thomas Manns „Dr. Faustus" in „Die Wandlung" 3. Jahrg. 1948. S. 408.) „Auwerhan" (s. o.) ist im Volksbuch der dienstbare, erinnernde Geist Wagners.

mit in den Abgrund gerissen werden, darf Zeitblom als einziger Intimus ungestraft in der Nähe des Freundes weilen. Das künstlerische Moment der „diabolischen und verderblichen *Enthemmung*" [177] duldet neben sich das andere der humanen und kritischen *Beschränkung*, weil beide als extreme Pole das Ganze des Künstlertums umschließen. Zeitblom ist sich seiner Bedeutung wohl bewußt, und wenn er dem geliebten Freunde zwar menschlich ferne bleiben muß, so darf er sich dennoch rühmen, daß sein „Achthaben" notwendig ist. Dabei erzählt er Ereignisse, etwa die Werbung Adrians durch Schwerdtfeger, die er selbst nicht miterlebt hat und über die ihm keine authentischen Berichte vorliegen. Dennoch gibt er das Gespräch zwischen beiden in direkter Rede wieder [178] und behauptet, „dabei gewesen" [179] zu sein, obwohl diese Angabe im vordergründigen Sinne nicht zutrifft. Wenn aber Zeitblom dennoch grundsätzlich denAnspruch des „Dabei-gewesen-seins" erhebt und sie aus der „furchtbaren Intimität" [180] mit der Geschichte ableitet, dann überhöht er seine Chronistenfunktion, die sich als solche lediglich in der Darstellung des selbst faktisch Miterlebten oder durch verläßliche Zeugen Verbürgten genügen müßte. Er wird hier sogar in etwa zum „Dichter", der sich die Freiheit nimmt, die Fakten souverän zu leiten und dem Leser zu suggerieren, daß er ja schließlich „dabei gewesen" [181] sei, wie er später noch einmal ausdrücklich betont und wie auch der Erzähler in „Joseph und seine Brüder" fortwährend geltend macht. Dieses „Dabei-gewesen-sein" ist ein Charakterzug und zugleich ein Vorrecht des Erzählers und verbindet Zeitblom wiederum mit Thomas Mann, der allerdings auf einer höheren Erzählebene mit mehr Berechtigung beanspruchen kann, „dabei gewesen zu sein", weil er nicht nur Zeitbloms, sondern zugleich Adrians Künstlertum als Möglichkeit in sich trägt [182]. In der „Entstehung des Doktor Faustus" erklärt Thomas Mann, daß er die beiden Hauptfiguren des Romans nicht „sichtbar machen, physisch individualisieren" [183] könne, denn sie seien seine „beiden Protagonisten, die zu viel zu verbergen haben, nämlich das Geheimnis ihrer Identität" [184]. Diese Äußerung muß zunächst befremden, sind doch Leverkühn und Zeitblom offenbar als Antipoden dargestellt; aber die Identität besteht in einer anderen Hinsicht. Beide „Protagonisten" sind extreme Pole *eines* Künstlertums, welches Thomas Mann selbst repräsentiert. Indem sie auf ihn bezogen werden, finden sie *in ihm* ihre Identität, während sie

[177] Th. Mann: Die Entstehung des Doktor Faustus. S. 21.
[178] vgl. D. F. S. 648 ff.
[179] D. F. S. 648.
[180] a. a. O.
[181] D. F. S. 661.
[182] Auf die sonderbare Allwissenheit des Chronisten weist auch Paul Altenberg hin (vgl. Paul Altenberg: Die Romane Thomas Manns. Bad Homburg v. d. H. 1961 S. 215).
[183] Th. Mann: Die Entstehung des Doktor Faustus. S. 81.
[184] a. a. O. S. 82.

im Roman als Gegenfiguren fungieren, so daß Thomas Mann jedem der beiden einen Teil seiner eigenen Physiognomie hätte mitgeben müssen, um sie in ihrem Aussehen zu versinnlichen. Das „Geheimnis ihrer Identität" liegt somit in einem Künstlertum begründet, welches beide Möglichkeiten als notwendige Momente eines Ganzen in sich trägt und sie zugleich im Roman perspektivisch auseinanderlegt.

Das Problem der Identität bleibt nicht auf das Verhältnis zwischen dem Autor und den Gestalten des Romans beschränkt, sondern diese tragen darüber hinaus fast ausnahmslos charakteristische Züge realer Personen aus Thomas Manns Verwandten- und Bekanntenkreis sowie bedeutender Gestalten der Geistesgeschichte. Aus der „Entstehung des Doktor Faustus" wissen wir, welche Vorlagen bei der Darstellung eines Nepomuk Schneidewein, eines Rudi Schwerdtfeger, einer Madame de Tolna usw. maßgebend waren. Am auffallendsten, von Thomas Mann und seinen Interpreten immer wieder hervorgehoben, ist die Übereinstimmung zwischen Adrian Leverkühn und Friedrich Nietzsche. Die Vorarbeiten zu dem geplanten Werk verraten bereits ein lebhaftes Interesse an dem Schicksal des bewunderten und zugleich bemitleideten Philosophen. Die Lektüre beschränkt sich fast nur auf „Musik . . . und Nietzsche" [185]. Dabei stehen autobiographische Schriften und Briefe im Vordergrund. Die Vorbereitungen scheinen eine Nietzsche-Biographie erwarten zu lassen und in der Tat ist „soviel ‚Nietzsche' in dem Roman" [186], daß eine derartige Vermutung bestätigt werden könnte. Abgesehen von zahlreichen Zitaten aus dem Werke des Philosophen sind mehrere biographische Fakten auf Adrian Leverkühn übertragen. Beide erreichen etwa das gleiche Alter von 55 Jahren, beide sterben an einem 25. August und verbringen die letzten Jahre (ca. 10) in geistiger Umnachtung. Die Migräne Jonathan Leverkühns mag ihre Parallele in dem Kopfleiden von Nietzsches Vater haben, und beide Mütter sind in aufopferungswiliger Sorge um die Pflege ihrer kranken und hilflosen Söhne besorgt. Auf weitere Entsprechungen zwischen Leverkühn und seiner Vorlage macht Thomas Mann selbst aufmerksam, und es soll an dieser Stelle nur noch auf die „wörtliche Übernahme von Nietzsches Kölner Bordell-Erlebnis und seiner Krankheitssymptomatik" [187] hingewiesen werden.

Die Übereinstimmung ist darüber hinaus in einem tieferen Sinne durchgehalten: Beide erfahren und erleiden die Problematik der Kunst; denn „die Musik ist immer verdächtig gewesen, am tiefsten denen, die sie am innigsten liebten, wie Nietzsche" [188]. Beide stehen auf der Spitze moderner Bewußtheit und vermögen die allgemeine Sterilität nur durch die eigene Krankheit als eine Art Opfer zu durchbrechen. Für beide besteht die Diskrepanz zwischen der erstrebten Größe des Werkes und der Unzulänglichkeit der eigenen Existenz; denn beider Schicksal ist zutiefst von der

---

[185] a. a. O. S. 16.
[186] a. a. O. S. 34.

[187] a. a. O. S. 34.
[188] a. a. O. S. 165.

Modernität der lähmenden Kunst-Erkenntnis-Problematik geprägt. Die Einheit zwischen ihnen ist sogar soweit getrieben, daß der Name „Nietzsche" im ganzen Werke nicht vorkommt, „weil der euphorische Musiker an seine Stelle gesetzt ist, so daß es ihn nun nicht mehr geben darf" [189]. Man vermißt ihn umso mehr, als im übrigen kaum ein großer Name der deutschen Geistesgeschichte in den kulturphilosophischen Gesprächen fehlt. Daß das eigentlich Wesentliche nicht ausdrücklich gesagt und doch stets unterschwellig anwesend ist, während Beiläufiges oft durch sehr pointierte Motivverknüpfungen deutlich gemacht wird, ist ein charakteristischer Zug Thomas Mannscher Erzählweise. So muß Kaisersaschern eine Fiktion bleiben, während die übrigen Orte mit ihren wirklichen und allgemein bekannten Namen vorgestellt werden; der Grund liegt in der Ubiquität dieser halb-mittelalterlichen Stadt, von der später der Teufel Adrian zu sagen ermuntert: „Wo ich bin, da ist Kaisersaschern" [190]. Ebenso fehlt im ganzen Roman „Die Buddenbrooks" der Name „Lübeck" [191], obgleich gerade diese Stadt als „geistige Lebensform" [192] des Dichters und seines Werkes beschworen wird. Das nicht Gesagte steht zugleich für das Ganze und Allgemeine, welches sich nicht durch eine fixierbare Gegebenheit einfangen läßt, sondern gerade durch die Unbestimmtheit seiner Universalität gerecht wird. Demgemäß wird man die Bedeutung Nietzsches im „Doktor Faustus" kaum überschätzen können.

Dennoch behauptet Thomas Mann, daß er den Helden seines Romans nicht nach einem bestimmten Modell entworfen habe, sondern daß er die „Musiker-Existenz" als eine „Idealgestalt" und als „Held unserer Zeit . . ., der das Leid der Epoche trägt" [193] frei erfunden habe. Weiterhin würde die allzu strenge Bindung an das Einzelschicksal Nietzsches die Allgemeinheit des dargestellten modernen Künstlerdaseins wiederum einengen und auf einen einzigartigen biographischen Hintergrund reduzieren. Der „Doktor Faustus" läßt sich daher schwerlich nur als Nietzsche-Roman bezeichnen, in welchem Thomas Mann unter dem Einfluß zeitgeschichtlicher Ereignisse mit seinem großen „Lehrer" abrechnet. Das „Aufmontieren von faktischen, historischen, persönlichen, ja literarischen Gegebenheiten" [194] bewirkt das spezifisch ästhetische Schweben zwischen Realität und Fiktion, zwischen biographischer Chronik und rein künstlerischem Romanwerk. Das Ver-

[189] a. a. O. S. 34.
[190] D. F. S. 339.
[191] Als understatement ist wohl Thomas Manns Äußerung in einem Brief vom 1. 7. 1916 an Ernst Bertram zu verstehen: „Sie wissen, wie wunderlich weit meine Scheu vor Namennennung geht: Warum kommt in ‚Buddenbrooks' ‚Lübeck', in ‚Fiorenza' ‚Savonarola' nicht vor? Eine ästhetische Schrulle geradezu." (Thomas Mann an Ernst Bertram. Briefe aus den Jahren 1910—1955. Pfullingen 1960 S. 34 f.)
[192] Thomas Mann: Altes und Neues; vgl. darin „Lübeck als geistige Lebensform" S. 290 ff.
[193] Th. Mann: Die Entstehung des Doktor Faustus. S. 80 f.
[194] a. a. O. S. 33.

hältnis Thomas Manns zu dem realen Hintergrund ist durch eine eigentümliche „Dialektik von Bindung an Nietzsche und Distanz von Nietzsche" [195] bestimmt, und ebensowenig kann Adrian Leverkühnt für sich allein eine Teil-Identität mit Nietzsche beanspruchen; denn mit Recht bemerkt Hans Mayer: „Wenn Nietzsche dem Musiker seine Kulturphilosophie und sein Lebensschicksal vererbte, so hinterließ er dem klassischen Philologen Zeitblom die Ausgangsposition der Altertumswissenschaft" [196]. Eine weitere biographische Entsprechung zwischen Nietzsche und Zeitblom liegt in der fehlenden mathematischen Begabung. Jener glich als Schüler den Mangel nur durch hervorragende Leistungen in anderen Fächern aus, und ebenso gibt Zeitblom seine „Schwäche auf diesem Felde" zu, die er nur durch „freudige Tüchtigkeit im Philologischen leidlich kompensiert" [197] habe. Selbst gewisse Gestalten des Kridwiß-Kreises verkörpern mit ihren verwegenen Theorien vom Vorrang des Barbarischen und Vitalen vor dem Humanen und Geistigen manche Züge des späten dithyrambischen Nietzsche, und auf das Verhältnis des Teufels zu ihm wird noch eingehend die Rede kommen müssen.

All diesen Beziehungen der verschiedenen Gestalten des Romans zu Nietzsche einerseits und zum Autor Thomas Mann andererseits ist gemeinsam, daß sie jeweils Ausfaltungen eines Ganzen sind, welches in ihnen nur Teilaspekte freigibt. Weder Thomas Mann noch Nietzsche erschöpfen sich in der Identität mit einer einzigen Romanfigur, und so ist denn für den „Doktor Faustus" weniger die Person Nietzsches von Bedeutung als vielmehr dessen Problematik der Kunst und Künstlerexistenz schlechthin. (vgl. I. Kap.) Die ästhetische Betrachtung der Totalität aller möglichen Phänomene verlangt nämlich, wie wir sahen, den dauernden Wechsel der Blickpunkte, und sie realisiert sich im Kunstwerk als perspektivisch-vermittelnde Ironie. Die folgende Interpretation des „Doktor Faustus" setzt sich daher nicht in erster Linie zum Ziel, die Nietzsche-Biographie als Hintergrund des Werkes aufzudecken, sondern sie will an charakteristischen Beispielen Entsprechungen zwischen Nietzsches Ästhetik und Thomas Manns Künstlertum und Erzähltechnik am Leitfaden des Perspektivismus erläutern.

b) Das Beziehungssystem und die Motivzusammenhänge

In den ersten Kapiteln des „Doktor Faustus" ist die gesamte spätere „Entwicklung" keimhaft vorgebildet. Jedes beschriebene Phänomen steht in einem höchst komplizierten Geflecht von Beziehungen, welche jeweils

---

[195] Erich Heintel: Adrian Leverkühn und Friedrich Nietzsche in „Wissenschaft und Weltbild". 3. Jahrg. 1950 S. 301.
[196] Hans Mayer: Thomas Mann. Werk und Entwicklung. Berlin 1950 S. 379.
[197] D. F. S. 71.

die Verbindung zu Früherem aufrechterhalten und das Kommende in verkleideter Form andeutend vorwegnehmen. Bereits der Anfang des Romans kennt den Kernbestand an Motiven, Zeichen und Verweisungen, die im Folgenden ausgeweitet und vertieft, kaum aber von außen durch neu hinzukommende ergänzt werden. Die *Ausweitung* ist zunächst räumlich im Sinne der Handlung zu verstehen, so daß Hof Buchel, Kaisersaschern, Halle, Leipzig, München und Italien die Stationen sind, über die sich die Erfahrungswelt ausdehnt. Diese Entfaltung erreicht ihren Gipfelpunkt in Italien, wo Adrian Leverkühn mit dem Teufel „zusprach kommt". Parallel dazu verläuft die fortwährende *Vertiefung* der Kunst- und Künstlerproblematik, die sich bis zur Begegnung mit dem Ungeheuren stetig verschärft und nur noch ein steriles, artistisch-parodierendes Spiel mit Formen der Tradition zuläßt. Der „Teufelspakt" ist daher als Mittel-und Höhepunkt des Werkes anzusehen [198].

Nach diesem zentralen Ereignis zieht sich Adrian nach Pfeiffering zurück, dessen Parallele und Kontrapunktik zur Heimat uns noch beschäftigen wird. Nach der Teufelsbegegnung bleibt der Hof der Schweigestills sein ständiger Wohnsitz, und nur wenige Reisen von kurzer Dauer führen ihn zeitweise von Pfeiffering weg. Der zweite Teil des Romans zeigt parallel zur künstlerischen Steigerung den progressiven Verfall. Beide „Entwicklungen" werden mitunter gestaut, entladen sich dann aber wieder mit ungeheurer Intensität. Stand im ersten Teil Adrian als Einzelgestalt in ihrem Verhältnis zur Kunst und zur eigenen, sich entfaltenden Künstlerexistenz im Mittelpunkt, so nehmen nun seine Beziehungen zur Mitwelt einen größeren Raum ein. Gerade an ihnen wird aber seine radikale Vereinsamung sichtbar; denn nur scheinbar steht er in lebendigem Kontakt mit einem größeren Bekanntenkreis. Die Integration der zeit- und gesellschaftskritischen Partien in die Existenzproblematik Adrians weitet diese jedenfalls ungemein aus und verleiht ihr exemplarische Bedeutung für das Schicksal des modernen Daseins überhaupt.

Thomas Manns „Doktor Faustus" hat nicht allein das Leben, die Politik und die Geschichte zum Thema, sondern er umfaßt zugleich die Sphäre des Geistes und der Kunst. Der Verfasser sagt von sich, daß er sich daran

[198] Schon die Kapitelzahl XXV kennzeichnet die Teufelsbegegnung als Mitte. Die Zahl aller Kapitel beträgt zwar nur 47, aber wenn man das dreigeteilte Kapitel XXXIV durchzählt und die Nachschrift hinzunimmt, erreicht man die runde Gesamtzahl 50. Martin Greiner (in „Die Sammlung" 9. Jahrg. 1954 S. 539—551) hat mehrere solcher Fünfergruppen nachweisen können. Dem wäre noch hinzuzufügen, daß Adrian im Alter von 55 Jahren stirbt und als 45jähriger in Wahnsinn fällt, in demselben Alter also, in welchem unser Jahrhundert den tiefsten Fall Deutschlands erlebte (1945). Diese Zahlenspekulationen, die hier nicht weiter verfolgt werden sollen, haben eine wichtige beziehungstiftende Funktion. Sie unterstreichen Analogien und Parallelismen zwischen den Biographien Nietzsches und Leverkühns einerseits und der Zeitgeschichte andererseits. Auf weitere Zahlenkombinationen soll an entsprechender Stelle hingewiesen werden.

gewöhnt habe, „alles Leben als Kulturprodukt und in Gestalt mythischer Klischees zu sehen und das Zitat der ‚selbständigen‘ Erfindung vorzuziehen“ [199]. Nicht das unmittelbar vorgefundene Reale interessiert in erster Linie, sondern der Künstler ergreift mit Vorliebe das, was sich schon als Kunst gesetzt hat, das er aber nun in ein neues System von Beziehungen bringt. Die sogenannte Montagetechnik erklärt sich aus der ästhetischen Grunderfahrung, daß ein „Gedanke als solcher . . . nie viel Eigen- und Besitzwert“ für den Künstler hat, sondern daß es ihm vor allem auf seine „Funktionsfähigkeit im geistigen Getriebe des Werkes“ [200] ankommt. Das schon einmal literarisch Geprägte wird als Zitat in den Roman integriert, so daß durch diese Montage die Kunst sich wiederum auf die Kunst im weiteren Sinne bezieht und in ihr einen bevorzugten Gegenstand ihrer Darstellung sieht. Indem sie das Zitat aus einem Kunstwerk herausnimmt, überholt sie dieses zugleich, löst es in Einzelzüge auf und setzt diese nach der Ordnung des eigenen Planes neu zusammen [201]. Kulturerscheinungen vergangener Zeiten werden durch die Stilmittel der Parodie und Travestie zwar nicht in ihrem immanent ästhetischen Wert zerstört, aber sie werden in ihrer Geltung für die Moderne „aufgehoben“. Demgemäß reiht sich Thomas Manns „Doktor Faustus“ einerseits streng in die Tradition der Faust-Gestaltungen ein, andererseits ist sie in jedem Sinne das korrigierende Gegenstück zu diesen. Aus der „Entstehung des „Doktor Faustus“ geht hervor, daß dem Schaffensprozeß ein intensives Studium der Faust-Literatur vorher- und nebenherging. Zahlreiche Zitate sind allein dem Volksbuch vom Doctor Faust [202] entnommen. Abgesehen vom altdeutschen Sprachstil, den Mann an diesem Werke neben anderem studiert hat, sind direkte Entlehnungen: „geschwinden Kopffs“; „hoffertigen Kopff“; „hat die H. Schrifft ein weil hinder die Thür und unter die Banck gelegt“; ging um mit „figuris, charakteribus, coniurationibus, incantationibus“; „zusprach kommen“; „hell und jhre spelunck“; Faust hat sich „fürgenommen die Elementa zu spekulieren“ u. v. a. Die Übernahme des „weistu was so schweig“ [203] greift sogar einen Vers auf, der im Volksbuch schon ein Zitat eines angeblich von Luther geprägten Wortes ist [204]. Nicht von ungefähr wird in Thomas Manns „Doktor Faustus“ dieser Anfang eines Merk-

[199] Thomas Mann: Die Entstehung des Doktor Faustus. S. 137.
[200] a. a. O. S. 45.
[201] Die Funktion des Zitats charakterisiert H. Meyer treffend: „Im allgemeinen dürfte gelten, daß der Reiz des Zitats in einer eigenartigen Spannung zwischen Assimilation und Dissimilation besteht: Es verbindet sich eng mit seiner neuen Umgebung, aber zugleich hebt es sich von ihr ab und läßt so eine andere Welt in die eigene Welt des Romans hineinleuchten.“ (H. Meyer: Das Zitat der Erzählkunst, S. 12.)
[202] Das Volksbuch vom Doctor Faust, hrsg. von Robert Petsch.
[203] a. a. O. S. 114.
[204] vgl. a. a. O. S. 215: Hier verweist der Herausgeber auf Malthesius: Predigten über Luthers Leben 1566.

spruchs dem Teufel in den Mund gelegt; auf diese Weise wird die vexatorische Beziehung von Theologie und Dämonologie bewußt unterstrichen. Zitat ist ebenso im Volksbuch schon das Schlußwort „Seid nüchtern und wachet!" [205], welches Adrian Leverkühn aufnimmt und seinen Gästen ans Herz legt.

Zahlreiche Einzelzüge des Handlungszusammenhangs sind aus der früheren Faust-Literatur übernommen und variiert worden. Das Volksbuch bringt schon die Fragen Fausts nach dem Wesen der Hölle. Die Beschreibung, die der Teufel gibt, ist trotz aller Angaben ebenso unbestimmt wie die Schilderung bei Thomas Mann. „Endtlich ist die Helle also beschaffen, daß es unmöglich, sie außzuspeculieren und zubegreifen" [206]. Das Zusammen von Hitze und Kälte ist nicht erstmals von Thomas Mann erdichtet. Das Volksbuch weiß von „solcher-kalten Lufft", daß „Doctor Faustus vermeinte, er müßte erfrieren" [207]. Ebenso sind Adrians Meer- und Sternenfahrt schon vorgeprägt: „Wie Doct. Faustus in die Hell gefahren" [208] und „wie Doct. Faustus in das Gestirn hinauff gefahren" [209]. Bei Thomas Mann werden diese Erzählungen, die letztlich auf den Alexanderroman [210] zurückgehen, in streng wissenschaftlicher Diktion vorgetragen, wiewohl auch hier das eigentümliche Schweben zwischen Realität und Phantasie wieder am Volksbuch anknüpft, wenn dort Faust zweifelt, ob er wirklich in der Hölle war oder ob ihm der Teufel „nur ein Geplerr und Gauckelwerk für die Augen gemacht" [211]. Der Name „Pfeiffering" wird in dem Kapitel genannt, in welchem Faust den „Roßtäuscher" betrügt [212]. Die Verabschiedung Adrians von seinen Bekannten hat ihr Vorbild in der „Oratio Fausti ad Studiosos" [213]; und wenn der Verdammte seinem Famulus Wagner die Chronik seines Lebens zu schreiben aufträgt, dann findet er bei Thomas Mann in Zeitblom seine Parallele. Schließlich ist das ausdrückliche Eheverbot schon eine Bedingung des Teufels im Volksbuch sowie in Marlowe's Faustdrama [214].

Trotz, oder sogar wegen der deutlichen Anlehnung an die Faustliteratur ist Thomas Manns Werk von einem grundsätzlich anderen Geiste geprägt.

[205] a. a. O. S. 122.
[206] a. a. O. S. 37.
[207] a. a. O. S. 47.
[208] a. a. O. S. 50 ff.
[209] a. a. O. S. 54 ff.
[210] Thomas Mann hat die „Motive des Descensus und Ascensus" wieder aufgenommen. (vgl. Hans Joachim Mette: Doktor Faustus und Alexander in „Deutsche Vierteljahrsschrift für Literaturwissenschaft und Geistesgeschichte", 25. Bd. 1951 S. 39.)
[211] Volksbuch vom Doctor Faust S. 54.
[212] a. a. O. S 84 f.
[213] a. a. O. S. 118 ff.
[214] Die Entsprechungen zwischen dem „Doktor Faustus" und dem Volksbuch hat Geneviève Bianquis näher untersucht in dem Aufsatz: Thomas Mann et le „Faustbuch" de 1587 in „Etudes Germaniques 5 (1950) S. 54—59.

Das Volksbuch von 1587 schließt mit einem Gebet und Bibelzitat und folgert aus der Verdammnis des Schuldig-gewordenen eine sittlich-religiöse Forderung. Marlowe beendet sein Drama mit einer moralischen Ermahnung, und Goethe setzt an den Schluß seines Faust-Werkes den Chorus Mysticus und preist darin das Seiende selbst in seiner Vergänglichkeit. In allen Fällen wird der ordo des Menschlichen zwar gefährdet, aber nicht zerstört. In Thomas Manns „Doktor Faustus" dagegen gerät nicht nur ein einzelner Mensch durch eigenes Verschulden ins Verderben, sondern hier stürzt eine ganze Welt zusammen. Eine sittliche Aufforderung an den Leser, sich durch dieses Beispiel abschrecken zu lassen und das Gesetz Gottes nicht zu übertreten, fehlt, und wie Adrian Leverkühn in seinem Oratorium „Dr. Fausti Weheklag" Beethovens 9. Symphonie und ihren Jubelchor zurücknimmt, so scheint sich zwischen den Chorus Mysticus und den Schluß des Thomas Mannschen „Doktor Faustus" Nietzsches Parodie gedrängt zu haben, mit der schon das Gegenstück zu Goethes Faust begonnen war:

Goethe:	Nietzsche:
„Alles Vergängliche	„Das Unvergängliche
Ist nur ein Gleichniß;	ist nur dein Gleichniss!
Das Unzulängliche	Gott, der Verfängliche,
Hier wird's Ereigniß;	ist Dichter-Erschleichniss . . .
Das Unbeschreibliche	—
Hier ist's gethan;	—
Das Ewig-Weibliche	das Ewig-Närrische
Zieht uns hinan" [215].	mischt *uns* hinein! . . ." [216]

Neben der radikalen Verschärfung einer allgemeinen Daseinsproblematik unterscheidet sich Thomas Manns „Doktor Faustus" von allen seinen Vorgängern in einem Punkte besonders deutlich: Faust wird zum ersten Male als werkschaffender Künstler, und zwar als Musiker dargestellt. Früher hatte er das Volk zwar auch mit seinen durch Magie ermöglichten Kunststückchen und Blendwerken unterhalten, und Goethes Faust trug sogar wesentliche positive Merkmale einer Künstlerexistenz. Nun aber steht das Dasein des Künstlers ausschließlich im Dienste der Kunst, in deren Auftrag er auf jede persönlich-menschliche Lebenssteigerung zu verzichten hat. Bedeutete für Goethes Faust die Poesie zugleich eine Erhöhung und Glückserfüllung seines Daseins, so muß Adrian Leverkühn seine eigenen Lebenserwartungen der Kunst zum Opfer bringen. Freundschaft, Liebe und persönlicher Ruhm sind ihm versagt; stattdessen tritt er in die Botmäßigkeit eines ästhetischen Objektivismus, der ihm jede Lebenswärme verbietet. Da er außerdem Tonsetzer und nicht Wortkünstler sein muß, ist er für Thomas Mann besonders gefährdet. Zugleich tritt damit ein erzähltechnisches Problem auf. Adrian kann als Musiker nicht wie Torquato

---

[215] Goethe: Werke zitiert nach der Weimarer Ausgabe I. Abt. 15. Bd. S. 337.
[216] Nietzsche: D. XX, 107.

Tasso [217] sein Künstlerdasein selbst dichtend verwirklichen und sich selbst als schaffenden Künstler ausweisen [218]. Andererseits urteilt Thomas Mann: „Nichts läppischer, in einem Künstlerroman, als Kunst, Genie, Werk nur zu behaupten, nur anzupreisen, von ihren seelischen Wirkungen nur zu schwärmen" [219]. Es scheint jedoch unmöglich zu sein, daß ein Musiker sich durch seine Kompositionen in einem Dichtwerk als Künstler ausweist, da sie nicht selbst zum Klingen gebracht, sondern nur durch das Medium des kommentierenden und interpretierenden Wortes vermittelt werden können.

Aus diesem Grunde bedient sich Thomas Mann einiger artistischer Kunstmittel, um den Künstler in Adrian glaubhaft zu machen. Die Einführung des Chronisten Zeitblom ermöglicht, daß die Musik Adrians beschrieben, erklärt und in die Sprache des Kritikers übertragen wird. Durch die Umsetzung in Theorie, die auch in den Reden Adrians selbst geleistet wird, ist zwar zunächst noch nichts erreicht, was über ein bloßes „Behaupten" und „Anpreisen" hinausführt, aber dennoch sind diese musiktheorethischen Erörterungen für das Ganze des Romans von größter Bedeutung. An ihnen läßt sich nämlich zeigen, daß die Stilprinzipien Leverkühnscher Musik sich fast ausnahmslos auf die Erzählweise Thomas Manns übertragen lassen. Wenn also dem Musiker die Selbstdarstellung seiner Kunst im Roman versagt ist, dann leistet sie Thomas Mann an seiner Stelle, indem er eine Künstlerexistenz mit den Mitteln gestaltet, die sie selbst in ihrem eigenen Schaffen verwendet. In diesem strengstens durchgeführten System der Parallelismen und Analogien, das später noch zu zeigen sein wird, erhalten die musiktheoretischen Erörterungen eine ästhetische Funktion, da sie nicht nur lückenlos in das Ganze des Werkes integriert, sondern zur Darstellung der Künstlerschaft Adrians notwendig sind. Sie liegen für sich noch jenseits der ästhetischen Sphäre, aber indem Thomas Mann sie einerseits vom Interpreten erörtern läßt, sie andererseits ergreift und in seiner Erzählkunst verwirklicht, sind sie ihres nur theoretischen Charakters entkleidet und werden selbst zu künstlerischen Elementen.

Das System von Entsprechungen wird noch weiter getrieben, wenn sich Adrian in seinen Kompositionen an literarisch Geprägtes anlehnt. Gering ist die Anzahl seiner Instrumentalwerke, während die Vokalmusik einen bevorzugten Platz in seinem Schaffen einnimmt, so daß von ihr her die Nähe zur Sprache vorgegeben ist. Lieder, Oratorien und eine Oper müssen als die Hauptwerke des Komponisten angesehen werden. Wie Thomas

[217] Elizabeth M. Wilkinson: J. W. Goethe: Torquato Tasso in „Das deutsche Drama" hrsg. von Benno von Wiese. Düsseldorf 1958 1. Bd. S. 193—214.
[218] Wir können auch den enthusiastischen Worten Victor Zuckerkandl's keinen Glauben schenken, es werde im „Doktor Faustus" nicht nur über Musik gesprochen, sondern sie sei „selbst da, unmittelbare, leibhaftige Gegenwart, eine ungeheure, elementare Macht, wie das Meer, wie die Natur." (Die Musik des Doktor Faustus in „Die neue Rundschau" 1948 S. 204.)
[219] Thomas Mann: Entstehung des Doktor Faustus. S. 40.

Mann sich auf Faust als literarische Gestalt bezieht, so vertont der Held seines Romans Sprachkunstwerke der Weltliteratur. Die Auswahl seiner Stoffe steht in engstem Bezug zu seinem Künstlertum, so daß sie auf dieses ein klärendes Licht wirft. Wenn Thomas Mann einen Musiker und sein Werk episch gestaltet, dieser sich aber wiederum auf sprachlich Geprägtes stützt, dann schließt sich der Ring der Wortkunst, der die Musik in sich einschließt. Das Zitat erhält dabei eine besondere Funktion, da es etwas „spezifisch Musikalisches", eine „eigentümlich träumerische und reizvolle Vermischung der Sphären" [220] bewirkt. Die Nähe von Musik und Sprachkunstwerk und das Gleiten zwischen den Kunstgattungen ist am auffälligsten bei der Darstellung des letzten Werkes „Dr. Fausti Weheklag". Wenn es von diesem Werke heißt, daß hier alles Einzelne auf ein Ganzes bezogen sei und daß es im Sinne des „strengen Satzes" nichts „Unthematisches" mehr gebe, „nichts, was sich nicht als Variation eines immer Gleichen ausweisen könnte" [221], dann trifft diese Charakteristik genau Thomas Manns Roman selbst; denn auch in ihm gibt es „keine freie Note mehr" [222]. Eine solche universale Bezogenheit alles Einzelnen auf das ästhetische Ganze bewirkt, daß ein Werk dieser Art eigentümlich „entwicklungslos" ist, so „wie konzentrische Kreise, die sich vermöge eines ins Wasser geworfenen Steins, einer um den anderen, ins Weite bilden, ohne Drama und immer das Gleiche sind" [223]. Dem entspricht, daß Thomas Manns „Doktor Faustus" selbst keine eigentliche Entwicklung aufweist, sondern in immer neuen Aspekten die Anfangskapitel in einer Art „Variationenfolge" [224] entrollt. Diese Erzählweise ist dem Nietzscheschen Gedanken der „ewigen Wiederkehr des Gleichen" verpflichtet. Aber die Technik der Leitmotivik, der Variation und Montage bedeutet doch nicht nur ein eintöniges Wiederholen eines einzelnen Teiles, Satzes oder Themas, wie auch Nietzsche nicht alle Entwicklung und Geschichte abtut. Zwar ist das Totum des Seienden, welchem bei Thomas Mann die ästhetische Ganzheit des Kunstwerks entspricht, immer als Ganzes sich selbst gleich, aber sie stellt sich in stetig neuen perspektivischen Erscheinungen dar, die im Verlauf der Darstellung einen immer umfassenderen Charakter annehmen können, bis schließlich ein einzelnes Kapitel beinahe das ganze Kunstwerk repräsentiert, wie z. B. in dem Kapitel über „Dr. Fausti Weheklag" der Kreis zwischen Erzählen und Erzähltem geschlossen wird. Zur spezifisch musikalischen Darstellungsweise gehört es, daß eine solche Entfaltung nicht stetig linear erfolgt, sondern durch retardierende Momente gestaut wird.

Entsprechend zur Methode der „ewigen Wiederkehr des Gleichen", die das zeitlich Getrennte in Relation setzt und aus den starren Setzungen des Vor- und Nacheinander erlöst, bewirkt das „Glissando" [225], welches Adrian hauptsächlich in der „Apokalipsis cum figuris" verwendet, eine

---

[220] a. a. O. S. 33.
[221] D. F. S. 725.
[222] a. a. O.
[223] a. a. O.
[224] a. a. O.
[225] D. F. S. 559.

Auflösung fester tonaler Einheiten. Bei Thomas Mann erhält dieses Stilmittel eine ganz zentrale Bedeutung. Wir sahen, wie im „Tonio Kröger" der Perspektivismus als das Erzählprinzip schlechthin fungiert und werden im Folgenden durch eine Interpretation der einzelnen Kapitel zu zeigen haben, wie die perspektivische Betrachtung auch die Erzählweise des „Doktor Faustus" bestimmt und wie zu Beginn des Romans schon fast alle Motive anklingen, die später lediglich variiert werden.

Ähnlich wie in Tonio Kröger vereinen sich auch in Adrian Leverkühn die unterschiedlichen Anlagen seiner Eltern. Wieder ist es eine brünette Mutter mit dem üblichen dunklen Teint, die man für eine „Welsche"[226] halten könnte und in der das Musikalische zwar angelegt, aber nicht ausgeführt ist. Ihr aber wird — und darin liegt der Unterschied zu „Tonio Kröger" — die „vitale Wohlbeschaffenheit"[227] zugesprochen, während Vater Jonathans „schöner altdeutscher Kopf"[228] häufig von Migräne geplagt wird. Dazu hat sein Hang zu den seltsamen, „halb-mystischen"[229] Forschungen einen bedenklichen Zug, der von „gewissen Zeiten" so gedeutet worden wäre, als habe er „die elementa spekulieren"[230] wollen. Diese „gewissen Zeiten" verweisen mit dem schon erwähnten Zitat auf das Volksbuch vom Doctor Faust, und Jonathan Leverkühn trägt in der Tat verwandte Züge mit dem Magier, nur daß er nicht wie dieser oder wie sein Sohn später ausdrücklich mit dem Teufel im Bunde steht. Aber wenn Zeitblom die Ansicht, daß derartige Versuche und Forschungen mit „Hexerei" zu tun hätten und ein „Werk des Versuchers" seien, „früheren Epochen"[231] zuschreibt, dann steht Jonathan Leverkühn diesen Zeiten nicht gar so fern, da seine Physiognomie „herbeigebracht aus deutschen Tagen von vor dem Dreißigjährigen Kriege"[232] ist. Im „Doktor Faustus" wird nicht mehr das Schema eines Gegensatzes von normaler Lebenstüchtigkeit der Blonden und Gewöhnlichen einerseits und der Dunkeläugigen, von Kunst und Erkenntnis Geschwächten andererseits durchgespielt. Hier ist das harmlose und verbürgerlichte Leben selbst nicht mehr integer, sondern trägt in sich die Bereitschaft zum Exzentrischen und Krankhaften. Der völlige Zusammenbruch der bürgerlichen Gesellschaft und die deutsche Tragödie deuten sich von weitem schon an, indem die Blonden und Blauäugigen selbst dem Dämonischen verfallen.

Den von Jonathan Leverkühn erforschten Elementen ist gemeinsam ihr mehrdeutiger, vexatorischer Charakter. Die Natur selbst treibt einen unheimlichen Spuk, der dem „würdigen Reiche der Humaniora"[233], d. h. der Sphäre eindeutiger Vereinbarungen und sittlicher Setzungen fremd ist. Die untersuchten Phänomene entziehen sich festen kategorialen Einordnungen, wie etwa der sogenannte „fressende Tropfen" oder die Eisblumen eine

[226] D. F. S. 36.
[227] a. a. O. S. 35.
[228] a. a. O. S. 36.
[229] a. a. O. S. 30.
[230] a. a. O. S. 24.
[231] a. a. O. S. 31.
[232] D. F. S. 22.
[233] a. a. O. S. 35.

Zwischenstellung zwischen Organischem und Anorganischem, zwischen zweckvoll Organisiertem und rein Zufälligem einzunehmen scheinen. Was nach der üblichen Erfahrung durch fixe Grenzscheidungen auseinandergehalten wird, beginnt hier zu gleiten und fließt ineinander über. Die allgemein anerkannten Unterschiede und Gegensätze werden aufgelöst und gehen in einem einzigen Netz vielverzweigter Beziehungen auf. Dabei ist nicht mehr auszumachen, was eigentlich das Primäre oder zeitlich Frühere genannt werden kann; lediglich als „Parallelbildungen" [234] sind Organisches und Anorganisches in Relation zu setzen. Die an späterer Stelle im Roman so bedeutende „Anrüchigkeit" oder „phantastische Zweideutigkeit" [235] des Teufels in seinem Verhältnis zur Kunst und Theologie deutet sich jetzt schon als „sonderbare Ambivalenz der Anschauung" [236] an, in der Naturphänomene zugänglich werden. Da zeigt sich nämlich bei einer gewissen Schneckenart jenes seltsame Zusammen von „Gift und Schönheit, Gift und Zauberei, aber auch Zauberei und Liturgie" [237]. Auf der Ebene der Natur ist also schon in den ersten Kapiteln das „Glissando" zwischen Kunst und Teufelswirkung, zwischen Dämonologie und Theologie angelegt. Nietzsche hält diese „Lehren vom souveränen Werden, von der Flüssigkeit aller Begriffe, Typen und Arten, von dem Mangel aller cardinalen Verschiedenheit zwischen Mensch und Thier" für „wahr, aber für tödtlich" [238]. In diesem Sinne bilden sie auch in unserem Roman schon den Keim, aus dem später alles Teufelswerk der Vernichtung, aber auch der Steigerung, sich entfalten kann. Daher reagiert der junge Adrian auf die Versuche seines Vaters stets mit einem nicht geheuren Lachen, das ihm zugleich „Tränen erpreßt" [239]. Von diesem „Tränen-Lachen" [240] heißt es später, daß es nicht dem Humor, sondern einer „Auflösung der Lebensstrenge" entspringe, und es wird darauf hingewiesen, daß einzig Cham, der Sohn Noahs und Vater des Zoroaster, bei seiner Geburt gelacht habe, was nur mit dem Teufel habe zugehen können.

Aber das trunkene Lachen Adrians und seine Sucht geradezu nach dem Komischen und Albernen finden ihr Gegenstück in dem Verhalten zur Musik. Schon früh, wenn die Kinder mit der Stallmagd mehrstimmige Lieder und Kanons singen, pflegt er das „kurze, mehr spöttische als erstaunte Auflachen" [241] vernehmen zu lassen, welches er später im Konzertsaal als „leises Ausstoßen der Luft durch Mund und Nase" [242] beibehält, wenn er die Struktur oder die Pointe eines Werkes durchschaut hat. Wie stark der Hang zur Hingabe und Trunkenheit auch ist, so zusammengenommen erscheint Adrian in seinem Verhältnis zur Kunst. Kälteste Skepsis und beinahe sittlicher Ernst im Bereich des Ästhetischen lassen ihn

[234] D. F. S. 32.
[235] a. a. O. S. 29.
[236] a. a. O.
[237] a. a. O.
[238] Nietzsche: UB. VI, 310.

[239] D. F. S. 27.
[240] a. a. O. S. 130.
[241] D. F. S. 48.
[242] a. a. O. S. 49.

alles Banale und Verbrauchte verachten und verlachen. Seine ungemein geschärfte Erkenntnisfähigkeit erschwert ihm zugleich sein eigenes Kunstschaffen, und was Zeitblom seine „mokante Eingeweihtheit" [243] nennt, führt den Künstler bis an die Grenze des bloß noch frivolen Spiels mit Formen der Tradition. Nicht nur Leverkühns Anlage also zum Exzentrischen und Ausschweifenden bereitet ihn auf den Pakt mit dem Ungeheuren vor, sondern auch seine Reflektiertheit, welche sein Schaffen gefährdet, treibt ihn in die Arme des Teufels, damit dieser ihn aus seiner Unfruchtbarkeit erlöse und eine neue Kunst ermögliche. Alle diese Momente sind schon zu Beginn des Romans vorbereitet, wie auch eine fast überdeutliche leitmotivische Verknüpfung bei dem Schmetterling Haetera Esmeralda ihren Anfang nimmt, um von hier sowohl auf Liebeslust und Infektion als auch später auf die Kunst bezogen zu werden, wenn Adrian in seinen Kompositionen die Klangformel h e a e es selbst als Leitmotiv verwendet.

Die oft sehr handgreiflichen motivischen Verweisungen und Selbstkommentare im Werk haben nicht selten kritische Stimmen gegen die Künstlerschaft Thomas Manns auf den Plan gerufen [244]. Sogar Nietzsche scheint gegen ihn zu sprechen, wenn er über Wagner urteilt: „Wagner konnte nicht aus dem Ganzen schaffen, er hatte gar keine Wahl, er mußte Stückwerk machen, ,Motive', Gebärden, Formeln, Verdoppelungen und Verhundertfachungen, er blieb Rhetor als Musiker — er musste grundsätzlich deshalb das ,es bedeutet' in den Vordergrund bringen" [245]. Aber auch er erkennt an, daß Wagner mit Notwendigkeit in dieser Art seine Kunst betreiben *musste*, da er als décadent nicht mehr aus der Fülle des Ganzen zu schaffen vermochte. Nur aus der Perspektive einer Metaphysik der „grossen Gesundheit", zu der sich aber selbst Nietzsche und erst recht nicht mehr Thomas Mann rückhaltlos bekennen, kann eine solche Kunst abgewertet werden. Wenn Nietzsche zugibt, daß auch er selbst „krank" sei, daß er aber seine eigene Lebensschwäche im Unterschied zu Wagner durchschaut habe, dann trifft das letztere in noch höherem Maße für Thomas Mann zu. In diesem Sinne bewirken nämlich die scheinbar überflüssigerweise scharf herausgearbeiteten und allzu deutlichen Verweisungen, deren „es bedeutet" meist sichtbar mitgegeben ist, gerade durch die Überpointierung wiederum eine Distanzierung vom Einzelnen, so daß dadurch der Blick für das ästhetische Ganze frei wird. Indem Hetaera Esmeralda einmal die dämonische Schönheit der Natur, dann den giftigen und zugleich steigernden Reiz der Fleischeslust und Krankheit und schließlich die Kunst bezeichnet, wird mit diesem nur scheinbar engen Phänomen die totale Komplexität ter Instanz, relativiert werden. Dadurch erhält sich der Erzähler seine Freiheit nicht nur gegenüber den Einzelmotiven, sondern ebenso gegenüber den

---

[243] a. a. O. S. 48.
[244] vgl. u. a. Werner **Milch**: Thomas Manns „Dr. Faustus" in „Die Sammlung" 3. Jahrg. 1948 S. 351 ff.
[245] Nietzsche: F. XVII, 31.

ERRATUM

Seite 94 ab Zeile 6 v. u. und Seite 95 oben lies:

Indem Hetaera Esmeralda einmal die dämonische Schönheit der Natur, dann den giftigen und zugleich steigernden Reiz der Fleischeslust und Krankheit und schließlich die Kunst bezeichnet, wird mit diesem nur scheinbar engen Phänomen die totale Komplexität von Natur, Kunst, Krankheit, Dämonie usw. beschworen und zusammengezwungen, obgleich sie faktisch nur in einem System von Einzelbeziehungen darzustellen ist. Diese werden weitgehend vom Erzähler selbst interpretiert, so daß auch sie in ihrem Eigenwert nochmalig, geradezu in zweiter Instanz, relativiert werden. Dadurch erhält sich der Erzähler seine Freiheit nicht nur gegenüber den Einzelmotiven, sondern ebenso gegenüber den Motivzusammenhängen; denn auch Beziehungen und Perspektiven haben ihren Platz nur im Horizont eines selbst nicht mehr benennbaren, aber stets angedeuteten Ganzen, welches auch noch das Unterschiedliche und Gegensätzliche umfaßt. Bei allem höchst rationalen Kalkül und Konstruktivismus bleibt daher in diesem Werke Thomas Manns ein selbst nicht mehr berechenbarer Rest, der nur auf dem Wege einer überaus komplizierten Darstellungsweise neu gewonnen wird.

Motivzusammenhängen; denn auch Beziehungen und Perspektiven haben ihren Platz nur im Horizont eines selbst nicht mehr benennbaren, aber stets angedeuteten Ganzen, welches auch noch das Unterschiedliche und Gegensätzliche umfaßt. Bei allem höchst rationalen Kalkül und Konstruktivon Natur, Kunst, Krankheit, Dämonie usw. beschworen und zusammengezwungen, obgleich sie faktisch nur in einem System von Einzelbeziehungen darzustellen ist. Diese werden weitgehend vom Erzähler selbst interpretiert, so daß auch sie in ihrem Eigenwert nochmalig, geradezu in zweivismus bleibt daher in diesem Werke Thomas Manns ein selbst nicht mehr berechenbarer Rest, der nur auf dem Wege einer überaus komplizierten Darstellungsweise neu gewonnen wird. Wenn von Adrians „Dr. Fausti Weheklag" gesagt wird, daß sich hier auf der Spitze der Bewußtheit ein Umschlag und Durchbruch des Gefühls ereigne und daß sich so äußerste „Kalkulation" und stärkste „Expression" [246] verbänden, dann läßt sich wiederum das Gleiche von Thomas Manns „Doktor Faustus" sagen, der trotz äußerster Reflektiertheit und verspielter, maniriert erscheinender Einzelzüge den Leser nicht ohne unmittelbares Ergriffensein zurückläßt.

Ein weiterer Beziehungskreis verbindet den Heimatort Adrians mit dem später zum dauernden Wohnsitz erwählten Hof der Schweigestills in Pfeiffering. Zeitblom spricht von der „seltsamsten Ähnlichkeits- und Wiederholungsbeziehung" [247], wobei er selbst an eine auf Seiten Adrians mehr oder weniger bewußte imitatio denkt. Doch es ist keineswegs deutlich, ob es sich um Nachahmung oder schon auf Hof Buchel um Vorwegnahme des Späteren im Bereich des Kindlichen handelt, wie in diesem Spätwerk Thomas Manns immer nur das reine Dasein, nie aber die Art und Weise der Beziehung genannt werden kann. An die Stelle der symbolischen Identität sind Verweisungen, Zeichen und Analogien getreten. So sind uns im Elternhaus schon Züge des Ungeheuren und Bedenklichen begegnet, wenn sie auch noch durch die Geordnetheit und menschliche Richtigkeit des mütterlichen Schutzes niedergehalten werden. Eine Atmosphäre des Verständnisses und des diskreten Schweigens, das jede Klage und Beschuldigung vermeidet, herrscht auch in Pfeiffering, und gerade deshalb lockt der Hof der Schweigestills stets solche Mieter an, die sich in der städtisch-bürgerlichen Gesellschaft nicht zurechtfanden, entweder weil ein junger Künstler hier sein Außenseiterdasein weniger schmerzlich empfand oder weil ein junges Mädchen ein uneheliches Kind zur Welt zu bringen hatte [248]. Sie alle wählten hierhin die Flucht zum Natürlichen, ohne allerdings ihre Hoffnungen erfüllt zu sehen. Sie hatten vielmehr fast ausnahmslos ein bitteres und trauriges Ende. Für Adrian jedoch bedeutet der langjährige Aufenthalt nicht eine Flucht vor seiner Bestimmung; er stellt erst ihre genaue Erfüllung dar, indem er sich streng in die Kette der

[246] D. F. S. 727.
[247] D. F. S. 43.
[248] vgl. a. a. O. S. 308 ff.

Beziehungen einreiht. Der eigentümliche Parallelismus zwischen Hof Buchel und dem Anwesen der Schweigestills ist bis in alle Einzelheiten ausgeführt: Dem Namen der Elsbeth Leverkühn entspricht Else Schweigestill, dem Bruder Georg der Erbsohn Gereon in Pfeiffering, der jüngeren Schwester Ursel die nachgeborene Tochter Clementine. Die Namen der Schweigestills sind durchweg altertümlichen Charakters, und auch gewisse Dialekteigenarten ihrer Sprache haben Lautstände des ältesten Deutsch bewahrt[249]. Immer dann spielt im „Doktor Faustus" die altdeutsche Sprache eine Rolle, wenn der Bereich des Ungeheuren gestreift oder ausdrücklich beschworen wird. So spricht Prof. Kumpf, der mit einer Semmel nach dem Satan wirft, „auf gut altdeutsch, ohn' einige Bemäntelung und Gleisnerei"[250]. Adrians Berichte über das Bordellerlebnis und Teufelsgespräch sowie seine peinliche Abschiedsrede vor seinem geistigen Zusammenbruch greifen jeweils auf den Lautstand der Lutherzeit zurück. Altertümlich ist ebenso das Zimmer, welches Adrian bei Schweigestills bewohnt. Diese sogenannte „Abtstube" mit Butzenscheiben und Inventarstücken, die einem Genre von Dürer entnommen sein dürften, ist eine angemessene „Fauststube". Trotz des Parallelismus zwischen dem Heimathof und dem späteren Aufenthaltsort sind alle Entsprechungen zugleich Kontrastierungen. Vertraute Personen, Dinge und Zustände des Vaterhauses sind nämlich nun in den Bereich des Dämonischen übertragen. Aus dem harmlosen Suso ist der Hund „Kaschperl"[251] geworden, dessen Name Kumpf schon als eine Teufelsbezeichnung kennt, wenn er vom „schwartzen Kesperlin"[252] spricht; die Magd Hanne heißt hier „Waltpurgis", und Martin Greiner geht vielleicht nicht zu weit, wenn er mit „Pfeiffering" die Assoziation „Ring des Pfeifers" im Sinne eines Bannkreises verbindet[253]. Wenn Zeitblom im Zusammenhang mit dem seltsamen Parallelismus von einem Manne berichtet, der bei Erkrankungen stets einen Kinderarzt aufsuchte, dann könnte hierin eine weitere Entsprechung zur Rückkehr Adrians in den Bereich des kindlich Vertrauten gesehen werden. Aber obwohl der Künstler zeitlebens seiner Kindheit näher steht, „als der im Praktisch-Wirklichen spezialisierte Mann"[254], so ist dennoch sein Weg steiler und gefährlicher und führt ihn weiter von seinem Ursprung ab. Schon mit dem Beginn des Musizierens ist Adrian „aus dem Stande der kindlichen Unschuld"[255] herausgetreten. Zur gleichen Zeit, um das 14. Lebensjahr etwa, macht sich sein „Hauptweh" erstmals bemerkbar.

Die erste bedeutende Berührung mit Musik erfährt Adrian in Kaisersaschern, in jener Stadt, in der sich alles Altdeutsche und zugleich Ungeheure zusammengefunden zu haben scheint. Sie soll „südlich von Halle,

[249] z. B. stat von ahd. stâti, wie ausdrücklich betont wird. (D. F. S. 383.)
[250] D. F. S. 145. [251] D. F. S. 341. [252] a. a. O. S. 148.
[253] vgl. Martin Greiner in „Die Sammlung" 9. Jahrg. 1954 S. 549.
[254] D. F. S. 41.
[255] a. a. O. S. 52.

gegen das Thüringische" [256] gelegen sein und könnte geographisch etwa mit Naumburg zusammenfallen, so daß wiederum eine Beziehung zur Biographie Nietzsches aufgenommen ist. Die Nähe zu Halle, Leipzig und Weimar stellt die fingierte Stadt in einen Umkreis alter Kulturzentren. Noch weiter in die Vergangenheit gehen die Assoziationen, wenn man weiß, daß Eisleben, die Geburtsstadt Luthers, nicht ferne ist und daß nicht nur im nahen Merseburg, sondern nach Angabe des Chronisten auch in Kaisersaschern alte heidnische Zaubersprüche gefunden wurden. Der Name der Stadt ist wohl eine Kontamination aus Aschersleben, welches übrigens auch in dem oben beschriebenen geographischen Umkreis liegt, und Kaiserslautern. Der erste Bestandteil kann jedoch ebensogut von Kaiser Otto III. hergenommen sein, dessen Grabmal in Kaisersaschern gezeigt wird, und schließlich mag zu allem Überfluß auch noch die Assoziation „Asche" wirksam werden. Solche Spekulationen lassen sich ins Endlose weitertreiben und dem Spiel mit Beziehungen, bei welchem der Leser selbst zur Produktivität ermuntert wird, sind fast keine Grenzen gesetzt. Uns interessieren hier jedoch weniger solche Einzelheiten, sondern lediglich die Tatsache, *daß* und *wie* sich im Roman ein dargestelltes Phänomen in einem System von Beziehungen aufbaut. Kontamination und Kompilation sind die äußeren Hilfsmittel mit denen die Stadt Kaisersaschern als Prototyp des Deutschen, Dämonischen und Zurückgebliebenen konstruiert wird. Halle und Leipzig repräsentieren altdeutsche Universitäts- und Kulturtradition und werden im Roman als „Händel-Stadt" und „Stadt des Thomas-Kantors" [257] eingeführt. Das Theologische ist einmal durch die Nähe zu Luthers Geburtsstadt angedeutet, zum anderen äußert es sich als Dämonologie, wenn von Kaisersaschern gesagt wird, daß man noch in moderner Zeit „mystisches Herumziehen des Volkes" [258] erwarten könne, denn die Stadt habe in ihrer Atmosphäre etwas „stark Mittelalterliches bewahrt" [259]. Kaiser Otto III. liegt in Wirklichkeit in Aachen begraben und wird vom Erzähler in die fingierte Stadt verlegt. Dieser mittelalterliche Herrscher war ein „Musterbeispiel deutscher Selbst-Antipathie und hatte sein Leben lang unter seinem Deutschtum gelitten" [260]. Ein ganz ähnliches Verhältnis zu ihrer nationalen Zugehörigkeit haben Nietzsche und Adrian Leverkühn.

Alle diese Beispiele zeigen, wie von den verschiedensten Personen, Städten und Kulturerscheinungen charakteristische Züge auf die erfundene Stadt übertragen und in ihr kompiliert werden. Dabei wird der gesamte

---

[256] a. a. O. S. 55.   [257] D. F. S. 56.   [258] D. F. S. 58.

[259] a. a. O. S. 57. In dem Essay „Deutschland und die Deutschen" charakterisiert Thomas Mann seine Heimatstadt mit fast den gleichen Worten. Lübeck teilt mit Kaisersaschern die Totentanz-Atmosphäre, die Beziehung zur Lutherzeit und die Originale (vgl. Thomas Mann: Neue Studien. Stockholm 1948 S. 12 ff.) Am 29. 9. 1921 schreibt Thomas Mann an Ernst Bertram: „Lübeck ist überhaupt die Stadt des Totentanzes, und ich habe viel davon abbekommen." (Th. Mann an Ernst Bertram S. 103 f.)

[260] D. F. S. 57.

geographische und kulturelle Umkreis in sie eingeschmolzen. Sie umfaßt in ihrer unbestimmten, aber dennoch gefüllten Allgemeinheit Momente der Theologie, der Musik, des Dämonischen, des „Deutschen" usw. und hält sich in der Schwebe zwischen Realität und Fiktion. Als Ganzes ist die Stadt Kaisersaschern frei erfunden, in ihren Einzelzügen gründet sie auf realen Gegebenheiten, die als solche außerhalb der Kunst liegen, die aber in ihrer Gesamtheit Kaisersaschern zu einem ästhetischen Phänomen werden lassen. Wie später der Teufel nicht nur extremer Widersacher des Göttlichen ist, so ist diese Stadt nicht festgelegt auf eindeutige Charaktere. Sie ist „deutsch", und doch gehört zu ihr die Anlage zum „Antideutschen", sie ist bieder und bürgerlich, und doch würde man sich nicht wundern, wenn auf einmal Veitstänze aufgeführt würden. Alle diese Einzelmomente sind jedoch nur Perspektiven eines ästhetischen Ganzen, in dem die Gegensätze zu gleiten beginnen und sich in einem höchst konstruktiven System von Relationen nicht ausschließen.

Der Perspektivismus bewirkt im Kunstwerk die Komplexion der Beziehungen zwischen Vergangenem und Gegenwärtigem und erhebt das Einzelne durch Wiederholung ins Typische. Das Alte wird vom Gesichtspunkt des Modernen aus betrachtet und umgekehrt, so daß fern auseinanderliegende Zeiten miteinander verknüpft werden. Wenn daher von den Exzessen des Hitlerregimes gesprochen wird [261], dann wiederholt sich in der Moderne der Aufbruch des Archaischen und Barbarischen in noch gesteigertem Maße. Kaisersaschern ist ein Brennpunkt dieser „Ewigen Wiederkehr des Gleichen" und deshalb durch eine eigentümliche „Zeitlosigkeit" [262] bestimmt. Diese aber bedeutet nicht ein bloßes Stehen-geblieben-sein beim Vergangenen, sondern das scheinbar ungeschichtliche „Nunc stans" [263] umfaßt auch die Gegenwart und hebt die Analogie zwischen zeitlich Getrenntem hervor. Eine solche besteht im Roman weiterhin in dem Parallelismus der Zeitebenen und in der schon interpretierten Weise der Kapitelfolge. Auch die Zeitgeschichte reiht sich in das Gesamtbild Kaisersaschern ein und ist so legitimiert, in dem ästhetischen System der Beziehungen eine Rolle zu spielen. Die fingierte Stadt selbst ist eine Vorwegnahme alles Späteren, und ihr universaler Charakter wird noch einmal deutlich, wenn der Teufel Adrian zu sagen auffordert: „Wo ich bin, da ist Kaisersaschern" [264]. Sie ist gemäß der Bedeutung der beiden Hauptfiguren nicht nur der Ausgangspunkt Adrians, sondern auch Zeitbloms, der deshalb an späterer Stelle bemerkt: „Ich sagte mir, daß wir beide uns als rechte Kinder des Winkels deutscher Altertümlichkeit erwiesen, worin wir aufgebracht worden waren: ich als Humanist und er als Theolog; und wenn ich mich umsah in unserem neuen Lebenskreis, so fand ich, daß der Schauplatz sich zwar erweitert, aber nicht wesentlich verändert hatte" [265].

[261] vgl. D. F. S. 58.
[262] a. a. O. S. 57.
[263] a. a. O.

[264] D. F. S. 339.
[265] a. a. O. S. 140.

Wenn Anna Hellersberg-Wendriner alle Erscheinungen im Roman in Hinsicht auf Gottesferne und Beziehungslosigkeit interpretiert [266], dann gilt dies nicht für das Verhältnis der Phänomene untereinander. Daß diese in ihrer Gesamtheit auf eine Transzendenz bezogen sind, ist im Roman allerdings unbestimmt, wenn auch nicht geleugnet. Beschreibbar dagegen ist der Zusammenhang von Musik, Religiosität und logischem Kalkül, wenn vor dem eigentlichen Erwachen musischer Neigungen bei Adrian das Interesse an der Mathematik zutage tritt. Es gründet in der Hochschätzung alles Geordneten, und der Wille zur Ordnung, die stets von Gott gestiftet ist, führt ihn schließlich auch zur Theologie. Bevor Zeitblom den jungen Freund zum ersten Male am Klavier überraschte, wußte er um seine Beschäftigung mit Algebra und Logarithmentafel und erkannte, „daß er religiös war" [267]. Faszinieren ihn am Reich der Zahlen die Ordnungsbeziehungen, so führt ihn das gleiche Interesse zur Sphäre der Töne, in der er staunend erkennt, „wie das alles zusammenhängt und im Kreise herumführt" [268]. Jeder Ton ist abhängig von anderen und erhält seine Position nur in der Organisation eines Tonsystems. „Alles ist Beziehung, und die Beziehung bildet den Kreis" [269]. Der einzelne Ton ist niemals für sich eindeutig bestimmt, er bedarf jeweils eines Bezugspunktes, um von ihm her fixiert zu werden. Da es aber immer mehrere Bezugsmöglichkeiten gibt, läßt er sich nur perspektivisch festlegen. Die Mehrdeutigkeit eines Tones wird am sichtbarsten beim Phänomen der enharmonischen Verwechslung: „Nimm den Ton oder den. Du kannst ihn so verstehen oder beziehungsweise auch so, kannst ihn als erhöht auffassen von unten oder als vermindert von oben und kannst dir, wenn du schlau bist, den Doppelsinn beliebig zunutze machen" [270]. Der Perspektivismus wird damit selbst zu einem Prinzip der Musik und Kunst im weiteren Sinne, welche alles Einzelne in seinem Eigenwert gelten läßt, zugleich aber alles Singuläre aufeinander bezieht und in einem ästhetischen Ganzen als Ordnung organisiert. „Beziehung ist alles. Und willst du sie näher bei Namen nennen, so ist ihr Name ‚Zweideutigkeit'" [271]. Der Mehrdeutigkeit und letztlichen Unbestimmbarkeit des Seienden paßt sich die Kunst an, indem sie sich diese als Prinzipien ihres eigenen Wesens aneignet und gerade dadurch über das Ungeordnete Herr wird und ihm den ästhetischen Kosmos entgegensetzt. So ist zu verstehen, „daß Musik die Zweideutigkeit ist als System" [272].

In einem analogen Sinne sind die Musikvorträge Kretzschmars zu interpretieren, von denen man weiß, daß sie Thomas Mann große erzähltechnische Schwierigkeiten bereiteten. Als der Roman schon beinahe vor

[266] vgl. Anna Hellersberg-Wendriner: Mystik der Gottesferne. Eine Interpretation Thomas Manns. Bern, München 1960 S. 150 ff.
[267] D. F. S. 72.
[268] a. a. O. S. 73.
[269] a. a. O.
[270] a. a. O. S. 74.
[271] a. a. O.
[272] D. F. S. 74.

dem Abschluß stand, arbeitete der Autor an jenen Passagen immer noch. Oft sah er sich wieder „an dem nie befriedigenden Vortragskapitel Nr. VIII bastelnd und bessernd"[273]. Hier galt es einmal, ein hohes musiktheoretisches Niveau einzuhalten, zum anderen aber — und das war wohl die schwierigste Aufgabe — mußten die Vorträge in den Roman integriert werden und durften nicht als abgesonderte Essays aus dem Ganzen des Kunstwerks herausfallen. Angestrengter als in anderen Kapiteln bemüht sich daher der Erzähler, sein ganzes Darstellungsvermögen ins Spiel zu bringen, und nirgends fast wird in diesem Roman soviel subtiler Spaß getrieben wie hier. „Ironie" ist nicht mehr der rechte Begriff, ist zu beladen mit Intention und Kritik, als daß er für die Schilderung Kretzschmars und seines Publikums ausreichen könnte. Hier wirkt vielmehr unmittelbar Thomas Manns Humor. Dieser, so sagt der Autor, sei ihm nicht fremd gewesen, auch wenn der „melancholische und tiefernste Roman vom ‚Dr. Faustus'"[274] gemeint sei. So ist Humor am Werke, wenn Kretzschmar nach langen Ausführungen mit dem Anfangslaut des letzten Wortes nicht zustande kommt und wenn ihm seine Zuhörer diesmal nicht zur Hilfe eilen, da er immerhin im Begriffe steht, das Wort „Tod" zu artikulieren. „Als aber das Wort erkannt war, schien es nicht recht danach angetan, daß man es ihm abnehme, es ihm, wie man sonst zuweilen tat, jovial und hilfreich zuriefe. Er mußte es selbst zustande bringen, und er tat es"[275]. Humoristisch ist ebenfalls, wenn am Hause der „Gemeinnützigen Thätigkeit" oder in der Kaisersascherner „Eisenbahnzeitung" zu lesen steht, daß Kretzschmar über das Thema spreche, „warum Beethoven zu der Klaviersonate opus 111 keinen dritten Satz geschrieben habe"[276].

[273] Thomas Mann: Entstehung des Doktor Faustus. S. 166.
[274] Thomas Mann: Nachlese. Prosa 1951—1955 S. 168.
[275] D. F. S. 83.
[276] a. a. O. S. 79.

Man hat bisher die Bedeutung des Humors im Werke Thomas Manns zugunsten der Ironie zu wenig beachtet. Er gewinnt übrigens im Alterswerk trotz weit verbreiteter gegenteiliger Ansicht immer größeren Raum, so daß der „Doktor Faustus" weit mehr humoristische Züge enthält als die „Buddenbrooks", allein schon deshalb, weil er sie dringender braucht. Sie werden oft erst bei l a u t e m Lesen wirksam, wie Thomas Manns Prosa überhaupt eine „Rezitations-Prosa" ist.

Eine genaue Unterscheidung zwischen Ironie und Humor bedürfte einer eigenen Untersuchung. Hier sei lediglich andeutend auf die größere naive oder wiedergewonnene Unmittelbarkeit des Humors vor der Ironie hingewiesen. Während diese einzelne Gestalten und Standpunkte jeweils von anderen her relativiert und gegenseitig ausspielt, bedarf der Humor nicht einer solchen wechselnden Optik. Er entstammt einer überlegeneren, umfassenderen Welthaltung. Die Ironie steht noch im absichtsvollen Vollzug der Vermittlung, der Humor ist das ruhige Ergebnis einer — oft resignierenden — Versöhntheit.

Dennoch darf man die Scheidung beider Begriffe nicht überziehen; denn die Ironie erhält bei Thomas Mann eine so universale Funktion, daß sie dem Humor entgegenkommt, der Humor andererseits zersetzt sich in der Moderne immer häufiger und wird zur Ironie, so daß beides sich oft vermischt.

So wenig die Vorträge Kretzschmars das Interesse des Kaisersascherner Publikums erwecken können, so bedeutungsvoll sind sie für die künstlerische Entwicklung Adrian Leverkühns. Aber er scheint auch hier weniger zu lernen, als die Bestätigung dessen zu finden, was er schon weiß. In einem anderen Zusammenhang schreibt Thomas Mann am 28. 3. 1915 an Ernst Bertram: „Lernen ist ja nur ein Erwerben dessen, was man schon besitzt" [277]. Hier wird ein Held nicht nach dem Modell eines Bildungsromans schrittweise in die Bereiche der Kultur eingeführt, durch die er allererst geformt und geprägt würde; hier gilt auch nicht mehr die pädagogisch bewährte Dialektik von Anlage und Einfluß, von Potenz und Bildung. Das Verhältnis zwischen diesen Alternativen läßt sich am ehesten durch das schon häufiger bemühte Gleiten zwischen den Polen charakterisieren, so daß die spätere Entwicklung schon in der Anlage sich ankündigt und diese umgekehrt in jener nur eine gesteigerte Wiederholung erfährt. Von einem radikalen Determinismus sprechen hieße, ein Extrem aus der Korrelation herausnehmen und unsachgemäß vereinseitigen; denn es ist noch höchst fragwürdig, ob die späteren Phasen „nur" die Folge einer total determinierten Natur sind, oder ob nicht diese schon auf die spätere Entwicklung hin ausgerichtet ist. Lediglich der Parallelismus, nicht aber der Primat des einen vor dem anderen kann hier konstatiert werden. Diese Art, die biographische Entfaltung des Helden zu behandeln, zieht die ästhetische Notwendigkeit nach sich, die Begegnung Adrians mit Kretzschmar und seinen Vorträgen streng in das Romanwerk einzugliedern, so daß die Beziehungen sowohl nach rückwärts, als auch nach vorwärts sich in einem neuen Kreise verdichten. Das Kapitel VIII wird sich demnach als eine neue Variation des Grundthemas erweisen, wie es schon in den Abschnitten über Adrians Elternhaus und Kaisersaschern anklang. Damit wäre eine weitere Entsprechung zwischen Thomas Mannscher Erzählweise und Leverkühnscher Komposition nachgewiesen, auf deren „Entwicklungslosigkeit" an früherer Stelle schon die Rede kam. Auch von seinem Werke heißt es nämlich, daß es sich in „Sätzen, Großvariationen" aufbaut, „die den Texteinheiten oder Kapiteln des Buches entsprechen und in sich selbst wieder nichts anderes als Variationenfolgen sind" [278].

Rein zufällig scheint der Aufenthalt Kretzschmars in Kaisersaschern zu sein; denn er kommt von weit her, aus Pennsylvania, und seine Anwesenheit in der mitteldeutschen Stadt ist nur eine „Episode", der „andere vorangegangen waren" und der „weitere nachfolgen sollten" [279]. Einer günstigen und zugleich notwendigen Konstellation ist es zu verdanken, daß dieser wandernde Lehrer gerade im rechten Augenblick auf Adrian stößt, um dessentwillen überhaupt sein Aufenthalt in Kaisersaschern von fremden

---

[277] Thomas Mann an Ernst Bertram S. 24.
[278] D. F. S. 725.
[279] a. a. O. S. 76.

Mächten arrangiert zu sein scheint; denn wer anders — abgesehen von Zeitblom — hätte aus seinen Vorträgen Gewinn gezogen?

Seine Themen gleichen sich in ihren ungewöhnlichen und zum Paradoxen neigenden Formulierungen:

1. „Warum Beethoven zu der Klaviersonate opus 111 keinen dritten Satz geschrieben habe."
2. „Beethoven und die Fuge".
3. „Die Musik und das Auge."
4. „Das Elementare in der Musik." [280]

In allen diesen Vorträgen geht es um das Phänomen der Musik in ihren Beziehungen zum Mythischen, Kultischen und Dämonischen einerseits und zur abstrakten Geistigkeit, zur Ordnung und zum Reich der Zahlen andererseits. Die Kunst ist weder durch die Hingabe an das Elementare, noch allein durch ihre Neigung zur „Anti-Sinnlichkeit" und „Askese" [281] als Ganzes erfaßt. Sie erfüllt sich erst völlig in ihren Beziehungen zu beiden extremen Polen, indem sie diese in sich hineinnimmt. Starre Antinomien werden beweglich, so daß „Musik" und „Auge", Hingabe und kritische Distanz ebensowenig Alternativen bleiben wie Organisches und Anorganisches im Bereich der „Elementa", deren vexatorisches Spiel zwischen den Kategorien schon Jonathan Leverkühn zu erkennen meinte. Berührte sich in der Natur „Gift und Schönheit, Gift und Zauberei, aber auch Zauberei und Liturgie" [282], dann wiederholt sich dieses Beziehungssystem, wenn es in den Vorträgen Kretzschmars die Musik charakterisiert.

Zugleich weisen die gescheiten Vorträge voraus und nehmen das Schicksal Leverkühnschen Künstlertums vorweg. Der erste Vortrag zeigt Beethoven auf dem Gipfel seines artistischen Könnens, wie er an dem „Übermaß an Minutiosität und musikalischer Wissenschaftlichkeit" [283] leidet. Die Subjektivität seines Schaffens wird zurückgedrängt, indem seine Kunst auf der Spitze des Konstruktivismus ins „Mythische, Kollektive groß und geisterhaft" [284] eintritt. In der Epoche seiner Vollendung wird zugleich die Kunstform der Sonate zu ihrem „Ende geführt" [285], indem sie noch einmal in höchster Vollkommenheit als das Zusammen von „Kälte und Hitze, Ruhe und Ekstase" [286] ästhetisch verwirklicht worden ist. Ebenso wird Adrian Leverkühn die Vollendung und gleichzeitig die Endzeit traditioneller Formen der Kunst erfahren, und auch er wird auf dem Höhepunkt des Konstruktivismus den Durchbruch zur Naivität und Barbarei erreichen. Der Versuch, aus der Bewußtheit der Modernität zum Vorkultischen und Atavistischen zu gelangen, ist dem Nietzscheschen Bemühen ähnlich, den Skeptizismus des modernen Denkens zu überwinden und einen

[280] a. a. O. S. 79 ff.
[281] D. F. S. 95.
[282] a. a. O. S. 29.
[283] a. a. O. S. 81.

[284] a. a. O. S. 83.
[285] a. a. O. S. 86.
[286] D. F. S. 84.

Mythos wiederzugewinnen. Ein solches Streben umfaßt gleicherweise Fortschritt und Reaktion, weil die für die Zukunft erwartete „neue Unschuld"[287] die Vergangenheit in veränderter Form wiederholt. „Wem also der *Durchbruch* gelänge aus geistiger Kälte in eine Wagniswelt neuen Gefühls, ihn sollte man wohl den Erlöser der Kunst nennen"[288].

Aber ein solcher Erlöser erkauft das neue Werk nur mit dem Opfer seiner eigenen Existenz, indem er auf die persönliche Glückserfüllung Verzicht zu leisten hat. Eine Vorwegnahme des Leverkühnschen „Gethsemane" ist in diesem Sinne der zweite Vortrag Kretzschmars über Beethoven. In bewußter Anlehnung an den biblischen Stil wird von ihm berichtet, wie er an seiner „Missa" arbeitet: „Als nun der Meister zwischen der zwölften und ersten Stunde zu essen verlangt, hatte er die Mägde denn also schlafend, die Speisen aber verdorrt und verkohlt gefunden . . ."[289]. Schließlich war er in Zorn geraten und hatte immer wieder die ungeheure Blasphemie ausgerufen: „Könnt ihr denn nicht eine Stunde mit mir wachen?"[290] Die Nähe von Künstlertum und leidender Erlöserrolle drückt sich bei Adrian später in seiner Physiognomie aus, die sich immer mehr dem Antlitz Christi angleicht, wie man es von Dürer-Darstellungen kennt. Seine Abschiedsrede vor seinen Bekannten ist eine Art Ermahnung an die Jünger, dem Meister in der Stunde seines Leidens beizustehen.

Die Beziehung von Kunst und Religion ist uns von Anfang an im Roman begegnet, und sie wird in der letzten Rede Kretzschmars noch einmal aufgenommen und vertieft. Der dritte Vortrag hatte bei der Musik den Zug zum Unsinnlichen, zur Askese und Zahlenspekulation gefunden; nun wird die entgegenliegende Seite, die Neigung der Kunst zum Archaischen, herausgestellt. Ist die Musik zwar einerseits auf Vergeistigung ausgerichtet, so hat sie andererseits stets die Tendenz, „ins Elementare zurückzutauchen"[291], und „von vorne zu beginnen"[292]. Von einem solchen Primitivismus, der jedoch die strengste Gesetzmäßigkeit nicht ausschließt, ist in der Erzählung Kretzschmars über den religiösen Schwärmer und Tonsetzer Johann Conrad Beißel die Rede. Da ihm nämlich die herkömmlichen Choral-Melodien für die von ihm betreuten Seelen „allzu verwickelt und künstlich erschienen[293], entschloß er sich, die Musik durch eine kühne Vereinfachung für seine Gemeinde verwendbar zu machen. Den Dreiklang setzte er als das „melodische Zentrum jeder gegebenen Tonart"[294] und ernannte die „zu diesem Akkord gehörigen Töne zu Meistern, die übrigen Töne der Leiter aber zu Dienern"[295]. Den Rhythmus ließ er dem freien Tonfall der Worte folgen. Durch die großartige Simplifizierung ergab sich, daß jedes Gemeindemitglied anfing, die frommen Texte in Melodien zu setzen, und diese sollen „tief in die Seele" gegangen und ein

---

[287] a. a. O. S. 482.
[288] a. a. O.
[289] a. a. O. S. 90

[290] D. F. S. 90.
[291] a. a. O. S. 98.
[292] a. a. O.

[293] a. a. O. S. 101.
[294] a. a. O. S. 102.
[295] a. a. O.

„Vorgeschmack des Himmels"[296] gewesen sein. In einem Gespräch mit Zeitblom, das sich an den letzten Vortrag Kretzschmars anschließt, behält sich Adrian vor, den kuriosen Musiker Beißel ernst zu nehmen: „Wenigstens hatte er Ordnungssinn, und sogar eine alberne Ordnung ist immer noch besser als gar keine"[297]. Später knüpft Leverkühn daran seine Gedanken über eine neue Musiktheorie an, wenn er als Ziel der Kunst die „vollständige Integrierung aller musikalischen Dimensionen, ihre Indifferenz gegeneinander kraft vollkommener Organisation"[298] anstrebt. Wieder — nun im XXII. Kapitel — kommt in einem Gespräch mit Zeitblom die Rede auf Beißel, und in Erinnerung seiner gesetzmäßigen und zugleich primitiven Musik entwickelt Adrian seine Zwölfton-Technik, die seinen Vorstellungen vom „strengen Satz" am ehesten genügt[299]. In ihm nämlich soll es nichts „Unthematisches" mehr geben, nichts, „was sich nicht als Ableitung eines immer Gleichen ausweisen könnte"[300]. Durch die strengstens durchgeführte Organisation wäre es möglich, selbst verbrauchte und banal gewordene Formen wieder in das Kunstwerk aufzunehmen, so daß sich in ihm „astronomische Gesetzmäßigkeit"[301] und Primitivismus gleicherweise zusammenfinden.

Was Adrian Leverkühn später unter dem Einfluß der kunststeigernden Intoxikation leistet, wird also schon in den Vorträgen Kretzschmars thematisch vorbereitet. Diese Art der Themenverknüpfung und Wiederholung stimmt mit der oben erwähnten Kunsttheorie Leverkühns vom „strengen Satz" überein, so daß wiederum die Entsprechung zwischen dieser und der Erzählweise Thomas Manns zutage tritt.

Die Beziehungen zwischen den Extremen, zwischen göttlicher Schöpfung und Teufelswerk werden in den Kapiteln über die Hallenser Universität intensiviert und erweitert, indem sie auf kosmologische Vorstellungen übertragen werden. Professor Nonnenmacher führt in seinen philosophischen Vorlesungen die Hörer in die Gedankenwelt der Pythagoräer und der aristotelischen Metaphysik ein. Die Zahl gilt jenen vorsokratischen Denkern als Prinzip und Inbegriff des Wahren, Sittlichen und Schönen. Zugleich ist sie das Symbol der Autorität, welche die Jünger in den Sinn des Bundes und der „esoterischen Schule religiöser Lebenserneuerung"[302] einweiht. Adrian ist von diesen Lehren ergriffen und wendet sich unwillig ab, wenn Zeitblom ihm während des Kollegs einen „anzüglichen Blick"[303] zuwirft, ist ihm doch die innerste Verbindung von Schönheit, Zahlenordnung einerseits und magischer Initiation andererseits zutiefst vertraut. Dagegen ist der Humanist durch die „fatale Stimmigkeit"[304] des Zahlenquadrats, welches über dem Klavier seines Freundes angebracht ist, jedesmal von neuem irritiert.

[296] D. F. S. 104.
[297] a. a. O. S. 105.
[298] a. a. O. S. 287.
[299] vgl. a. a. O. S. 287.
[300] a. a. O.
[301] a. a. O. S. 288.
[302] D. F. S. 142.
[303] a. a. O. S. 143.
[304] a. a. O. S. 141.

Beeindruckt Nonnenmacher seine Hörer mit den sublimen Vorstellungen ewiger, sittlich-vorbildlicher Sphären der Sterne und Zahlen, so behauptet Professor Kumpf dagegen die Lust des Diesseits gegen den Verderber aller irdischen Freude. Den Vorlesungen des Philosophen folgt Zeitblom ohne Bedenken, während die des Theologen für ihn ein „zweifelhaftes Vergnügen" [305] sind. Kumpf nämlich, ein Gottesgelehrter lutherischer Prägung, steht mit dem Teufel auf „sehr vertrautem, wenn auch natürlich gespanntem Fuße" [306] und wirft mit einer Semmel nach dem „Speivogel" und „Wendenschimpf" [307], der den Menschen die Gaben Gottes versauern möchte. In scharfem Kontrast zu der reinen Idealität der philosophischen Spekulationen Nonnenmachers steht die derbe und volkstümliche Intimität mit dem Satan. Dieser erscheint dabei weniger als Verführer zur Sinnlichkeit und zum Abfall vom geistig-sittlichen Gebote Gottes, sondern er ist der mißgünstige Lebens-„Schädling" [308], welcher den Menschen aus seiner Eintracht mit dem Natürlichen herausreißt. Selbst Zeitblom muß anerkennen, daß in der Theologie der Teufel mit Recht „seine komplementäre Realität zu derjenigen Gottes behauptet [309]. Es sei nämlich nicht einzusehen, warum man „die Hölle symbolischer nehmen sollte als den Himmel" [310].

Oft war bisher schon vom Ungeheuren und Dämonischen die Rede, aber hier tritt zum ersten Male der Teufel selbst als Realität oder als bloß bewußtseinsimmanente Vorstellung in den Vordergrund. Während die „wuchtige Persönlichkeit" [311] Kumpfs sich des Satans erwehren kann und sich in jedem Falle von ihm distanziert, beginnt die Grenze zwischen Privatdozent Schleppfuß und dem bösen Geiste zu gleiten. Seine Lehre von der Dialektik des „Verruchten" [312] und Heiligen, die beide als Korrelate aufeinander bezogen seien, äußert sich in seiner Person als gefährliche Zweideutigkeit. Er ist nicht nur der Theologe, welcher der Psychologie eine bevorzugte Stellung in seiner Wissenschaft einräumt, sondern er ist eine Art Mephisto in der Schülerszene; es wird daher wiederholt darauf hingewiesen, daß die Studenten alles von ihm Vorgetragene „gewissenhaft in ihre Wachstuchhefte einzeichneten" [313]. Zum ersten Male in diesem Roman nimmt der Teufel eine konkrete Gestalt an, nachdem er sich von Anfang an immer vernehmlicher angekündigt hatte. In diesem Dozenten, dem das Kapitel XIII mit Recht zukommt, personifiziert sich der Satan als äußerst gescheiter Denker und Redner, der die extremen Gegensätze auflöst, sie ineinander fließen läßt und alles mit allem in Beziehung zu setzen weiß. Er ist nur scheinbar der wissenschaftlich fortgeschrittene, humane Vermittler zwischen den Antipoden Kumpf und Nonnenmacher. Statt aufzuklären, vernebelt er die Phänomene, indem er die Theologie zur Dämonologie werden läßt und umgekehrt. Alles wird in den Strudel letztlicher Nichtunterscheid-

---

[305] D. F. S. 144.
[306] a. a. O. S. 147.
[307] a. a. O. S. 149.
[308] a. a. O. S. 148.
[309] a. a. O. S. 147.
[310] a. a. O.
[311] a. a. O. S. 144.
[312] a. a. O. S. 151.
[313] D. F. S. 152 u. S. 157.

barkeit hinabgezogen, während der derbe und redliche Kumpf die Dinge „ohn' einige Bemäntelung und Gleisnerei" [314] distinkt bei Namen nennt.

Das vexatorische Spiel zwischen Geistigem und Körperlichem, zwischen Gehirn und Geschlecht beleuchtet vor allem die Geschichte von Heinz Klöpfgeißel und seiner magisch beschränkten Potenz. Dabei bleibt in der Schwebe, ob die Liebe zu Bärbel ihn derart an sie band, daß er bei anderen Weibern „nicht auf dem Posten" [315] war, oder ob tatsächlich die Hexensalbe die peinliche Wirkung zur Folge hatte. Realität und subjektive Vorstellung vermischen sich und scheiden sich nicht in eindeutige Alternativen. Auch Adrian — und hierin liegt eine gewisse Parallele zu Heinz Klöpfgeißel — ist an Hetaera Esmeralda gebunden und findet durch sie den Durchbruch zu einer neuen Kunst. Außerhalb dieser eingeschränkten „Liebe" ist er unfähig, seine vitalen und sozialen Kräfte zu aktivieren. Eine weitere Entsprechung zu dem unglückseligen Faßbinder liegt darin, daß auch bei Leverkühn Magie im Spiele ist und daß die Realität des Dämonischen bei ihm ebenso mehrdeutig bleibt.

Haltung und Aussehen Schleppfußens verweisen direkt auf den später auftretenden Teufel, dessen Beschreibung fast wörtlich mit der des Dozenten übereinstimmt. Er spricht nicht „vom Kathederstuhl aus, sondern irgendwo seitlich halb sitzend an ein Geländer gelehnt, die Spitzen der Finger bei gespreizten Daumen im Schoße verschränkt, wobei sein geteiltes Bärtchen sich auf und ab bewegte und zwischen ihm und dem spitz gedrehten Schnurrbärtchen seine splittrig-scharfen Zähne sichtbar wurden" [316]. Der Teufel zeigt sich später nach seiner ersten Verwandlung als „Musikintelligenzler" [317]. Er „saß auch nicht mehr recht in seiner Ecke, sondern ritt légèrement im Halbsitz auf der gerundeten Seitenlehne des Sofas, die Fingerspitzen im Schoß durcheinander gesteckt und beide Daumen starr davon wegstreckend. Ein geteiltes Bärtchen am Kinn ging ihm beim Reden auf und ab, und überm offenen Munde, drin kleine scharfe Zähne sich sehen ließen, stand ihm das spitzgedrehte Schnurrbärtchen strack dahin" [318]. Seit dem Erscheinen Schleppfußens treten immer wieder Gestalten auf, die charakteristische Züge des Teufels tragen. Ganz ähnlich, wie im „Tod in Venedig" bestimmte Figuren auf das Ende Aschenbachs vorausdeuten und in verschiedenen Perspektiven den „Tod" verkörpern, ist auch im

---

[314] a. a. O. S. 145.
vgl. hierzu Goethes „Faust":
„Meph: ‚Doch Euch des Schreibens ja befleißt,
    Als dictiert' Euch der Heilig' Geist!'
Schüler: ‚Das sollt Ihr mir nicht zweimal sagen!
    Ich denke mir, wie viel es nützt;
    Denn, was man schwarz auf weiß besitzt,
    Kann man getrost nach Hause tragen.' "
(Weimarer Ausgabe I. Abt. 14. Bd. S. 92.)
[315] D. F. S. 162.
[316] a. a. O. S. 151.
[317] a. a. O. S. 366.
[318] D. F. S. 366.

„Doktor Faustus" der Teufel schon früh in jeweils anderen Personen anwesend. Der Zuhälter, welcher Adrian in Leipzig einem Bordell [319] zuführt, sieht nach Leverkühns eigenem Bemerken „unserem Schleppfuß ähnlich" [320]. Dennoch verweist diese Figur weniger auf den „Musikintelligenzler" als auf die erste Gestalt des später auftretenden „Strizzi" und „Ludewig" [321]. Die verschiedenen Erscheinungsweisen des Teufels während seines Gespräches mit Adrian sind schon hier auf diverse Personen verteilt. Sie alle repräsentieren eine Seite des Ungeheuren, der sich niemals als ganzer in einer Gestalt konkretisiert, sondern der dauernd sich wandelt und dennoch immer der Gleiche bleibt.

c) Der Teufel als komplexe Erscheinung ästhetischer Mehrdeutigkeit.

Schon seit längerem haben wir den Parallelismus zwischen der Musik Leverkühns und der Erzählweise Thomas Manns verfolgt, wie in beiden Fällen sich die Grundthemen von weitem her ankündigen, dann wieder gestaut und verzweigt werden und wie das ganze Geflecht von Beziehungen in jedem Augenblick in verschiedenen Perspektiven gegenwärtig ist. Was wir bei Nietzsche als das Ganze in „ewiger Wiederkehr des Gleichen" und doch in jeweils neuen Abschattungen erkannten, realisiert sich hier im Erzählen. Der Verdeutlichung solcher Kompositionsprinzipien mag Zeitbloms Stilanalyse des Leverkühnschen Briefes über sein Bordellerlebnis dienen. Die „Anekdote", bemerkt der Interpret, sei das zentrale Thema des Briefes; alles andere sei „Zutat, Einhüllung, Vorwand, Aufschub" [322]. Das Wesentliche wird kurz angedeutet, dann wieder zurückgehalten und

---

[319] Das Bordellerlebnis ist sogar bis in alle Einzelheiten Zitat aus Paul Deussen: Erinnerungen an Friedrich Nietzsche. Leipzig 1901. Deussen berichtet: „Nietzsche war eines Tages, im Februar 1865 allein nach Köln gefahren, hatte sich dort von einem Diestmann zu den Sehenswürdigkeiten geleiten lassen und forderte diesen zuletzt auf, ihn in ein Restaurant zu führen. Der aber bringt ihn in ein übel berüchtigtes Haus. ‚Ich sah mich', so erzählte mir Nietzsche am anderen Tage, ‚plötzlich umgeben von einem halben Dutzend Erscheinungen in Flitter und Gaze, welche mich erwartungsvoll ansahen. Sprachlos stand ich eine Weile. Dann ging ich instinktmäßig auf ein Klavier als auf das einzige seelenhafte Wesen in der Gesellschaft los und schlug einige Akkorde an. Sie lösten meine Erstarrung, und ich gewann das Freie.' " (S. 24.)
Entlehnt ist auch der Besuch Deussens bei dem geisteskranken Nietzsche. Sogar der Blumenstrauß findet Erwähnung. (Deussen: S. 97, vgl. D. F. S. 758.) Auf diese Zitate weist Thomas Mann selbst hin (Entstehung des Doktor Faustus. S. 34.)
Wenn Adrian in seinem Brief an Zeitblom die Dirnen „Töchter der Wüste" (D. F. S. 214) nennt, dann liegt hierin eine Anspielung auf Nietzsches Dithyrambus: „Die Wüste wächst: weh' dem, der Wüsten birgt..." (D. XX, 192 ff.). Dort spricht Nietzsche von den „Töchtern der Wüste" (D. XX, 197) und von dem „Fächer- und Flatter- und Flitter-Röckchen" (D. XX, 195) einer Tänzerin.
[320] D. F. S. 212.
[321] a. a. O. S. 336.
[322] D. F. S. 217.

endlich zur Sprache gebracht, indem Beziehungen zu Vater Jonathans Versuchen und zu Kampf und Schleppfuß aufgenommen und eingearbeitet werden. Der altdeutsche Sprachstil hält nur so lange vor, bis das Erlebnis erzählt ist, und er wird gewählt wegen seiner „Affinität zum Religiösen" [323]. Diese Stildeutung des Briefes charakterisiert in einem weiteren Sinne den Roman Thomas Manns. Sie ist zugleich eine Selbstinterpretation seiner Erzähltechnik und reiht sich damit als theoretische Erörterung beziehungsreich in das Ganze des Romans ein. Auch in ihm nämlich werden nur die Höhepunkte der „Affinität zum Religiösen" in altdeutscher Sprache behandelt. Kumpf, Schleppfuß und der Brief über das Bordellerlebnis sind auf diese Weise herausgehoben. Dabei ist das „Religiöse" zutiefst mit dem Dämonischen und Satanischen verquickt, ja dieses genießt vor dem Theologischen sogar eine Vorrangstellung, die am sichtbarsten in dem Teufelsgespräch hervortritt.

Wie aber spitzt sich die Lage der Kunst und Künstlerexistenz bis zur Begegnung mit dem Höllenfürsten zu? Wie wird im Roman das ungeheuerliche Gespräch vorbereitet, von welchem man zunächst annehmen möchte, daß hier nur Altbekanntes und dem Leser längst Vertrautes zur Sprache kommt? Ist nicht der Teufel schon seit Beginn des Romans anwesend, und haben nicht alle bisher beschriebenen Phänomene Anteil an der Sphäre des Satans, so daß dessen persönliches Auftreten sich erübrigte? In diesem Teufelsgespräch fehlt nämlich der eigentliche Pakt und kein „Topp" [324] beschließt eine Wette, sondern der Besuch des Teufels gilt nur der „Konfirmation" [325]. Aber das „Erlösungsbedürfnis" [326] der Kunst verlangt im Roman nach einer Realisierung jener Macht, von welcher Durchbruch und Steigerung erwartet werden. Anspielungen, Verkleidungen und bloßes Bereden des Dämonischen reichen nicht aus, um es in voller Wirklichkeit erstehen zu lassen und als eine kunststeigernde Macht vorzustellen.

Die Kunst nämlich bedarf der Erlösung, weil sie weder aus sich selbst, noch aus einem gesunden Leben neue Kräfte zu ziehen vermöchte. Sie beschleunigt vielmehr den allgemeinen Verfall und erfüllt nicht mehr Nietzsches Desiderat, „Stimulans des Lebens" zu sein, sondern sie hat die Lebensbürger infiziert und zu décadents gemacht. Außer Zeitblom [327] gibt

---

[323] a. a. O. S. 218.

[324] Goethe: Faust. Weimarer Ausg. I. Abt. 14. Bd. S. 81.

[325] D. F. S. 372.

[326] a. a. O. S. 483.

[327] Zeitblom spielt die „Viola d'amore", die ihm die Eltern zur „Konfirmation" (D. F. S. 64.) schenkten. Die Musik ist bei ihm in die Sphäre bürgerlicher Ordentlichkeit hineingenommen. Sie gefährdet ihn nicht, sondern erfüllt in seinem Leben eine humanistisch-pädagogische Funktion.
Der Terminus „Konfirmation" ist übrigens falsch verwendet, da Zeitblom als Katholik nicht „konfirmiert" wird. Möglicherweise liegt in diesem Fehler eine unbeabsichtigte oder aber bewußt spielerische Identifikation des Autors mit Zeitblom vor. Auch Thomas Mann spielte die Geige („da auch ich etwas geigte". Vgl. Lebensabriß in „Die Neue Rundschau" 41. Jahrg. Bd. I S. 739).

es kaum eine Gestalt in Adrians Münchener Bekanntenkreis, die nicht irgendeine der schönen Künste betreibt. In „Tonio Kröger" stand der Künstler den Gesunden und Normalen gegenüber, und der dichtende Offizier hatte Anlaß zu Ärgernis und Verachtung gegeben. Nun aber sind die Bürger selbst zu Künstlern und Kranken geworden und dabei weder in der Sphäre des normalen Lebens zu Hause noch in der Kunst bedeutend. Rüdiger Schildknapp [328], welcher Adrian mit seinen makabren Albernheiten über seinen Zahnverfall zum Lachen bringt, ist selbst nur ein „Roué des Potentiellen" [329]. Er spürt in sich den Drang zu eigener Produktion, kommt aber über Nachfolge und Übersetzung fremdsprachiger Texte nicht hinaus. „Man sollte" [330] ist seine charakteristische Redensart, und vor lauter Potenzen bleibt er schließlich steril. Zeitblom, der auf seine freundschaftliche Beziehung zu Adrian ein wenig eifersüchtig ist, bemerkt bissig: „Das Potentielle war seine Domäne, der unendliche Raum des Möglichen sein Königreich, — darin und so weit war er wirklich ein Dichter" [331]. Auch Ines Rodde „dichtet unterderhand" [332] und betont dabei ihre konservativ-bürgerliche Haltung, während ihre Schwester Clarissa in der Schauspielkunst vergeblich auf Erfolge hofft. Konrad Knöterich ist von „unbestimmt künstlerischer Beschäftigung" [333], und seine Gemahlin Natalia ist „malerisch tätig" [334]. Maler sind ebenfalls Leo Zink und Baptist Spengler, und Rudi Schwerdtfeger ist ein Violinvirtuose. Einzig Dr. Kranich stellt sich in diesem halb bohemienhaften Kreise als Numismatiker ohne künstlerische Absichten vor. Dagegen verkehren wiederum bei den Schlaginhaufens Schriftsteller, „die überhaupt nichts schrieben, sondern sich nur als Sprechliteraten gesellschaftlich interessant verausgabten" [335]. Die Romandichterin Jeanette Scheurl, der Adrian lange Zeit „vertrauensvoll zugetan" [336] ist, erinnert an die menschliche Richtigkeit einer Lisaweta, wie sich später beim Zusammenbruch des Kranken zeigt [337]. Aufs Ganze gesehen sind jedoch alle diese Gestalten unbedeutende, meist im Künstlerischen nur dilettierende, halb-komische Figuren. Spengler, so erfährt Adrian vom Teufel persönlich, ist zwar auch ein „Esmeraldus", aber trotzdem ein „langweiliger, banaler Fall, bei dem nicht das geringste herauskommt" [338]. In seinem Nietzsche-Essay schreibt Thomas Mann: „Es kommt darauf an, wer krank ist: ein Durchschnittsdummkopf, bei welchem die Krankheit des geistigen und kulturellen Aspektes freilich entbehrt, oder ein Nietzsche, ein Dostojewski" [339], oder, so fügen wir hinzu, ein Adrian Leverkühn.

[328] Schildknapp trägt Züge des Übersetzers Hans Reisiger (vgl. Thomas Mann: Nachlese. S. 208.)

[329] D. F. S. 330.

[330] a. a. O. S. 255 und öfter.

[331] D. F. S. 254.

[332] a. a. O. S. 296.

[333] a. a. O. S. 297.

[334] a. a. O.

[335] a. a. O. S. 302.

[336] a. a. O. S. 303.

[337] vgl. a. a. O. S. 748.

[338] a. a. O. S. 348.

[339] Thomas Mann: Neue Studien. Stockholm 1948. S. 110.

Seine Krankheit nämlich drängt ihn in „geistige Kälte" [340], welche ihn von der normalen Lebenswelt hermetisch abschließt. Sein monomanischer Intellektualismus ist aber nicht identisch mit einem Eingesponnensein in subjektive, fixe Vorstellungen, wie dies für die oben beschriebenen Gestalten zum Teil gelten mag. Adrians Dekadenz liegt vielmehr in einem auf die Spitze getriebenen Objektivismus begründet, der jedem Phänomen mit strengster Sachlichkeit begegnet. Nichts Einzelnes kann ihn enthusiasmieren und zur Hingabe reißen. „Man hatte in seiner Gegenwart stets das Gefühl, daß alle Ideen und Gesichtspunkte, die um ihn herum laut wurden, in ihm versammelt waren, und daß er, ironisch zuhörend, es den einzelnen menschlichen Verfassungen überließ, sie zu äußern und zu vertreten" [341]. Zeitblom erscheint mit Recht ein solcher „Anspruch auf ironische Distanzierung, auf eine Objektivität, der es sicherlich weniger um die Ehre der Sache als um die der freien Person zu tun ist, immer als ein Zeichen ungemeinen Hochmuts" [342]. Die Haltung Adrians trägt gewiß die Züge des bei Nietzsche beschriebenen ästhetischen Zustandes, in welchem der Betrachter alles Seiende auch in seiner Gegensätzlichkeit und wechselseitigen Bezogenheit gelten läßt; aber es fehlen dem Komponisten noch die anderen wesentlichen Momente des Künstlertums: die Naivität, die Enthemmung, der Rausch, so daß Adrian trotz seiner Stellung eines scheinbar universalen Betrachters in einem begrenzten und unfruchtbaren Umkreis gebannt ist. Er formuliert daher das Grundanliegen seiner Künstlerexistenz mit folgenden Worten: „Es gibt im Grunde nur *ein* Problem in der Welt, und es hat diesen Namen: Wie bricht man durch? Wie kommt man ins Freie? Wie sprengt man die Puppe und wird zum Schmetterling?" [343] Wir sahen, wie das Leben selbst nicht mehr in der Lage ist, die „neue Unschuld" [344] wiederzugewinnen. Die ehemals Gesunden, Blonden und Blauäugigen sind degeneriert, und Adrians Vater hatte es nach des Teufels eigenen Worten bereits „hinter den Ohren" [345].

Aber auch der Künstler Leverkühn vermag den Durchbruch nicht zu erzwingen. Seine Lebensverarmung trennt ihn nicht nur von den Kräften des Gefühls und des Vitalen überhaupt, sondern aus der Perspektive der intellektuellen Redlichkeit wird ihm sogar die Kunst in sich selbst fragwürdig. Sie ist unverbindliches Spiel und leerer Schein geworden, und es fragt sich, „ob bei dem heutigen Stande unseres Bewußtseins, unserer Erkenntnis, unseres Wahrheitssinnes dieses Spiel noch erlaubt, noch geistig möglich, noch ernst zu nehmen ist, ob das Werk als solches, das selbstgenügsam und harmonisch in sich geschlossene Gebilde, noch in irgendeiner legitimen Relation steht zu der völligen Unsicherheit, Problematik und Harmonielosigkeit unserer gesellschaftlichen Zustände, ob nicht aller Schein, auch der schönste, und gerade der schönste, heute zur *Lüge* gewor-

---

[340] D. F. S. 482.
[341] a. a. O. S. 646.
[342] a. a. O. S. 105.

[343] D. F. S. 461 f.
[344] a. a. O. S. 483.
[345] a. a. O. S. 352.

den ist" [346]. Das Nietzschesche Problem des Verhältnisses von Kunst und Erkenntnis stellt sich in verschärfter Form. Einerseits will die Kunst „aufhören, Schein und Spiel zu sein, sie will Erkenntnis werden". Andererseits erhebt sich die Frage, „wie will Kunst als Erkenntnis leben" [347], da sie doch auf Unmittelbarkeit angewiesen ist. Die moderne Erkenntnislage verhindert die ästhetische Ganzheit und reduziert sie auf eine Summation von Einzelheiten. „Echt und ernst ist allein das ganz Kurze, der höchst konsistente Augenblick" [348]. Wieder vermeint man Nietzsche zu hören, wenn er bei Wagner die Fülle und Kraft des Ganzen sowie den langen Atem vermißt, während er ihm die Meisterschaft im Minutiösen nicht absprechen will. Die Bewußtheit der Modernität führt somit nicht allein zur Zerstörung der Lebensunmittelbarkeit, sondern zugleich zu einer Gefährdung der Kunst, die nach Nietzsche selbst eine Funktion des Lebens ist. Im „Doktor Faustus" kann weder das Leben noch die Kunst aus sich selbst den Durchbruch zur „großen Gesundheit" erreichen, da jenes degeneriert und diese steril geworden ist. In Adrian Leverkühn ist diese Ausweglosigkeit auf die Spitze getrieben, da in ihm Künstlertum und kälteste Intellektualität gleichermaßen angelegt sind. Aus diesem Grunde ist er zum Opfer, zugleich aber auch zum Medium der Erlösung ausersehen. Diese wird nicht aus eigener Kraft geleistet, weil die dazu notwendigen Voraussetzungen — Kunst und Leben — selbst an ihrer eigenen Unzulänglichkeit kranken. Daher muß sich Adrian der Magie ergeben.

Die künstlerische Entfaltung bis zur Teufelsbegegnung führt den Komponisten immer tiefer in die „parodistische Künstlichkeit" hinein, bis schließlich „die Arbeit stockte" [349]. Von Unruhe getrieben, entschließt er sich zu einem längeren Italien-Aufenthalt, um, wie es bedeutungsvoll heißt, mit seinem „Schicksal Zwiesprache halten" [350] zu können. Rüdiger Schildknapp begleitet ihn, denn auch er sucht den Ausbruch aus dem Banne seiner allzu vielen Möglichkeiten. Aber nicht ihm, sondern Adrian erscheint der Teufel zu dem Zeitpunkt, als sein Komponieren ein „halsbrecherisches Spielen der Kunst am Rande der Unmöglichkeit" [351] geworden ist. Seine Oper „Love's Labour's Lost" ist ein Werk von brillanter artistischer Meisterschaft, aber es gelingt ihm nicht, „die Führerin abzugeben aus der Sphäre absurder Künstlichkeit hinaus ins Freie, in die Welt der Natur und Menschlichkeit" [352]. Ein bloßes parodistisches Spiel mit traditionellen Formen drängt die Musik in einen esoterischen Bereich; sie wird zu einer „Kunst um der Kunst willen" [353]. Dieses l'art pour l'art muß ihr Ende sein, wenn sie nicht auf ungeheuerliche Weise aus ihrer Unfruchtbarkeit erlöst wird.

Durch eine eigentümliche Sterilität ist ebenso der Aufenthaltsort Adrians in Italien gekennzeichnet. Zeitblom verweist ausdrücklich auf das ge-

---

[346] a. a. O. S. 271.
[347] a. a. O. S. 272.
[348] a. a. O.
[349] a. a. O. S. 315.

[350] a. a. O.
[351] D. F. S. 327.
[352] a. a. O. S. 336.
[353] a. a. O. S. 326.

schlechtslose Leben der Insassen des Hauses Manardi [354]. Tagsüber arbeitet Adrian im Garten eines Kapuzinerklosters, „isoliert von Oleander-, Lorbeer- und Ginstergesträuch" [355]. Das Bergstädtchen Palestrina erinnert einmal durch seinen Namen an den Barockmusiker, zum anderen klingt das folgende Ereignis an, wenn es heißt, daß der genannte Ort schon von Dante im 27. Gesang des Inferno erwähnt sei [356]. Diese vielleicht allzu deutliche und grobe Anspielung wird dadurch gemildert, daß sie aus dem Munde Zeitbloms zugleich die etwas hausbackene Bildungsbeflissenheit des Studienrates ironisiert. Eine weitere Beziehung zur Sphäre des Geisterhaften und Ungeheuerlichen wird durch das seltsame Gebaren des närrischen Mädchens Amalia angedeutet, die einen Löffel vor ihren Augen hin und her bewegt und dabei stets denselben befragt: „Spiriti? Spiriti?" [357]

Das Erscheinen des Teufels ist somit auf mehrfache Weise vorbereitet: Die Bedürftigkeit einer sterilen Kunst verlangt nach dem Einbruch des Ungeheuren, weil sie aus sich selbst den Durchbruch nicht zu leisten vermag. Die „Unfruchtbarkeit" des italienischen Ortes und der dort lebenden Menschen sowie literarische Anspielungen auf das Reich der Hölle verdichten die Spannung. Sie entlädt sich im XXV. Kapitel.

In der Literatur über Thomas Manns „Doktor Faustus" ist die Frage nach der Realität oder Irrealität des Teufels oft gestellt und verschieden beantwortet worden. Schon Zeitblom glaubt nicht, daß Adrian „in tiefster Seele für wirklich hielt, was er sah und hörte" [358]. Leverkühn selbst kann seinen Zweifel an der Wirklichkeit seines frostigen Gegenüber nicht überwinden und erklärt ihn als Projektion seines eigenen Innern. „Ihr sagt lauter Dinge, die in mir sind und aus mir kommen, aber nicht aus Euch" [359]. Hiervon wird Friedrich Sell ausgegangen sein, wenn er meint: „Eine Vision also, Ausgeburt überreizter Nerven und eines durch versteckte Krankheit empfänglich gemachten Gehirns" [360]. Einer ähnlich psychologisierenden Deutung kommt Erich Kahler nahe, wenn er von der „Säkularisierung des Teufels" spricht: „Das Faustdrama des Adrian spielt sich also recht eigentlich ganz im Innern des Genius, im Innern des geistigsten Menschen ab. Das alte kosmische Spiel zwischen Himmel und Hölle ist hereingeholt in die menschliche Person. . . . Der theologische Konflikt ist säkularisiert, Gott und der Teufel sind säkularisiert, ja, sie sind in einem einzigen Leib gebunden" [361]. Trotz der doppelten Hinsicht Jonas Lessers bleibt auch nach ihm der Teufel innerhalb der Bewußtseinsimmanenz Leverkühns. Er sei nämlich — so sagt er — „seine Halluzination, medizinisch gesprochen; aber geistig gespro-

---

[354] vgl. a. a. O. S. 329.
[355] a. a. O. S. 323.
[356] vgl. a. a. O. S. 316.
[357] D. F. S. 318.
[358] a. a. O. S. 332.
[359] a. a. O. S. 337.
[360] Friedrich Sell: Ein Kommentar zu Thomas Manns „Doktor Faustus" in „Die Wandlung". 3. Jahrg. 1948. S. 406.
[361] Erich Kahler: Säkularisierung des Teufels. Thomas Manns Faust in „Die Neue Rundschau" 59. Jahrg. 1948 S. 201.

chen" sei er eine „Objektivierung des Wesens Adrians" [362]. Ebenso deutet Georg Lukacs den Teufel als eine „Projektion der inneren Welt des Helden" [363].

Dieser Ansicht steht die kunststeigernde Macht des Teufels entgegen, welche doch gerade von außen einbricht, weil der Durchbruch aus dem *Innern* unmöglich geworden ist. Wie aber sollte sich das Dämonische als wirkende Kraft manifestieren, wenn es bloß Hirngespinst und Projektion Leverkühnscher Ideen ist? Zudem gibt das Gespräch selbst genug Anhaltspunkte her, den Teufel für real zu halten. Er beharrt nämlich sogar dann auf seinem Platze, als Adrian aufsteht, um seinen Mantel zu holen, damit er vor der eisigen Kälte des unheimlichen Gastes geschützt sei. Nach seiner Rückkehr staunt er: „Ihr seid noch da . . . selbst nachdem ich gegangen und wiedergekommen?" [364] Seit diesem Zeitpunkte spaltet sich der Dialog in „Ich . . ." und „Er . . ." auf. Immer mehr schwindet allmählich der Zweifel an der Realität seines Partners, bis schließlich die Skepsis der Neugierde weicht; denn Adrian verlangt Aufschluß über das Wesen der Hölle, so daß „Er" ihm höhnisch erwidert: „und hätt ich dir nicht das Wort abgeschnitten, so fragtest du mich gierig die ganze Zeit nach der Hellen aus und ihrer Spelunck" [365]. Das Bestreben, die Gelegenheit beim Schopfe zu fassen und sich beim Teufel nach Wissenswertem zu erkundigen, zeigt, daß Leverkühn den Besucher als von ihm unabhängigen Gesprächspartner ernst nimmt. Zuletzt erfährt er aus dem Munde seines Gegenüber nicht nur solches, was er längst weiß, sondern es ergehen Forderungen an ihn, gegen die er sich sträubt. Als der Teufel ihm zur Bedingung setzt, allen abzusagen, „die da leben, allem himmlischen Heer und allen Menschen" [366], begehrt Adrian auf: „Wie? Das ist neu. Was will die Klausel sagen?" [367] Der fremde Gast hat immer mehr an Wirklichkeit gewonnen, und schien er anfangs tatsächlich eine Halluzination zu sein, so ist er allmählich zu einer eigenständigen Gestalt geworden, welche Neuigkeiten zu verkünden und Ansprüche zu stellen hat. Daß Baptist Spengler ein „Esmeraldus" [368] ist, kann Adrian aus sich nicht wissen, und so reagiert er auf die Auskunft des Teufels mit Erstaunen: „Steht es mit Spengler — so?" [369] Immer noch mag der Leser schwanken, ob der Künstler nicht doch bloß in einer fiebrigen Selbstentäußerung mit sich selber disputiert, und auch Leverkühn lehnt sich mit erregten Worten noch einmal gegen die Realität des Unheimlichen auf. Doch der Teufel nimmt selbst diesen Zweifel vorweg und pariert gescheit, Held und Leser entwaffnend: „Ich bin nicht ein Erzeugnis deines pialen Herdes dort oben, sondern der Herd *befähigt* dich, verstehst du?, mich

---

[362] Jonas Lesser: Thomas Mann in der Epoche seiner Vollendung. München 1952. S. 387.
[363] Georg Lukacs: Thomas Mann. Berlin 1953. S. 72.
[364] D. F. S. 336.
[365] a. a. O. S. 349.
[366] D. F. S. 373.
[367] a. a. O.
[368] a. a. O. S. 348.
[369] a. a. O.

wahrzunehmen, und ohne ihn, freilich, sähst du mich nicht. Ist darum meine Existenz an deinen inzipienten Schwips gebunden? Gehör ich darum in dein Subjekt?"[370]. Wer könnte sich der Wirkung dieser so eingängigen Erklärung entziehen und wollte immer noch die Realpräsenz des Besuchers in Frage stellen? Dann aber, am Ende des Gespräches, ist der Gast plötzlich verschwunden; seine ganze Wirklichkeit scheint doch nur ein Gaukelspiel gewesen zu sein. An seiner Stelle sitzt Schildknapp, und Adrian ist ohne Mantel. Die fortschreitende Verwirklichung des Teufels ist mit einem Male wieder zunichte gemacht. Damit die Verwirrung vollkommen ist, spricht dann der letzte Satz des Kapitels noch einmal für die tatsächliche Anwesenheit des Satans, wenn Adrian, seinen Brief beschließend, das Fehlen des Mantels erklärt: „Muß in meiner Empörung das Luder verjagt und meine Hüllen ins Nebenzimmer zurückgetragen haben, bevor der Gefährte kam"[370a]. Daher ist für Martin Doerne die Realität des Fremden genügend gesichert; denn er vertritt die Ansicht: „Thomas Manns Faustus-Roman meint es ernst mit dem Teufel. Niemals ist der Bannkreis der Psychologie beim Dichter so entschieden durchbrochen worden wie hier"[371]. Ebenso sieht Paul Altenberg im Teufel mehr als das „in eine geträumte Figur projizierte Echo seiner eigenen inneren Rufe"[372].

Dennoch ist damit noch nicht die Alternative zwischen Realität und Irrealität zugunsten des einen vor dem anderen entschieden. Sie läßt sich — das sei gleich gesagt — letztlich nicht eindeutig auflösen, und man kommt der Seinsweise des Teufels noch am nächsten, wenn man sie in der Schwebe zwischen Wirklichkeit und Fiktion beläßt. Diese Charakterisierung ist aber noch allzu vage und darüber hinaus nicht nur kennzeichnend für den Teufel in Thomas Manns Roman. Die Frage, ob die Werke des Verführers real oder bloßer Schein sind, stellt sich schon der Faust des Volksbuches, wenn er zweifelt, ob er wirklich in der Hölle war oder ob ihm der Teufel „nur ein Geplärr und Gauckelwerk für die Augen gemacht"[373]. Adrian weitet diese Skepsis auch auf die Person des Satans aus, indem er seinem Gegenüber zu wissen vorgibt: „Verrätst mir, daß ich dich erregterweise zwar sehe und höre, daß du aber nur ein Geplärr bist vor meinen Augen"[374]. Ganz ähnlich versucht Iwan in Dostojewski's „Die Brüder Karamasoff", den Teufel als eine Halluzination zu erklären, indem er ebenso wie Adrian argumentiert: „Du bist ich, ich selbst, bloß mit einer anderen Fratze. Du sprichst genau das, was ich schon bei mir denke . . . und bist

[370] a. a. O. S. 352.
[370a] a. a. O. S. 375.
[371] Martin Doerne: Thomas Mann und das protestantische Christentum in „Die Sammlung" 11. Jahrg. 1956 S. 424.
[372] Paul Altenberg: Die Romane Thomas Manns. Bad Homburg vor der Höhe 1961 S. 238.
[373] Das Volksbuch vom Doctor Faust. S. 54.
[374] D. F. S. 351.

überhaupt nicht imstande, mir etwas Neues zu sagen" [375]. Für die fortwährende Verwandlung des Teufels, der niemals eine bestimmte Gestalt beibehält, sind uns James Hogg's „Vertrauliche Aufzeichnungen eines gerechtfertigten Sünders" ein Beispiel. Hier spricht der besessene Robert von seinem unheimlichen Freunde: „Er war in jeglicher Hinsicht die nämliche Person: indessen doch nicht immer. Denn ich beobachtete zu verschiedenen Malen, wenn wir von gewissen Gottesgelehrten und ihren Lehrmeinungen sprachen, daß sein Antlitz gleichsam deren Erscheinung annahm, wobei mir auffiel, daß er durch die Anpassung seiner Züge an diejenigen anderer Leute auch alsbald sich ihre Auffassungen und Empfindungen zu eigen machte" [376]. Das Gleiten zwischen Realität und Fiktion sowie die Wandlungsfähigkeit sind gleicherweise für den Teufel in Thomas Manns „Doktor Faustus" charakteristisch. Einerseits strebt der Autor ganz bewußt an, dem Leser die Wirklichkeit des Höllenfürsten im Roman zu suggerieren, andererseits zerschlägt er ebenso absichtsvoll diese Wirkung und zeigt die Erscheinung in dauernder Bewegung, bis er sie schließlich in nichts zerfließen läßt. Aufgrund der doppelten Intention des Erzählers ist die alternative Fragestellung, ob die Gestalt des Teufels real oder bloß fiktiv ist, hinfällig geworden. Stattdessen fragen wir, aus welchem Grunde wohl die Seinsweise des Dämonischen vom Autor bewußt in der Schwebe gehalten und mehrdeutig dargestellt wird. Von hier aus wird sich nämlich eine genauere Deutung des Teufels versuchen lassen.

Er selbst nennt Adrians scharfe Trennung des Objektiven und Subjektiven „spießbürgerlich und überwindenswert" [377] und hält dieser herkömmlichen Distinktion, in rhythmisierter Prosa belehrend, entgegen: „Du siehst mich, also bin ich dir. Lohnt es zu fragen, ob ich wirklich bin? Ist wirklich nicht, was wirkt, und Wahrheit nicht Erlebnis und Gefühl? Was dich erhöht, was dein Gefühl von Kraft und Macht und Herrschaft vermehrt, zum Teufel, das ist die Wahrheit" [378]. Der Teufel spricht fast wörtlich im Sinne Nietzsches, wenn es bei diesem heißt: „Das Kriterium der Wahrheit liegt in der Steigerung des Machtgefühls" [379]. Doch darin liegt „nur die subjektive Seite der Sache" [380], und zur Erhöhung des eigenen Kraftgefühls gehört die „Lebenswirksamkeit" [381], welche nicht nur dem eigenen Dasein, sondern dem Leben schlechthin zugute kommt. Wahrheit und Erkenntnis sind demnach Funktionen des Lebens, welches als das Ganze alles Seiende umgreift. Zugleich jedoch ist dieses „Leben" schon bei Nietzsche ein nie erreichtes Desiderat, so daß es sich in der Modernität in Teilfunktionen

---

[375] F. M. Dostojewski: Die Brüder Karamasoff. Übersetzt von E. K. Rahsin. München 1955 S. 1041.
[376] James Hogg: Vertrauliche Aufzeichnungen eines gerechtfertigten Sünders. Übersetzt von Peter Dülberg. Stuttgart 1951. S. 155.
[377] D. F. S. 363.
[380] D. F. S. 364.
[378] a. a. O. S. 363 f.
[381] a. a. O. S. 365.
[379] Nietzsche: WM. XIX, 43.

zerlegt und sich nur perspektivisch erfassen und verwirklichen läßt. Weil das Leben einerseits das Kriterium jeder Erkenntnis abgibt, andererseits aber seiner Totalität faktisch verlustig ist, fehlt der verbindliche Grund, von dem aus über die Frage der Realität oder Irrealität entschieden werden könnte. Wirklichkeit und Fiktion sind selbst nur die extremen Perspektiven, durch welche ein Phänomen eingegrenzt werden kann. Zwischen ihnen gleiten viele andere Möglichkeiten, die jedoch weder antithetisch aufgeteilt, noch dialektisch zur Synthese geführt werden. Wie der Bereich des Dämonischen in „Wirklichkeit" zu fixieren wäre, entzieht sich vor allem dem Zugriff der Sprache. „Eigentlich kann man überhaupt und ganz und gar nicht davon reden, weil sich das Eigentliche mit den Worten nicht deckt" [382], erklärt der Teufel über die Hölle. Wie der Ungeheure real und fiktiv zugleich ist, so fallen auch dort die Extreme zusammen. In ihr mischen sich tiefste Qual und geilste Wollust [383], beide ohne Grenzen; denn in ihr „hört alles auf" [384]. Würde man sie als Nichts bezeichnen, so hieße das, daß in ihr nicht „etwas", d. h. nichts Bestimmtes und Begrenztes vorkäme. Alles geht mit allem ineinander über, so daß die Fixierung durch das vermenschlichende Wort unmöglich ist. „Mit symbolis, mein Guter, muß man sich durchaus begnügen, wenn man von der Höllen spricht" [385]. Aber alle Vorstellungen, Begriffe und Bilder sind nur „die schwachen Symbole" [386], mit Hilfe derer das „Eigentliche" sich nicht aussagen läßt. „Der Anspruch, das Allgemeine als im Besonderen harmonisch enthalten zu denken, dementiert sich selbst" [387]. Damit ist die Möglichkeit, dem Wesentlichen symbolisch nahe zu kommen, aufgegeben. Stattdessen wird der Weg der perspektivischen Umstellung eingeschlagen, in der der Betrachter das Unsägliche ständig umkreist, ohne es jemals ganz zu erfassen.

Der Teufel führt diesen Perspektivismus sowohl in seinen Erscheinungen als auch in seinen Ausführungen selbst vor. Dreimal wandelt er sich und stellt sich „je nach den Umständen her" [388]. Zuhälter, feinsinniger Kunstkritiker und Theologe sind die Gestalten, in denen sich der Unterweltliche präsentiert. Nur die Stimme bleibt bei allen Veränderungen dieselbe, „sie bewahrt(e) die Identität bei fließender Erscheinung" [389]. Den verschiedenen Masken entsprechen jeweils bestimmte Themenkreise: Als „Ludewig" [390] gibt er Auskunft über die medizinischen Grundlagen der „Illumination, Erhöhung und Begeisterung" [391], als „Intelligenzler" [392] analysiert er die Lage der modernen Kunst, als Theologe entwickelt er analog zu Schleppfußens Kolleg eine Dämonologie, und schließlich kehrt er zu seiner ersten Gestalt als „Mannsluder" [393] zurück. Krankheit, Gift, Schönheit und

[382] D. F. S. 367.
[383] vgl. a. a. O. S. 368.
[384] a. a. O. S. 367.
[385] a. a. O.
[386] a. a. O.
[387] a. a. O. S. 362.

[388] D. F. S. 342.
[389] a. a. O. S. 357.
[390] a. a. O. S. 336.
[391] a. a. O. S. 349.
[392] a. a. O. S. 357.
[393] a. a. O. S. 371.

Dämonie ist ein Beziehungskomplex, der schon seit den ersten Kapiteln des Romans stetig anwesend ist und der sich nun in diesem zentralen „Gespräch" in verschiedenen Erscheinungen auseinanderlegt. Der Teufel ist einmal der dionysische Dithyrambiker, dann wieder der scharfsinnige Kritiker und Psychologe, bevor er die Wissenschaftlichkeit mit beißendem Hohn umstößt und die Steigerung der Lebensmacht als letztes Prinzip deklariert. Beide Seiten ließen sich schon als korrelative Momente im Werke Nietzsches nachweisen.

Sind Gestalt und Thema des Teufels durch dauernden Wandel charakterisiert, so läßt sich ein analoges Merkmal für die Betrachtungsweise seiner Lehren finden. Es fehlt fast immer ein eindeutiges Urteil, das einen Sachverhalt genau fixiert und von anderen Phänomenen absetzt. Einzelne Aspekte werden scharf herausgearbeitet, fließen dann aber mit völlig andersartigen und sogar widersprüchlichen zusammen. Schon Schleppfuß ließ die Gegensätze sich aufeinanderzu bewegen und verkehrte seine Aussagen stets ins Gegenteil, indem er die in herkömmlichem Sinne festen Grenzen ins Gleiten brachte. Ebenso verfährt der Teufel, wenn er die Krankheit aufwertet und sie zu einem notwendigen Bestandteil des Lebens erhebt. Selbst die Hölle ist nicht bloß der Ort der Verdammnis, sondern sie gilt zugleich als höchste Auszeichnung, die einem Menschen zukommen kann. „Es ist nicht so leicht, in die Hölle zu kommen; wir litten längst Raummangel, wenn Hinz und Kunz hineinkämen" [394]. Den Gipfel der Zweideutigkeit und Bedenklichkeit erreicht das Gespräch, wenn der Teufel höhnisch mit den Begriffen „Gut" und „Böse" pseudodialektisch spielt, sie nach Belieben in ihr Gegenteil umschlagen läßt und sich selbst am Ende zum einzigen „Wahrer des religiösen Lebens" [395] aufwirft.

Diese Betrachtungsweise, welche die Phänomene perspektivisch einschätzt und alles mit allem, selbst mit dem Gegensätzlichen in Beziehung setzt, stimmt auffallend überein mit dem Denkmodell Nietzsches einerseits und den Stilprinzipien Adrian Leverkühns und teilweise Thomas Manns andererseits. Die gleichen Züge, die den Teufel charakterisieren, sind seit Beginn des Romans zugleich die Merkmale der Erzähltechnik: Perspektivismus, Korrelation des Gegensätzlichen, Glissando. Der fremde Gast verkörpert sowohl in seiner Erscheinung als auch in seiner Lehre dieselbe schwebende Mehrdeutigkeit, mit welcher er als Romanfigur dargestellt wird. Teufel und Hölle repräsentieren den zugespitzten ästhetischen Zustand, in welchem alles Seiende gegen jede moralisch-politische Verantwortlichkeit wertfrei ist und nur in einem System von Beziehungen Geltung hat. Mit dem Wesen der Kunst teilt daher der Höllenfürst sowohl die weit gespannte Exzentrizität, als auch das fortwährende Gleiten zwischen den vermeintlich festen Grenzen von Steigerung und Verfall, von Realität und

[394] a. a. O.
[395] a. a. O. S. 365.

Fiktion. So ist erklärlich, daß der Ort der Verdammnis im Grunde nur eine „Fortsetzung des extravaganten Daseins" sein wird, d. h. der Künstler Adrian Leverkühn lebt immer schon „zwischen extremer Kälte und einer Glut, die den Granit zum Schmelzen bringen könnte" [396].

Besteht zwischen Adrian, Zeitblom und Thomas Mann die Beziehung der Teilidentität, so lassen sich ebenso gewisse Entsprechungen zwischen den Reden des Teufels und Auffassungen des Autors auffinden. Am deutlichsten wird diese Übereinstimmung bei der Bewertung der Krankheit. Dem Ausspruch des Teufels: „Ohne das Krankhafte ist das Leben sein Lebtag nicht ausgekommen" [397] korrespondiert die Äußerung Thomas Manns in seinem Essay über Dostojewski: „Die Wahrheit ist, daß ohne das Krankhafte das Leben seiner Lebtage nicht ausgekommen ist" [398]. Fast wörtlich wiederholt der Essayist die Ausführungen des Teufels über die „Lebenswirksamkeit" [399] des kranken Künstlers: „Eine ganze Horde und Generation empfänglich-kerngesunder Buben stürzt sich auf das Werk des kranken Genies ..." [400]. Wenn Hölle und Teufel fast ausschließlich als Darstellungen der Greuel des Nationalsozialismus [401] verstanden werden, verkennt man in diesem Roman das Wesen des Dämonischen. In ihm verdichten sich in erster Linie die Grundzüge der modernen Kunst in ihrer ganzen Zweideutigkeit von Steigerung und Verfall. Thomas Manns Urteil über Goethes „Faust" gibt daher zugleich einen Hinweis auf das Selbstverständnis seines eigenen Werkes: „Ja, wer wollte leugnen, daß der Teufel so gut wie immer verzweifelt recht hat mit dem, was er sagt, und wer fühlte nicht, daß seine vernichtenden Worte mindestens ebensosehr aus der Seele des Dichters kommen, wie die des Fausts oder Gottes, des Herrn?" [402] Wie sich der Autor mit Adrian und dem Chronisten nur teilweise identifiziert, so stellt sich auch im Teufel nur e i n Moment seines Künstlertums dar. Er kann somit mit gutem Gewissen von sich behaupten: „Nun, meine eigene Produktion ist nicht, wie die des armen Leverkühn, vom Teufel eingegeben" [403]. Mit Leverkühn verbindet Thomas Mann wohl aber das Schicksal des modernen Künstlers, für den die Kunst ein Spiel am „Rande der Unmöglichkeit" [404] geworden ist. Beide verwenden die gleichen Stilmittel und huldigen damit einer Kunst, deren bedenkliches Prinzip der Teufel selbst ist. Aber Adrian liefert sich ihm aus, Thomas Mann stellt ihn dar; jener ist Musiker, dieser ist kritischer Wortkünstler.

[396] D. F. S. 370.
[397] a. a. O. S. 354.
[398] Th. Mann: Neue Studien. Stockholm 1948 S. 90 f.
[399] vgl. D. F. S. 364 f.
[400] Th. Mann: Neue Studien. S. 91.
[401] vgl. Jonas Lesser: Thomas Mann in der Epoche seiner Vollendung S. 388.
[402] Th. Mann: Altes und Neues. S. 428.
[403] Th. Mann: Nachlese. S. 215.
[404] D. F. S. 327.

Bisher ergaben sich im Roman drei Schichten, die parallel zueinander konstruiert sind: Dem Denken und biographischen Hintergrund Nietzsches (1) entsprechen einmal Leben und Künstlertum Adrians (2), zum anderen finden beide Ebenen in der Erzählweise Thomas Manns (3) ihr Analogon. Im Zentrum dieser Parallelismen steht die Gestalt des Teufels, den zu allen drei Schichten vieldeutige Beziehungen verknüpfen. Seine Ausführungen setzen sich aus Zitaten zusammen, die er gleichsam von Thomas Mann, Leverkühn und Nietzsche [405] entlehnt hat. Mit ihnen teilt er die Betrachtungsweise des ästhetischen Perspektivismus, den er allerdings ins absolut Unverantwortliche und „Diabolische" vortreibt. In ihm offenbart sich die letzte, in ihrer Gefährlichkeit nicht mehr zu überbietende Konsequenz eines Denkens, das in seiner ästhetischen Vieldeutigkeit bei Nietzsche seinen Anfang nimmt. Die „prangende Unbedenklichkeit" [406] ist hier der Inhalt des frevelhaften Versprechens aus dem Munde eines Teufels. Damit ist der Roman vom „Doktor Faustus" zugleich eine Kritik an Nietzsche, Leverkühn und nicht zuletzt an dem eigenen Künstlertum des Autors. Analyse, Auseinandersetzung mit der Ästhetik Nietzsches, Leverkühns und seines eigenen Werkes, schließlich noch die Verknüpfung der Kunstthematik mit zeitgeschichtlichen Ereignissen machen diesen Roman zu einem Werk unausschöpflicher Sinn-Beziehungen, die alle im XXV. Kapitel zusammenlaufen. Wenn der Teufel den ästhetischen Zustand der modernen Kunst repräsentiert, dann richten sich gegen ihn auch alle jene Bedenken, die in der Optik der Moralität und der literarischen Kritik im Sinne Zeitbloms der „leidenschaftlichen Indifferenz" des Künstlers entgegenstehen. Wenn die Kunst im „Doktor Faustus" des Teufels ist, dann zeigt sich hier die radikale Zuspitzung der Kunstproblematik in ihrer Spannung zwischen dionysischer Steigerung und Selbstverlust. Der Teufel formuliert daher sein Werk wie folgt: „In summa, wir liefern euch bloß, wofür der klassische Dichter, der höchst Würdige [407], sich so schön bei seinen Göttern bedankt:

> Alles geben die Götter, die unendlichen,
> Ihren Lieblingen ganz:
> Alle Freuden, die unendlichen,
> Alle Schmerzen, die unendlichen, ganz [408]."

Ebenso bejaht Nietzsche die Ambivalenz des Lebens, wenn er sagt: „Mit

[405] Der Teufel spricht: „Wer weiß heute noch, wer wußte auch nur in klassischen Zeiten, was Inspiration, was echte, alte, urtümliche Begeisterung ist..." (D. F. S. 355.) Er zitiert hier Nietzsches „Ecce homo": „Hat Jemand, Ende des neunzehnten Jahrhunderts, einen deutlichen Begriff davon, was Dichter starker Zeitalter I n s p i r a t i o n nannten?" (Nietzsche EH. XXI, 251).
[406] D. F. S. 355.
[407] Gemeint ist Goethes Gedicht: Aus einem Brief vom 17. 7. 1777 an Auguste Gräfin zu Stolberg (Weimarer Ausgabe IV. Abt. 3. Bd. S. 165.)
[408] D. F. S. 354.

jedem Wachstum des Menschen in die Grösse und Höhe wächst er auch in das Tiefe und Furchtbare: man soll das Eine nicht wollen ohne das andere [409]."

Für Goethes „Faust" ist der Teufel eine „von Gott zugelassene Teilfunktion, die innerhalb des Ganzen der göttlichen Ordnung eine bestimmte, auf den Menschen bezogene Aufgabe zu erfüllen hat" [410]. Worauf ist aber der Teufel des Thomas Mannschen „Doktor Faustus" bezogen und welches ist seine Funktion? Seine Einordnung in eine Kosmologie ist nicht erkennbar, und erst recht fehlt die bestimmbare Position in einem göttlichen Plane. G. Montesi fordert daher von Thomas Mann: „Wenn man eine Dämonologie entwirft, ist man zu einer vollständigen Theologie verpflichtet: einer, die es schon gibt, oder einer, die man selbst aufstellen muß [411]." Wir übernehmen nicht den postulatorischen Charakter dieser Äußerung, sondern fragen ohne angemaßtes Richteramt: Warum fehlt das Korrelat zur Dämonologie? Welche Voraussetzungen waren notwendig, damit der Teufel zum einzigen Anwalt des Religiösen werden konnte?

Das vierte Buch der Tetralogie „Joseph und seine Brüder" [412] beginnt mit dem „Vorspiel in oberen Rängen". Die Engel fungieren als Erzähler („wir", „uns" usw.) und durchhecheln „unter züchtig gesenkten Wimpern hervor bei gerundet herabgezogenem Munde" [413] die Pläne und Geschichten des Himmels, welche wahrhaft weltweite Bedeutung erhalten sollen. Selbst nicht wenig eifersüchtig auf die menschliche Fruchtbarkeit, die sie ihrerseits entbehren müssen, blicken sie mit den Bedenken des mittelmäßigen, philiströsen und durchaus sterilen „Bürgers" auf das gefährliche „biologische Abenteuer" [414] der Erschaffung des Menschen. Nicht auf sie, die Kämmerer des Lichtes" [415] und nicht einmal auf „Man" geht die Anregung zu diesem Entschlusse zurück, sondern die eigentlich wirkende und zur Entscheidung drängende Gestalt ist Semael [416]. Gott dagegen ist eher eine unbewußte Potenz, eine in sich ruhende, undifferenzierte Urkraft, die einerseits als Allwesen nicht jeder Personalität enträt, andererseits aber noch nicht konkrete, festgelegte Person geworden ist, so daß ihm nur der unbestimmt allgemeine Name „Man" beigegeben werden kann. Diese Seinsweise schließt wegen der Unbestimmtheit einen strengen Dualismus zwischen Gott und Teufel im Sinne eines kosmologischen Zwei-Prinzipien-Systems aus.

[409] Nietzsche: WM. XIX, 350 f.
[410] Benno von Wiese: Die deutsche Tragödie von Lessing bis Hebbel. Hamburg 1955, 3. Aufl. S. 138.
[411] G. Montesi: Thomas Mann, der Teufel und die Deutschen in „Wort und Wahrheit" 3. Jahrg. 1948. S. 501.
[412] Th. Mann: Joseph und seine Brüder. Frankf./M. 1952 2 Bde. Im Folgenden wird der zweite Band mit J. und der entsprechenden Seitenzahl zitiert.
[413] J. S. 1290.
[414] a. a. O.
[415] a. a. O.
[416] vgl. a. a. O. S. 1281.

Semael gehört einmal zu dieser umfassenden Allmacht hinzu, reißt sich aber wieder und wieder von ihr los, strebt in die Vereinzelung und stimuliert von dort aus den Urgrund. Er ist zwar *verschieden* von ihm, ohne radikal *geschieden* zu sein. Ein ganz ähnliches Verhältnis besteht zwischen den Vätern des auserwählten Volkes und ihrem Gott, den sie „hervordenken", was nichts gemein hat mit fingieren oder dergleichen. So handelt es sich auch bei den Vorschlägen Semaels vor dem Angesichte des Höchsten stets „um die Herausforderung und Anfeuerung schon keimweise vorhandener, aber zögernder Gedanken und Wünsche"[417]. Die Anregungen Semaels stoßen im „Schoße der Möglichkeiten"[418] auf Bereitschaft und geheime Sympathie. „Man" erstrebt in seinem „Ehrgeiz nach unten"[419] Scheidung und Schöpfung, die zugleich für ihn eine Aktualisierung in ihm angelegter Möglichkeiten bedeutet. Die Menschheit ist ihm daher ein „Mittel der Selbsterkenntnis"[420] und des Selbstwerdens; sie ist das „Produkt von Gottes Neugier nach Sich selbst"[421]. Semael appelliert bei seinen Plänen an ein „gewisses Fadheitsgefühl beschämender Abstraktheit und Allgemeinheit" und führt dem Allerhöchsten den „Zuwachs an Lebendigkeit"[422] vor Augen, wenn er zur Erschaffung des Menschen drängt. Er wirkt im Sinne Nietzsches als ein „Stimulans des Lebens"[423], und in den „Kreisen" geht sogar das Gerücht um, „Semael meine es mit der moralischen Welt viel ernster als Er"[424]; denn er weiß, daß mit dem Guten auch das Böse wächst und daß die Steigerung aus indifferenter „melancholischer Sinnlichkeit"[425] zugleich seinen eigenen Einflußbereich vergrößert. Die Schöpfung nämlich, an der Semael wesentlich mitbeteiligt ist, ist die „Welt des Geschehens, die Welt der Formen und des Todes"[426].

Analog zu Semael ist ebenso der Teufel im „Doktor Faustus" das Prinzip der Initiation, der Aktualisierung und Steigerung. Der Funktion des gefallenen Engels für die Schöpfung entspricht die stimulierende Tätigkeit des Gottseibeiuns in der Sphäre der Kunst. Auch hier trägt der Künstler in sich selbst schon die Veranlagung und Bereitschaft für die Einflüsterungen des Dämons, und wie „Man" eigentlich schon alles weiß, was Semael ihm zu sagen hat, so hört auch Adrian vom Teufel fast nur solches, was der Möglichkeit nach bereits in ihm angelegt ist. Gilt Semael in „oberen Rängen" als der eigentliche Garant der moralischen Ordnung, so erscheint er nunmehr von der umgekehrten Blickrichtung des Irdischen aus als einziger Anwalt des Religiösen. „Ich hoffe doch, du wunderst dich nicht, daß dir Sankt Velten vom Religiösen spricht? Potz Stern! Wer anders, möcht ich

---

[417] a. a. O. S. 1286. [418] a. a. O. S. 1281.
[419] a. a. O. S. 1289. [420] J. S. 1282.
[421] a. a. O. S. 1283. [422] a. a. O. S. 1288.
[423] Nietzsche: WM. XIX, 252. [424] J. S. 1284.
[425] a. a. O. S. 1286.
[426] a. a. O. S. 1287. Vgl. zum Vorhergehenden das Ende des 8. Buches von Goethes „Dichtung und Wahrheit". (Weimarer Ausgabe I. Abt. 27. Bd. S. 218—222.)

wissen, soll dir wohl heute davon sprechen? Der liberale Theolog doch nicht? Bin ich doch nachgerade der einzige, ders konserviert! Wem willst du theologische Existenz zuerkennen, wenn nicht mir? Und wer will eine theologische Existenz führen ohne mich? Das Religiöse ist so gewiß mein Fach, wie es kein Fach der bürgerlichen Kultur ist [427]."

Im Unterschied aber zur Tetralogie „Joseph und seine Brüder" fehlt im „Doktor Faustus" das Korrelat zur Hölle. Der Teufel hat den gesamten Bereich des Religiösen in sich aufgesogen, und es ist nur von *seinem* Werke, nicht aber von Umkehr, Erlösung und Heil ernstlich die Rede, wenn man von der leisen Hoffnung in den Schlußworten Zeitbloms absieht. Es mag zunächst in der verschiedenen Thematik der beiden Werke begründet sein, daß in einem mythologischen Roman eine umfassende „Theologie" entfaltet werden kann, daß diese aber in einem Künstlerroman nicht am Platze ist. Dennoch bleibt die Frage bestehen, weshalb die Welt im „Doktor Faustus" so ganz und gar des Teufels ist, und zwar in einem so überspitzten Sinne, daß dieser sogar als einziger den Anspruch auf eine „theologische Existenz" erheben kann. Der Satz Nietzsches, daß das Wachstum des Guten zugleich an die Steigerung des Bösen gebunden sei [428], scheint sich nicht umkehren zu lassen; denn der Dämonisierung der Welt des „Doktor Faustus" entspricht nicht eine begründete Hoffnung auf Gnade und Heil. Der Erlösungsbedürftigkeit antwortet kein barmherziger Gott. Die Werke, welche mit Teufelshilfe einem hochmütig-leidenden Dasein abgerungen werden, durchbrechen zwar die Sterilität eines bloß parodistischen Spiels, aber sie sind bei aller vollendeten Meisterschaft nicht imstande, das Chaos zu bändigen. Sie sind vielmehr selbst Ausdruck der diabolischen Entfesselung und stimmen ein in den Chor der Klage.

Die Aporie der Kunst soll nach den Worten des Teufels nicht primär durch die gesellschaftlichen Zustände erklärt werden. „Wahr aber nebensächlich. Die prohibitiven Schwierigkeiten des Werkes liegen tief in ihm selbst" [429]. Oft war bisher die Rede von der Verbrauchtheit künstlerischer Formen, von der Scheu vor dem Banalen und Unmittelbaren, welches dem Spätgeborenen zu verwenden nicht mehr vergönnt ist. Aber gemäß der engen Korrelation aller Phä.nomene ist auch in diesem Falle eine strenge Scheidung von Kunst und Realität nicht erlaubt. Wenn die Ohnmacht der Kunst nicht zuletzt aus ihrem Scheincharakter resultiert, dann ist es die Wirklichkeit, vor welcher das artistische Spiel zur Lüge wird; denn der Schein wird als solcher erst angesichts einer ins Grauenhafte zugespitzten Realität entlarvt. Diese ist somit keineswegs für das Schicksal der Kunst so nebensächlich, wie der Teufel zu wissen vorgibt, und in der Tat muß er wenig später zugestehen: „Zulässig ist allein noch der nicht fiktive, der

[427] D. F. S. 365.
[428] vgl. Nietzsche: WM. XIX, 350 f.
[429] D. F. S. 360.

nicht verspielte, der unverstellte und unverklärte Ausdruck des Leidens in seinem realen Augenblick. Seine Ohnmacht und Not sind so angewachsen, daß kein scheinhaftes Spiel damit mehr erlaubt ist" [430]. Die Fragwürdigkeit der Kunst ist nicht nur das Ergebnis werkimmanenter Aporien; sie ist zugleich der Ausdruck einer leidvollen geschichtlichen Situation, welche Thomas Mann während der Arbeit am Josephsroman, den er im Januar 1943 abschloß [431] noch nicht mit solcher Intensität erlebte.

Der am 15. März desselben Jahres wiedergefundene „Drei-Zeilen-Plan" eines Dr. Faust aus dem Jahre 1901 zielt auf die „diabolische und verderbliche *Enthemmung* eines — noch jeder Bestimmung entbehrenden, aber offenbar schwierigen — Künstlertums durch Intoxikation" [432]. Noch ist nicht die Rede von einer Verbindung der Künstlerexistenz mit dem Schicksal und Wesen des Deutschen. Während der Vorarbeiten zu dem geplanten Roman gelangt ein Brief Bermann Fischers an Thomas Mann mit der Anregung, „ein Buch über *Deutschland,* seine Vergangenheit und Zukunft, zu schreiben" [433]. Diesen „Forderungen der Zeit" kommt er nicht nach, aber er erfüllt sie nach seinen eigenen Worten „auf andere Weise" [434], so daß jenes Anliegen des Verlegers als ein Movens für die Integration des Zeitgeschehens in den „Doktor Faustus" gelten kann. Zur gleichen Zeit etwa werden die Ereignisse des Kriegsjahres 1943 in Tagebuchnotizen erwähnt und kommentiert. Es ist das Jahr der Wende des deutschen militärischen Erfolges. Am 31. Januar ist das Schicksal der Armee bei Stalingrad endgültig besiegelt. Das Bombardement deutscher Städte kann nicht mehr verhindert werden. Die Anzeichen einer Katastrophe des deutschen Volkes mehren sich, und im Versagen des Nationalsozialismus offenbart sich zugleich noch einmal dessen ganze Dämonie. Hinzukommen Nachrichten von Greueltaten einer entmenschten Clique, so daß Thomas Mann schreiben kann, die Darstellung der Hölle sei „nicht denkbar übrigens ohne die innere Erfahrung des Gestapokellers" [435]. Das Schicksal Adrian Leverkühns verbindet sich ihm immer enger mit dem Inferno der deutschen Geschichte. Beides wird in Parallele und Beziehung gesetzt, ohne daß nur das eine die Bedingung, das andere das Verursachte wäre. „Werk, Zeit, Schein, sie sind eins, zusammen verfallen sie der Kritik" [436], bemerkt der Teufel und hebt damit selbst den früher behaupteten strengen Unterschied zwischen den gesellschaftlichen und kunstimmanenten Aporien auf. An diesen litt, wenn auch noch nicht in so verschärfter Form, schon ein Tonio Kröger oder ein Gustav Aschenbach, ohne daß sie der Hölle verfallen wären. Was dem Teufel den

---

[430] D. F. S. 361.
[431] vgl. Th. Mann: Entstehung des Doktor Faustus. S. 18.
[432] a. a. O. S. 21.
[433] a. a. O. S. 28.
[434] a. a. O.
[435] Thomas Mann: Entstehung des Doktor Faustus. S. 97.
[436] D. F. S. 361.

Einlaß in die Sphäre der Kunst ermöglicht, ist nicht zuletzt die Zeiterfahrung Thomas Manns und die aus ihr resultierende kritische Auseinandersetzung mit dem Phänomen des Ästhetischen. Völlig zu Recht, besteht daher die zugespitzte Formulierung Sørensen's: „Ohne das Gift des Teufels hätte Leverkühn sein großes Faust-Werk . . . nicht schaffen können; ohne das Gift des Nationalsozialismus wäre aber Thomas Manns Faust-Werk auch nicht entstanden. Beide Werke verdanken ihre Entstehung der befruchtenden Berührung mit den dämonischen Mächten des Bösen" [437].

Im Mai 1945 hält Thomas Mann in der Library of Congress in Washington den bemerkenswerten Vortrag „Deutschland und die Deutschen." Er steht unter dem Eindruck der damaligen geschichtlichen Ereignisse und spricht ganz im Geiste seines „Doktor Faustus". Aus diesem Grunde ist die genannte Rede nicht unbedeutend für das Verständnis seines großen Altersromans. Hier nämlich verbindet er selbst das Schicksal Adrian Leverkühns mit dem Wesen seines Volkes und begreift beides aus der gemeinsamen Wurzel der gefährlichen „musikalisch-deutschen Innerlichkeit und Unweltlichkeit" [438]. Luther, Romantik, Bismarck, Nietzsche und Psychoanalyse sind die großen, aber zugleich auch fragwürdigen Repräsentanten der tief zweideutigen Anlage des Deutschen. Sie war stets gewaltig im Vortreiben kältester Intellektualität einerseits und enthemmtester Geistfeindlichkeit andererseits, aber politisch war sie nie. Sie litt stets an ihrer eigenen Kompromißlosigkeit. „Soll Faust der Repräsentant der deutschen Seele sein, so müßte er musikalisch sein; denn abstrakt und mystisch, d. h. musikalisch, ist das Verhältnis der Deutschen zur Welt" [439]. Die Identifikation des modernen Künstlerschicksals mit dem innersten Wesen des Deutschen geht noch weiter, wenn Thomas Mann an diesem die gleiche Anfälligkeit für die Mächte des Ungeheuren und Teuflischen zu bemerken glaubt wie an seiner Faustus-Gestalt. „Zuweilen, und nicht zuletzt bei Betrachtung der deutschen Geschichte, hat man den Eindruck, daß die Welt nicht die alleinige Schöpfung Gottes, sondern ein Gemeinschaftswerk ist mit jemandem anders. Man möchte die gnadenvolle Tatsache, daß aus dem Bösen das Gute kommen kann, Gott zuschreiben. Daß aus dem Guten oft das Böse kommt, ist offenbar der Beitrag des anderen. Die Deutschen könnten wohl fragen, warum gerade ihnen all ihr Gutes zum Bösen ausschlägt, ihnen unter den Händen zu Bösem wird" [440]. Ist im „Doktor Faustus" das Dämonische die überwiegende Macht, welcher kein Reich der Gnade und Erlösung entspricht, so herrscht in der deutschen Geschichte nach der Ansicht Thomas Manns ebenso der Böse, der die großen Anlagen immer wieder ins Verderbliche pervertiert. Eine solche Betrachtung ist nicht nur der Ausdruck eines

[437] Bengt Algot Sørensen: Thomas Manns „Doktor Faustus", Mythos und Lebensbeichte. In „Orbis Litterarum". 13. Jahrg. 1958. S. 95 f.
[438] Thomas Mann: Neue Studien. Berlin—Frankfurt/M. 1948 S. 20.
[439] a. a. O. S. 15.
[440] Thomas Mann: Neue Studien. Berlin—Frankfurt/M. 1948. S. 26.

Fatalismus; denn dieser ist gerade das Merkmal des unpolitischen Deutschen. Sie hat vielmehr zugleich als Ergebnis die *Kritik*, und in der Analyse wird aus der Klage die Anklage und Auflehnung.

Am 3. 10. 1918 schreibt Thomas Mann an Ernst Bertram: „Ich hatte doch einen starken Choc, als ich schwarz auf weiß las, daß am 30. September 1918 das deutsche Reich von der monarchistischen zur parlamentarisch-demokratischen Verfassung übergegangen sei. Im Ganzen: Der Standpunkt ‚Hübsch ist es doch, was man alles erlebt!' kommt mir immer einladender vor" [441]. Eine ästhetische Gleichgültigkeit scheint die einzige Reaktion auf dieses politische Ereignis zu sein. Nachdem er Nietzsches „Wille zur Macht" gelesen hat, schreibt er am 28. 5. 1917 an denselben Adressaten, er „staune immer aufs neue, wie ein einziges Menschenalter nach dem Entwurf dieses Werkes (1887) ‚Die Demokratie' und der revolutionäre Sentimentalismus wieder haben literaturfähig werden, ja als ‚der Geist' sich etablieren können. Daß es *möglich* war, ist durch die Tatsache erwiesen. Aber ist es anständig? Ist es erlaubt?" [442] Zur Zeit des „Doktor Faustus" muß Thomas Mann diese Meinung korrigieren: „Eine ästhetische Weltanschauung ist schlechterdings unfähig, den Problemen gerecht zu werden, deren Lösung uns obliegt, — so sehr Nietzsches Genie dazu beigetragen hat, die neue Atmosphäre zu schaffen" [443]. Wir haben an früherer Stelle schon das Verhältnis beider Positionen zueinander systematisch behandelt. In der geschichtlichen Realität sind sie durch veränderte Zustände und neue Erfahrungen getrennt. Die Kritik an Nietzsche ist zugleich eine Kritik am Wesen des Deutschen, an Adrian Leverkühn und an dem eigenen Künstlertum Thomas Manns, denn die Entwicklung der gesellschaftlichen Wirklichkeit hat Deutschland und die Kunst dem Teufel ausgeliefert. Aber selbst in dieser kritischen Auseinandersetzung bleibt Thomas Mann noch in der Sphäre Nietzscheschen Denkens, für den die Kunst stets auf das Ganze des „Lebens" bezogen und von ihr aus beurteilt wird, niemals aber selbst die letzte Instanz der Bewertung von Lebensphänomenen abgibt. Schließlich ist Thomas Mann auch weiterhin dem Wesen des „Deutschen" verhaftet; denn „der Hang zur Selbstkritik, der oft bis zum Selbstekel, zur Selbstverfluchung ging, ist kerndeutsch" [444]. Sogar die Kritik am eigenen Künstlertum gehört immer schon zu diesem hinzu und ist ein wesentliches Moment desselben. Daher kann sie sich im „Doktor Faustus" realisieren, ohne die ästhetische Geschlossenheit des Werkes zu sprengen und zu zerstören. Wie aber der Künstler selbst nur eine extreme Zuspitzung des menschlichen Daseins schlechthin darstellt, so ist auch das Thema des Romans nicht eingeengt auf das Schicksal des deutschen Volkes; denn „zuletzt ist das deutsche Unglück nur das Paradigma der Tragik des Menschseins überhaupt" [445].

[441] Thomas Mann an Ernst Bertram S. 79.
[442] a. a. O. S. 48.
[443] Thomas Mann: Neue Studien. Berlin—Frankfurt/M. 1948 S. 157.
[444] a. a. O. S. 34.   [445] a. a. O

d) Der Künstler und die Welt

Die Parallelisierung eines Künstlerschicksals mit den Ereignissen der Zeitgeschichte läßt die Frage aufkommen, wie sich Adrian Leverkühn selbst zu seiner Mitwelt verhält und worin der vieldeutige Zusammenhang zwischen seinem Künstlertum und den gesellschaftlichen Zuständen besteht. Dabei soll einmal seine Beziehung zur Sozietät schlechthin, — repräsentiert durch den Kridwißkreis und durch den Impressario Saul Fitelberg — im weiteren Verlauf dann sein Verhältnis zu Einzelgestalten wie Rudi Schwerdtfeger, Marie Godeau und Nepomuk Schneidewein interpretiert werden.

Für die Entsprechung zwischen Leverkühnscher Kunst und zeitkritischer Analyse ist das Kapitel XXXIV von zentraler Bedeutung. Es ist durch seine Dreiteilung, welche die Analyse zwischen den einzelnen Abschnitten verdeutlicht sowie durch halb versteckte Zahlenkombinationen besonders hervorgehoben. Die Summe 34 ergibt sich nämlich, wenn man die Zahlen des früher beschriebenen magischen Quadrates [446] längs, quer oder diagonal addiert; außerdem ist die bedeutungsvolle 7 die Quersumme von 34. In dem mit dieser Ziffer bezeichneten Kapitel ist die Rede vom Ende und Untergang in zweifach verstandenem Sinne: Im Kridwißkreis zeichnen verantwortungslose Schönredner das Bild der heraufziehenden Katastrophe, und zugleich, wenn auch abseits von jenen Salon-Dialektikern, arbeitet ein leidender Künstler unter schwersten Qualen an dem Oratorium „Apokalipsis cum figuris". Wieder ist die vielschichtige Komplexion der Entsprechungen von Kunst, Magie und Endzeit in ihrer Gesamtheit gegenwärtig.

Im ersten Teil des XXXIV. Kapitels zeigt sich Zeitblom erschreckt über die „unheimliche Rapidität" [447], mit der die Arbeit Adrians an seinem neuen Werke fortschreitet. Auf eine lange Zeit tiefster Depression und erniedrigender körperlicher Qual folgt miteinmal die ebenso ungeheure Entladung schöpferischer Kräfte. Der Chronist bemerkt, daß beide Zustände „innerlich nicht scharf gegeneinander abgesetzt waren" [448]. Den „melodischen Erleuchtungen" [449] geht die Epoche der Sammlung und unterschwelligen Bereitschaft voraus. Nietzsche beschreibt diese Zusammenhänge wie folgt: „Wenn sich die Productionskraft eine Zeitlang angestaut hat und am Ausfliessen durch ein Hemmniss gehindert worden ist, dann giebt es endlich einen so plötzlichen Erguss, als ob eine unmittelbare Inspiration, ohne vorhergegangenes innres Arbeiten, also ein Wunder sich vollziehe. . . . Das Capital hat sich eben nur *angehäuft*, es ist nicht auf Ein Mal vom Himmel gefallen" [450]. Im „Doktor Faustus" wird einer solchen vorwiegend psychogenetischen Erklärung der sogenannten „Inspiration" nicht eindeutig das Wort geredet.

[446] vgl. D. F. S. 141.
[447] D. F. S. 537.
[448] a. a. O. S. 527.
[449] a. a. O. S. 538.
[450] Nietzsche: MA. VIII, 153.

Gemäß dem komplizierten „Realitäts"-Charakter dämonischer Mächte bleibt es offen, ob die künstlerische Produktion ein Ausbruch aus den im Innern des Komponisten aufgestauten Kräften ist, oder ob sie auf unmittelbare Eingebung des Teufels beruht. Es ist ja ein Wesenszug Thomas Mannscher Darstellungsweise, daß derartige Alternativen in Bewegung gebracht werden, ohne daß für die erstrebte Synthese ein umfassender Begriff zur Verfügung steht. Die gleiche Betrachtungsweise fanden wir im Denken Nietzsches, und in der Tat ist auch die Beurteilung der „Inspiration" in „Ecce homo" eine andere als die oben von ihm zitierte. Sie ist weit vorsichtiger und legt sich nicht auf eine bloß immanent-psychische Erklärung fest, ohne daß allerdings eine fixierbare außermenschliche Macht für das Phänomen des Schöpferischen verantwortlich gemacht würde: „Mit dem geringsten Rest von Aberglauben in sich würde man in der That die Vorstellung, bloss Incarnation, bloss Mundstück, bloss Medium übermächtiger Gewalten zu sein, kaum abzuweisen wissen. Der Begriff Offenbarung, in dem Sinn, dass plötzlich, mit unsäglicher Sicherheit und Feinheit, Etwas *sichtbar,* hörbar wird, Etwas, das Einen im Tiefsten erschüttert und umwirft, beschreibt einfach den Thatbestand. Man hört, man sucht nicht; man nimmt, man fragt nicht, wer da giebt; wie ein Blitz leuchtet ein Gedanke auf, mit Nothwendigkeit, in der Form ohne Zögern — ich habe nie eine Wahl gehabt" [451]. Sowohl bei Nietzsche als auch bei Thomas Mann bleibt also die Frage offen, ob die „Inspiration" spontane Entladung gestauter Kräfte ist, oder ob sie auf dem Einfluß unnennbarer, äußerer Mächte beruht. Sie kann lediglich als Phänomen beschrieben werden, ihre Genese dagegen weist ins Dunkle.

Bevor der Chronist das neue Werk Adrians erläutert, führt er den Leser im 2. Teil des XXXIV. Kapitels in den Kridwißkreis ein. Der Gastgeber, der „ohne feststellbare gesinnungsmäßige Bindung" alles für „scho' enorm wischtisch" [452] hält, ist paradigmatisch für alle übrigen Teilnehmer an den nur geistreichen Diskussionen. Man ergötzt sich an einer gespielten Gerichtsverhandlung, bei der die Anwälte bürgerlich-humaner Werte vor den Vertretern des heraufziehenden Barbarismus versagen. Im „kaltschnäuzig-intellektuellen Kommentar" [453] bespricht man das Ende der Kultur und des Fortschritts sowie das Wiedererwachen des Atavistischen. Man gibt der gemeinschaftlichen Bindung den Vorrang vor der Freiheit des Individuums, und man sieht die Wahrheit durch Mythos und Glaube überholt. „Von gewissen Dingen nichts wissen zu wollen, diese Fähigkeit, der Weisheit sehr nahestehend oder vielmehr ein Teil von ihr, sei leider abhanden gekommen, und die ordinäre Naseweisheit heiße sich Fortschritt" [454]. Hier äußert sich jenes seit der Jahrhundertwende so häufige fatale Mißverständnis Nietzsches, indem man einen Aspekt zum Ganzen seines Denkens auf-

[451] Nietzsche: EH. XXI, 251.
[452] D. F. S. 541.
[453] D. F. S. 555.
[454] a. a. O. S. 418.

schwellte. Der Satz „Ich will, ein für alle Mal, Vieles *nicht* wissen. — Die Weisheit zieht auch der Erkenntniss Grenzen"[455] findet nämlich sein notwendiges Komplement in den vielen Äußerungen, die gerade von dem unbedingten Wahrheitspathos zeugen.

Der Protagonist eines fortschrittsfeindlichen „boshaften Konservatismus"[456] ist der schon früher eingeführte Privatgelehrte Dr. Chaim Breisacher, der durch seine „dialektische Redefertigkeit" und „Paradoxalität"[457] die Zuhörer immer auf neue zu verwirren weiß. An den Privatdozenten Schleppfuß erinnernd, überspielt er alle Grenzen und Unterschiede und läßt jedes mit jedem nach Belieben vertauschbar sein. „Rückschritt und Fortschritt, das Alte und Neue, Vergangenheit und Zukunft wurden eins, und das politische Rechts fiel mehr und mehr mit dem Links zusammen"[458]. Man denkt zum Vergleich an die Gestalt Naphtas im „Zauberberg", aber wie im „Doktor Faustus" der Widerpart des Teufels nicht erkennbar ist, so fehlt ebenso im Kridwißkreis die Settembrini. Zeitblom, der als Humanist dessen Funktion zu übernehmen hätte, macht nur einen schwachen Versuch, den rabbulistischen Reden zu widersprechen, aber seine Worte fallen völlig unter den Tisch, und so resigniert er.

Stattdessen schmückt der Dichter Daniel zur Höhe die Verkündigung der Re-Barbarisierung mit seinem stereotypen „Jawohl, jawohl, so übel nicht, o freilich doch, man kann es sagen"[459]. Seine Prophetien und Schwärmereien für den Terrorismus, die mit der Aufforderung schließen, „Soldaten, ich überliefere euch zur Plünderung — die Welt"[460], sind der „steilste ästhetische Unfug"[461] des ganzen Kreises. Schon in der 1904 erschienenen Erzählung Thomas Manns „Beim Propheten" spielt dieser Daniel mit „raubvogelähnlichem Gesicht"[462] eine bedenkliche Rolle. Der „Vortrag" seines Schülers endet dort mit dem gleichen Auftrag an die „Soldaten". Die Beschreibung zur Höhes im „Doktor Faustus" stimmt fast wörtlich mit der des „Propheten" überein, und in Victor Manns „Wir waren fünf. Bildnis der Familie Mann" gehört das „raubvogelähnliche Asketen- und Fanatikergesicht"[463] keinem anderen als Ludwig Derleth. Dieser, und nicht Stefan George, sei das Vorbild für Daniel zur Höhe gewesen, schreibt Thomas Mann an seinen Bruder[464]. Macht sich hier beim Kridwißkreis ein Nietzsche-Einfluß geltend, dann ist er jedenfalls zu jener Fehlform pervertiert, die Thomas Mann in seinem „Lebensabriß" als „Übermenschenkult", „Cesare-Borgia-Ästhetizismus" und „Blut- und Schönheitsgroßmäuligkeit"[465] apostrophiert. Barbarei und Ästhetizismus nämlich schließen sich im Kridwiß-

[455] Nietzsche: G. XVII, 55.
[456] D. F. S. 420.
[457] a. a. O. S. 417.
[458] D. F. S. 551.
[459] a. a. O. S. 543 u. ö.
[460] a. a. O. S. 544.
[461] a. a. O.
[462] E. S. 365.
[463] Victor Mann: Wir waren fünf. Bildnis der Familie Mann. Konstanz 1949 S. 98.
[464] vgl. a. a. O. S. 595.
[465] Th. Mann in „Die Neue Rundschau" 41. Jahrg. Bd. I. 1930. S. 741.

kreis keineswegs aus, sondern die wilden Ideen vom Aufstand des Vorkultischen werden für „schön" befunden. Es scheint das Hauptmerkmal
dieses Ästhetizismus zu sein, daß ihn das Kommende in seiner erschrecken-
den geistigen und gesellschaftlichen Auswirkung wenig angeht, sondern
daß er vielmehr in narzißtischem Selbstgenuß die „Freude an der Erkenntnis"[466] ausschöpft. Der Inhalt des Beredeten tritt zurück hinter der Form
des Beredens, die man allerdings meisterlich beherrscht und bezeichnenderweise im Spiel exerziert. Eine solche unverbindliche Selbstbespiegelung in
einer vom Leben losgelösten, eher künstlichen als künstlerischen Attitüde
hat Nietzsche schon mit einem „Wurm, der sich in den Schwanz beisst"[467]
verglichen.

Im Verhältnis der Entsprechung und Antithese zugleich steht Adrians
Künstlertum zu den im Kridwißkreis vorgetragenen Ideen. Daß sein Werk
„gewisser kühner und prophetischer Beziehungen zu jenen Erörterungen
nicht entbehrt"[468], sagt der Chronist selbst. Unsere Aufgabe ist es, zu
zeigen, welcherart diese Analogien sind. Der Proklamation der Gemein-
schaft und der Unterordnung des Einzelnen unter den Willen eines herrschenden Kollektivs entspricht im Werke Adrians die „fromme Fessel
präklassisch strenger Formen"[469]. Auch diese neue Kunst drängt auf das
„Absolute, Bindende und Verpflichtende"[470]. Die Pseudodialektik des Kridwißkreises, in dem man sich daran gewöhnt hat, die bisherigen Alternativen
und Extreme zusammenfließen zu lassen und beliebig miteinander zu ver-
tauschen, findet ihren künstlerischen Ausdruck in der Aufhebung eines
einheitlichen Rhythmus und in dem häufig verwendeten Stilmittel des
Glissando. Die „„Nachbarschaft von Ästhetizismus und Barbarei"[471] schlägt
sich nieder in dem Zusammen von raffiniert-virtuoser Beherrschung aller
musikalischen Mittel einerseits und der Erneuerung des Kultischen und
Atavistischen andererseits. Das schon öfter erwähnte Glissando ist das
sinnfälligste Zeichen eines bis zum Exzeß gesteigerten Perspektivismus, der
nicht mehr fortschreitend alle möglichen Positionen durchläuft, um schließlich
das Ganze der Welt zu umfassen, sondern der vielmehr die verschiedensten
Aspekte sogleich auflöst und ineinander überfließen läßt. Deshalb sieht
Zeitblom gerade in diesem Kunstmittel eine „antikulturelle, ja antihumane
Dämonie"[472] am Werke. Alle Grenzen, auch die „zwischen Mensch und
Ding" sind verrückt; „der Chor ist instrumentalisiert, das Orchester vokali-
siert"[473]. Das Aufgeben fester Grenzen entspricht genau den Verkehrungen
eines Breisacher. Wenn das Perspektivische im systematischen Teil über
das Dionysische und Apollinische bei Nietzsche in Analogie zum Letzteren,
d. h. zum Moment der Distanz und Eingrenzung gesehen wurde, dann hat
es sich nun in sein Gegenteil verkehrt und hilft mit, die diabolische Auf-

[466] D. F. S. 555.
[467] Nietzsche: G. XVII, 124.
[468] D. F. S. 529.
[469] D. F. S. 556.

[470] a. a. O.
[471] a. a. O. S. 557.
[472] a. a. O. S. 559.

lösung zu beschleunigen. Zugleich aber ermöglicht das Gleiten zwischen tonalen und rhythmischen Einheiten die Totalität der Beziehungen. Indem alles Einzelne verflüssigt wird, bleibt nichts mehr isoliert und außerhalb des Systems von Entsprechungen. Der erste Teil der „Apokalipsis cum figuris" endet mit einem schaurigen Höllengelächter und hat sein Gegenstück am Beginn des zweiten Teiles in einem herb-lieblichen Kinderchor, einem „Stück kosmischer Sphärenmusik" [474]. Aber auch dieses ist das „Teufelsgelächter noch einmal" [475]; denn beide Teile entsprechen sich in jeder Note, ohne gleich zu sein.

Dies alles steht in deutlicher Analogie zu den Verkehrungen bei den virtuosen Gedankenspielen des Kridwißkreises. Was aber Adrians Künstlertum von jenen Rabbulisten grundsätzlich unterscheidet, das ist seine *Haltung* zum Werk und dessen Thematik. Daß seine Erfahrungen überhaupt zu einem Werk verdichtet und damit zu einer objektiven Gestalt werden, hebt ihn schon über die fruchtlose Unverbindlichkeit jener Leute hinaus Während ein Breisacher kaltschnäuzig das Kommende ankündigt, ohne selbst davon betroffen zu sein und ohne die leichthin gesagten Prognosen einem gepeinigten Dasein abringen zu müssen, wird Adrians Qual mit den „Messerschmerzen der ‚kleinen Seejungfer'" [476] verglichen. Im Unterschied zu dem unverbindlichen Gerede des Kridwißkreises *leidet* der Künstler an seiner Existenzweise, an seinem Werk und an dem Inhalt der „Apokalipsis". Was die Schönredner in halb-bürgerlicher Sekurität von ferne kommen sehen, was sie beschwätzen und womit sie insgeheim kokettieren, das muß Adrian an sich selbst schon fortwährend erleben. Während jene daher ihre Vorhersagen zu Zeitbloms Bedauern nicht durch den Zusatz eines „Unglücklicherweise" [477] oder dergleichen mildern und auf die Sphäre der Humanität beziehen, so bricht dagegen in Adrians Kunst neben aller technischen Perfektion die unverhüllte Klage durch. Heulen und Zähneknirschen wechselt mit dem „Hohn- und Triumphgelächter der Hölle" [478], und das „Verlangen nach Seele" [479] verschafft sich lebhaftesten Ausdruck. Der Künstler leistet mehr als die bloß „realistische" Darstellung der gegenwärtigen gesellschaftlichen Zustände. Er nimmt deren Prozesse vorweg und sieht nicht nur in theoretischer Betrachtung auf das Kommende, sondern er erfährt dessen Realität schon am eigenen Leibe. Dadurch nimmt er als eine Art Opfer das Leid der eigenen und zukünftigen Zeit auf sich und erduldet es bis zur Neige, damit die nächsten Generationen in einer besseren Welt leben, wie der Teufel versprochen hat. Darin liegt der Wert der „ausser- und überpersönlichen, einem Volke, der Menschheit, der gesammten Cultur, allem leidenden Dasein zugewandten Empfindungen" [480].

[473] a. a. O. S. 561.
[474] Hierin liegt schon eine musikalische Vorwegnahme der späteren Echo-Episode.
[475] D. F. S. 565.
[476] a. a. O. S. 527.
[477] vgl. D. F. S. 554.
[478] a. a. O. S. 565.
[479] a. a. O. S. 564.
[480] Nietzsche: MA. VIII, 154.

Es gehört zur Problematik des Künstlers, daß dieser Anspruch auf leidende Vorwegnahme, auf Klärung, Bändigung und sogar Erlösung — Adrian identifiziert sich ebenso wie Nietzsche vor seinem Zusammenbruch mit Christus — zweifelhaft bleibt. Es stellt sich die Frage, ob der Künstler überhaupt imstande ist, über die kunstimmanente Sphäre hinaus wirksam zu sein und ob der „Doktor Faustus", analog zu Leverkühns Oratorium, nicht bloß als ein innerliterarisches Ereignis anzusehen ist. Was verbindet den Künstler letztlich mit der gesellschaftlichen Realität, von der er sich doch so offensichtlich, und zwar zugunsten seiner Kunst absondert? Wie ist die Entsprechung zwischen seinem Künstlertum und dem Kridwißkreis zu erklären? Er selbst nimmt an dessen Gesprächen nicht teil, sondern lebt isoliert in einem verdunkelten Zimmer. Alles Äußere, selbst das Licht, reizt seine Sensibilität in dem Maße, daß die Schmerzen ins Unerträgliche gesteigert werden. Die „torturierenden Erfahrungen der Zeit"[481] scheinen ihn nichts anzugehen. „In seiner klösterlich-ländlichen Abgeschiedenheit, fern der Stadt, berührten diese Dinge ihn kaum"[482]. Er liest keine Zeitungen, sondern wird über die wichtigsten Ereignisse durch Frau Schweigestill „auf dem laufenden gehalten"[483]. Der vaterländischen Begeisterung und späteren Sorge Zeitbloms begegnet er scheinbar mit spöttischem Desinteresse, und dennoch wird an allen Stellen die tiefe Verbundenheit seines Leidens mit dem Schicksal der Zeit spürbar. Sie gründet nicht in einem intensiven Studium des damaligen Politikums, sie ist auch nicht das Ergebnis resignierender Verantwortlichkeit für die Fragen der Zeit, sondern sie beruht auf einer vorgängigen Affinität des Künstlers zu allen Gegenständen, ohne daß er faktisch mit ihnen in Berührung gekommen sein müßte. Man erinnere sich an jenes vornehme und zugleich hochmütige Verhalten des Schülers Adrian, dem alles, was seine Lehrer ihm vortrugen, schon bekannt zu sein schien und der bei den Studentengesprächen alle möglichen Positionen in sich selbst vereinigte. Die „Entwicklung" seines Wesens entspricht genau dem Stil seiner Werke und darüber hinaus der Erzählweise Thomas Manns, wenn am Beginn schon sämtliche Motive angelegt und im weiteren Verlauf nur zu einem immer umfassenderen Beziehungskomplex ausgeweitet werden. So ist dem Künstler auch dasjenige nicht fremd, vor dem er sich scheinbar verschließt, sondern er steht mit allem in einer geheimnisvollen Verbundenheit, wie bei Goethe Aurelie zu Wilhelm Meister einmal spricht: „Ohne die Gegenstände jemals in der Natur erblickt zu haben, erkennen Sie die Wahrheit im Bilde; es scheint

[481] D. F. S. 511.
[482] a. a. O.
[483] a. a. O.
Nietzsche schreibt im November 1880 an Franz Overbeck: „Ich lebe, wie als ob die Jahrhunderte ein Nichts wären und gehe meinen Gedanken nach, ohne an das Datum und die Zeitungen zu denken." (Briefwechsel mit F. Overbeck S. 141.)

eine Vorempfindung der ganzen Welt in Ihnen zu liegen, welche durch die harmonische Berührung der Dichtkunst erregt und entwickelt wird" [484].

Dem Künstler eignet zwar eine „gewisse Oppositionsstellung gegen Wirklichkeit, Leben, Gesellschaft" [485], aber sie bedeutet keine Negation der Realität. Im „Tod in Venedig" heißt es: „Damit ein bedeutendes Geistesprodukt auf der Stelle eine breite und tiefe Wirkung zu üben vermöge, muß eine geheime Verwandtschaft, ja Übereinstimmung zwischen dem persönlichen Schicksal seines Urhebers und dem allgemeinen des mitlebenden Geschlechtes bestehen" [486]. Adrian ist zwar die Wirkung seines Werkes noch versagt, weil es bei aller Entsprechung die Bewußtseinslage seiner Zeit übersteigt, aber dennoch ist auch er mit der Gesellschaft sympathetisch verbunden. Wir haben oben sowohl auf die Gemeinsamkeiten als auch auf die Unterschiede hingewiesen, und es ergab sich die gleiche Dialektik von Opposition und Sympathie, wie sie sich als Ergebnis des entsprechenden Nietzsche-Kapitels zeigte. Der Künstler ist einmal durch eine unüberbrückbare Kluft von der Lebenswelt abgschlossen, damit sein Werk nicht schon im Akt des Schaffens in ihre Botmäßigkeit gerät. Andererseits spiegelt sich in ihm die Gesamtheit des Wirklichen, und zwar viel reicher und schärfer, aber auch erheblich bedrohlicher als in den sterilen und beinahe gemütlichen Gesprächen des Kridwißkreises. Der Künstler ist eine Art Monade, die völlig isoliert von allen anderen existiert, in der aber alles in totaler Komplexität angelegt ist.

Wenn der Künstler eine positive Beziehung zur „Welt" unterhält, dann muß sie die Form äußerster Diskretion wahren. Frau von Tolna [487] gelingt es, Adrian ihre Verehrung zu bezeugen, ohne eine persönliche Begegnung herbeiführen zu wollen. Die feinsinnige Mäzenin bleibt im ganzen Werk unsichtbar und eigentümlich „gesichtslos" [488]. Sie ist deshalb als Romangestalt kaum versinnlicht, und in ihrem geheimnisvollen Auftreten und Verschwinden hat sie eher den märchenhaften Charakter der guten Fee als den einer realen Person. Alles an ihr ist unbestimmt: sie ist ohne festen Wohnsitz, hält sich bald hier, bald dort auf und ist immer dann zur Stelle, wenn Adrians Werke aufgeführt werden. Ihr Reichtum scheint unbegrenzt, und am wenigsten ist der Grund für ihr seltsam ruheloses und offensichtlich durch physische oder seelische Labilität gefährdetes Dasein bekannt. Man fragt sich, ob sie die Vermittlerin zur „Welt" abgeben könne, da sie selbst von dieser schon zu weit entfernt ist. Aber gerade wegen ihrer Unbestimmtheit, die nicht mit realen Ansprüchen an den Künstler herantritt und ihn aus seiner Isolation herausholen will, darf Frau von Tolna eine Art Ver-

[484] Goethe: Weimarer Ausgabe. I. Abt. 22. Bd. S. 94.
[485] Thomas Mann: Altes und Neues. S. 435.
[486] E. S. 452.
[487] vgl. Frau von Meck im Leben Tschaikowskij's (Th. Mann: Entstehung des Doktor Faustus. S. 34.)
[488] D. F. S. 587.

traute Adrians werden, ohne sein Künstlertum zu stören. Sie repräsentiert „die Welt, wie er sie liebte, brauchte, ertrug, die Welt im Abstand, die aus intelligenter Schonung sich fernhaltende Welt" [489].

Das Auftreten Saul Fitelbergs steht nach Ansicht des Chronisten in engstem Zusammenhang mit dem vorhergehenden Kapitel XXXVI, so daß sich eine Zäsur erübrigte; denn immer noch sei die „Welt" das Thema der Darstellung [490]. Dennoch steht die Episode des jüdischen Impressario zugleich im Verhältnis der umgekehrten Entsprechung zur Beschreibung der diskreten Mäzenin. Nun nämlich begegnet Adrian die Welt in dem „naiv zudringlichen, keine Einsamkeit scheuenden, leichthin engagierenden" [491] Saul Fitelberg, dessen Ehrgeiz darin besteht, „Manager" [492] des Genies zu sein. Als Versucher kommt der Impressario zum Künstler und will ihn zu einer Tourné durch die Hochburgen europäischen Kunstlebens bewegen. Er bietet Adrian seine Dienste an, um ihn auf seinem „Mantel durch die Lüfte zu führen" und ihm die „Reiche dieser Welt und ihre Herrlichkeit zu zeigen" [493]. In Goethes „Faust" spricht Mephisto:

„Wir breiten nur den Mantel aus,
Der soll uns durch die Lüfte tragen" [494],

und im Neuen Testament nimmt der Teufel Jesus mit auf einen Berg, um ihm „alle Reiche der Welt und ihre Herrlichkeit" [495] zu zeigen. Die Montage beider Zitate zeigt deutlich die Beziehung Fitelbergs zum Versucher, und während seines Monologes zeigt er sich ebenso eingeweiht in die Problematik von Künstler und Mitwelt, wie früher der Teufel selbst. Er ist keineswegs der naive Vertreter einer nur dem Amüsanten huldigenden Gesellschaft, sondern er durchschaut sie mit ungewöhnlichem Scharfsinn. Er kennt ihre Gepflogenheiten und Schwächen und verachtet sie ein wenig, aber er rechnet mit ihnen als gewichtigen Faktoren für seinen Erfolg. Daher ist er stets auf der Suche nach dem „Skandalösen" [496], d. h. nach dem, was sein Publikum provoziert und zu affektvollen Parteinahmen hinreißt. Sein Interesse gehört weniger der Kunst selbst als der Psychologie der großen „Welt", welche er genauestens beobachtet, um zu wissen, was Furore macht und was nicht „ankommt". Seine Kunstbeflissenheit ist gesellschaftlich orientiert und auf die Publikumswirksamkeit bezogen.

Andererseits erkennt er die bewußte Isolation eines Adrian Leverkühn an und respektiert die Notwendigkeit der unbedingten Distanz des Künstlers: „Unter anderem bereitet Ihre Unzugänglichkeit mir auch Genugtuung, und zwar vermöge des Verständnisses, der Sympathie, die ich ihr unwillkürlich entgegenbringe. Ich tue es gegen mein Interesse, aber ich tue es . . ." [497] Daß ihm beide Positionen nicht fremd sind, zeigt schon die Art

[489] D. F. S. 584.
[490] vgl. a. a. O. S. 592.
[491] a. a. O.
[492] a. a. O. S. 593.
[493] D. F. S. 597.
[494] Weimarer Ausgabe. I. Abt. 14. Bd. S. 96.
[495] Matthäus 4, 8.
[496] D. F. S. 597.
[497] D. F. S. 606 f.

des „Gesprächs", welches ein einziger Monolog des Impressario ist. Dem Vertreter der „Welt" antwortet nicht Adrian, sondern jener nimmt diesem alle möglichen Vorbehalte und Einwände vorweg, führt sie so geistreich und wortgewandt aus, wie der Künstler selbst seine Haltung nicht besser hätte verteidigen können. Der Chronist verstärkt den monologischen Charakter des „Gesprächs", indem er die ohnehin belanglosen Erwiderungen von anderer Seite wegläßt [498], so daß der Eindruck erweckt wird, als habe vom Anfang bis zum Ende außer Fitelberg niemand auch nur ein einziges Wort gesagt. Wie er aber von dem hohen Anspruch der Kunst her das sensationslüsterne Gehabe des Publikums relativiert, so kritisiert er im geheimen vom Blickpunkt der Gesellschaft den „personalistischen Einsamkeitshochmut" [499] des Künstlers. Er beklagt, daß nicht einmal die zeitgenössischen Künstler unter sich Kontakt pflegen, sondern daß sie die Einmaligkeit ihres Daseins durch „Wegleugnung" der anderen verfestigen, „um allein zu sein" [500]. Sie sind nicht nur faktisch allein, sondern jeder von ihnen muß auf seiner Einsamkeit bestehen. Nach Fitelbergs Meinung beruht das „Unglück der Welt auf der Uneinheitlichkeit des Geistes, der Dummheit, der Verständnislosigkeit" [501]. Aber zugleich erkennt er die monadenhafte Existenz des Genius als eine schicksalhafte Notwendigkeit, als „une confusion tragique" [502], deren Einebnung das Fortbestehen der Kunst in ihrer fruchtbaren Polarität gefährden müßte. Dennoch bietet er sich als jüdischer Inpressario an, den Mittler zu spielen zwischen der Einsamkeit des Künstlers und der Gesellschaft, zwischen der Isolation Deutschlands und der Welt; denn der Jude ist „international, und er ist pro-deutsch" [503]. Mit einem leidenschaftlichen Appell, den „Haß auf Einreihung und Gleichstellung" [504] aufzugeben, verläßt er unverrichteter Dinge Pfeiffering. Mit seinem Auftreten hatten sich erneut Kunst- und Zeitproblematik miteinander verbunden.

Worin aber liegt eigentlich die Versuchung, die in Gestalt dieses Weltmannes an Adrian herantritt? Die Parallele zum Teufel ist geradezu eine Analogie in der Umkehrung. Während jener den Künstler zur ungeheuerlich extremen Daseinsweise stimulierte und ihn in kälteste Intellektualität und rauschhafteste Enthemmung zugleich trieb, drängt Saul Fitelberg auf humane Mediatisierung. Alles Extreme ist ihm verdächtig, und obwohl er stets nach dem „Höheren, dem Geistigen und Amüsanten gestrebt" [505] hat, hat er das Studium der Philosophie bald aufgegeben, da sie ihm „zu abstrakt" [506] erschien. Ihm zu folgen, bedeutete für Adrian die Aufhebung seines exzentrischen Ausnahme-Daseins, welches in der schon häufiger beschriebenen Zweideutigkeit die Wurzel des Leidens, aber auch die seiner

[498] vgl. a. a. O. S. 596.
[499] a. a. O. S. 604.
[500] a. a. O. S. 605.
[501] a. a. O.
[502] a. a. O.

[503] a. a. O. S. 610.
[504] a. a. O. S. 609.
[505] a. a. O. S. 597.
[506] a. a. O.

künstlerischen Produktion bedeutet. Kunst und „Welt" vermitteln zu wollen, hieße, das Opfer nicht zu Ende bringen, denn in diesem Roman steht der „Erlöser" paradoxerweise im Auftrage des Teufels. Saul Fitelberg ist somit als Versucher der *Gegenspieler* des Dämonischen, weshalb dem schlichten Humanisten Zeitblom gestattet ist, bei dieser Unterredung anwesend zu sein.

Die gefährlichste Versuchung des Künstlers geht nicht von der namenlosen „Welt" einer kultivierten und kunstgenießenden Gesellschaft aus, sondern sie tritt in Gestalt eines unermüdlich Werbenden an Adrian heran, um dessen „Sprödigkeit" jener schon seit dem ersten Begegnen „zutraulich bemüht"[507] ist. Der talentierte Geiger Rudi Schwerdtfeger, ein „Blondkopf, von mittlerer, netter Statur"[508] und mit „stahlblauen Augen"[509] ist der Repräsentant der liebenswürdigen Blonden und Bläuäugigen. Er ist zwar „schlichten Sinnes, von Literatur nicht berührt"[510], aber er strebt allezeit zum Höheren und bittet den verehrten Meister inständig, er möge ihm ein Violinkonzert zueignen. In „Tonio Kröger" wirbt noch der Künstler in schmerzlich-stiller Sehnsucht um die Gunst eines Hans Hansen und einer Ingeborg Holm, ohne daß diese sich ersichtlich um seine Person bemühten. Im Spätwerk „Doktor Faustus" sind die ehemals Gesunden und Normalen selbst der „Reinigung"[511] bedürftig, und die durch keine Zurückhaltung zu hemmende Aufdringlichkeit Rudi Schwerdtfegers hat etwas von einer „absolut naiven, kindischen, ja koboldhaften Dämonie"[512]. Das naive Leben ist selbst angekränkelt und fühlt sich zur Kunst hingezogen, um von ihr erhoben zu werden. Die harmlose Blauäugigkeit ist degeneriert, und Rudi ist nicht einmal in seiner Geschlechtlichkeit eindeutig bestimmt. Seine Beziehung zu Adrian, welche der Chronist nur durch die „spezifische Gewitztheit" seines „Altphilologentums"[513] erkennen kann, steht in umgekehrter Entsprechung zu seinem Verhältnis mit Ines Rodde. In diesem ist er der passivere Teil und muß sich, teils wider seinen Willen, von einer Frau besitzen lassen, während er in seiner homoerotischen Neigung zu Adrian der aktiv Werbende ist.

Es liegt im Wesen einer Werbung, daß sie erwünschte Beziehungen zu einer bevorzugten Person anstrebt. Sie erhält im „Doktor Faustus" eine auffallend weitläufige Bedeutung und ist durch die Häufigkeit, mit der sie in verschiedensten Formen auftritt, besonders hervorgehoben. Niemals bleibt sie Angelegenheit eines einzelnen Menschen, der sich um den Kontakt zu einem anderen bemüht; niemals hat sie ein eindeutig bestimmbares und vom Werbenden ersehntes, dauerndes Verhältnis zur Folge. Stets bringt eine Werbung, die ihrer Intention nach begrenzt war, ein ganzes Feld weitverzweigter Beziehungen in Bewegung, so daß eine Vielzahl von

[507] D. F. S. 298.
[508] a. a. O.
[509] a. a. O. S. 299.
[510] a. a. O.

[511] a. a. O. S. 525.
[512] a. a. O. S. 520.
[513] D. F. S. 620.

Personen in einen undurchschaubaren Knäuel von fatalen Bindungen verwickelt wird. Helmut Institoris wirbt um Ines Rodde, frei aber eigentlich „für einen anderen" [514], nämlich für Rudi Schwerdtfeger, der sich selbst wiederum, von Ines gehalten, um Adrian bemüht. Dieser läßt durch den unglückseligen „Freund" seine Werbung bei Marie Godeau vortragen [515], die jedoch nicht den Werbenden, sondern den Überbringer des Heiratsantrages erhört. Die Werbung erreicht in keinem der Fälle ihr Ziel, sondern sie bewirkt jeweils nur einen Zustand der Bereitschaft, der einem anderen als dem eigentlich Werbenden „zugute" kommt. Institoris weckt in Ines die Möglichkeit weiblicher Regungen, die dann aber nicht eigentlich ihm, sondern Rudi gelten, und Adrian stiftet durch seinen Antrag die Beziehung Schwerdtfegers zu Marie. Die Werbung gibt nur den Anstoß; danach nehmen die Dinge mit ungeheurer Eigengesetzlichkeit ihren Gang und laufen der Absicht des Werbers zuwider. Durch die Ermordung Rudis wird mit einem Male das Netz aller Beziehungen zerrissen, und sämtliche oben genannten Personen sind gleichermaßen betroffen. Am tiefsten erschüttert ist jedoch Adrian, der nur scheinbar ein einzelnes Glied in der Kette von Bindungen darstellt, in Wahrheit aber im Zentrum des gesamten Beziehungskomplexes steht.

Indem Rudis „kecker Anschlag der Zutraulichkeit auf die Einsamkeit" [516] nicht erfolglos bleibt, zeigt sich nämlich die Anfälligkeit des Künstlers für die „Verführung" [517] zu den „Wonnen der Gewöhnlichkeit" [518]. Der aufdringlich Werbende sollte den „Mittler" und „Dolmetsch" [519] abgeben zwischen Adrian und dem Leben. Aber der Versuch, aus der Isolation blutloser Intellektualität in menschliche Lebenswärme auszubrechen, wird zugleich zu einer Versuchung. Adrians Verhältnis zu Schwerdtfeger ist von Anfang an durch die Ambivalenz von Liebebedürftigkeit und Zurückweisung charakterisiert, so daß die über lange Zeit wechselnde Anrede des „Du" und „Sie" sinnfälliger Ausdruck der fatalen Beziehung ist. Wenn der Künstler sich in einem Gespräch zum Anwalt des Sinnlichen in der Musik macht, dann möchte man glauben, er übertrage die Wünschbarkeiten eines normalen Lebens nun auch auf die Kunst und wolle selbst sie, unter dem Eindruck freundschaftlicher Empfindungen, mediatisieren. „Was bleibt von dem ganzen Kling-Klang denn übrig, wenn man den rigorosesten geistig-moralischen Maßstab anlegt? Ein paar reine Spektren von Bach. Es

---

[514] a. a. O. S. 494.

[515] „Da so viel ‚Nietzsche' in dem Roman ist, so viel, daß man ihn geradezu einen Nietzsche-Roman genannt hat, liegt es nahe, in dem Dreieck Adrian-Marie Godeau-Rudi Schwerdtfeger ein Zitat von Nietzsches indirekten Heiratsanträgen, bei der Lou Adreas durch Rée, bei dem Fräulein Trampedach durch Hugo von Senger (der schon halbwegs mit ihr verlobt war) zu vermuten. Es ist aber vielmehr, und zwar von Leverkühn selbst her gesehen, eine Shakespeare-Reminiszens..." (Th. Mann: Entstehung des Doktor Faustus" S. 34 f.)

[516] D. F. S. 526.

[517] a. a. O. S. 621.

[518] E. S. 303.

[519] D. F. S. 653.

bleibt vielleicht überhaupt nichts Hörbares übrig" [520]. Die Anlehnung an Nietzsche wird deutlich, wenn es bei diesem heißt: „Rechnen wir aus der Lyrik in Ton und Wort die Suggestion jenes intestinalen Fiebers ab: was bleibt von der Lyrik und Musik übrig? . . . L'art pour l'art vielleicht: das virtuose Gequak kaltgestellter *Frösche*, die in ihrem Sumpf desperieren . . . Den ganzen *Rest* schuf die Liebe" [521]. Was aber hier als notwendiges Element der Kunst gefordert wird, ist nicht die mäßige Neigung und menschliche Empfindung des normalen Lebensbürgers, sondern der korrelative Gegenpol zum „Geistigmoralischen" ist die „Liebe" als rauschhafte Entfesselung und „intestinales Fieber". Das Zusammen beider Momente ist Teufelsauftrag und bewirkt den leidvollen, aber fruchtbaren Extremismus des Künstlerdaseins. Wenn Rudi Schwerdtfeger dagegen den Bezug zum Leben vermitteln soll, dann zielt sein Streben letztlich auf ein Auflösung der steigernden Polarität, in dem er den Künstler auf die mediokre Ebene des normalen Lebens herabziehen möchte. Der ausschließende Gegensatz zur extremen Geistigkeit des Künstlers ist nicht der Rausch, sondern beide sind in der Spannung notwendige Momente eines einheitlichen Ganzen. Was die Kunst jedoch stets zu paralysieren droht, ist die Mittelmäßigkeit, zu der Rudi Schwerdtfeger den Künstler verführt. Daß sie sich zudem in pervertierter Form anbietet, ist ein besonderes Kennzeichen dieses Spätwerks Thomas Manns, in welchem selbst das vermeintlich gesunde Leben von der Krankheit infiziert ist. Das Ergebnis der Verführung ist das Violinkonzert, welches aus dem „zugeständnislosen Gesamtwerk" [522] durch seine verbindliche Haltung herausfällt. Es ist aber zugleich der Beginn der „Rache" am Mittelmäßigen; denn seine Aufführung bringt die Bekanntschaft mit Marie Godeau mit sich, durch welche die spätere Katastrophe ausgelöst werden soll.

Die Werbung Adrians um die sympathische, an seine Mutter erinnernde Marie Godeau ist im höchsten Grade zwielichtig. Zeitblom hält das ganze Unternehmen für „gesucht, gekünstelt, sträflich" [523], und wir fragen analog zu unserer Interpretation der Teufelsgestalt wiederum nicht, ob Adrian ernstlich vorhat, eine eheliche Verbindung einzugehen oder ob die Aktion auf dem teuflischen Kalkül beruht, sich auf diese Weise aus der „elbischen Bindung an Schwerdtfeger" [524] zu befreien. Es liegt im Wesen der Thomas Mannschen Erzählweise, daß sich derartige Alternativen nicht völlig auflösen, sondern nur perspektivisch eingrenzen lassen. Der Erzähler legt es wiederum darauf an, dem Leser die Mehrdeutigkeit vor Augen zu führen, weshalb er ihm für die verschiedenartigsten Möglichkeiten Belege an die Hand gibt. Wir haben bisher an allen Phänomenen dieses Stilprinzip nach weisen können und sehen nun, wie Adrian einerseits von der anmutigen Zeichnerin beeindruckt ist und eine Heirat ernsthaft erwägt, wie er aber

[520] D. F. S. 619.
[521] Nietzsche: WM. XIX, 218.
[522] D. F. S. 610.

[523] a. a. O. S. 659.
[524] a. a. O. S. 630.

andererseits alls tut, um den Verdacht aufkommen zu lassen, es handle sich um ein berechnendes Teufelsspiel. Für die zweite Erklärung seines Handelns spricht seine nicht geheure Eingeweihtheit in alles, was sich in seiner Umgebung begibt, und schon früh äußert er sich über Rudis außereheliches Verhältnis mit Ines fast prophetisch: „Er soll zusehen, daß er heil aus der Sache davonkommt" [525]. Seine gequälte Bewußtheit kann ihn nicht übersehen lassen, daß er zum Freier nicht befähigt ist, und mit Recht fragt sich der Chronist, „ob dieser Mann geschaffen sei, Frauenliebe auf sich zu ziehen. Wenn ich mir alles gestand, bezweifelte ich sogar, daß er selbst im Grunde an diese Möglichkeit glaubte" [526]. Dazu kommt seine beinahe unverständliche Naivität, wenn er das Gelingen seines Planes nur von seiner Wahl abhängig macht und über eine gemeinsame Zukunft spricht, ohne daß Marie von seinem Antrag wüßte, geschweige ihn schon angenommen hätte. Es scheint, als ob ihn das Ergebnis unberührt lasse und er lediglich den Anstoß zur Katastrophe zu geben habe. Während der Schlittenpartie tut Adrian alles, um Rudi Schwerdtfeger im besten Lichte erscheinen zu lassen, als ob es gelte, Marie auf diesen, nicht aber auf den Werbenden aufmerksam zu machen. Nach dem Attentat auf den glücklich Erhörten spürt Zeitblom, „daß es *nicht nötig* sei" [527], Adrian von dem Vorfall zu benachrichtigen, wohl ahnend, daß dieser schon längst auf andere Weise um alles wisse. Den schwerwiegendsten Hinweis auf die verderbliche Planung enthält schließlich Adrians Selbstanklage bei seiner Abschiedsrede vor den Bekannten: „Darum mußt ich ihn töten und schickte ihn in den Tod nach Zwang und Weisung . . . Also zwang Er mich, gerade dies Vorhaben zu brauchen, daß ich kalt den Zutraulichen mordete . . ." [528].

Daß aber Adrian insgeheim das Kommende ahnungsvoll erfaßt und daß alle seine Eingriffe in die Lebenswelt zum Bösen ausschlagen, schließt nicht aus, daß er tatsächlich den ernsthaften Versuch unternimmt, für sich das Glück der Normalität zu gewinnen. Als er Rudi seine Werbung aufträgt, begründet er seinen Entschluß im Stile der Mittelmäßigen. Die üblichen banalen Redensarten, die ein Lebensbürger für eine vernünftige Heirat ins Feld zu führen pflegt, sollen seine ungewöhnliche Handlung motivieren: „Menschlich" möge der Freund alles ansehen, da er doch „nachgerade vierzig" sei, und eine eheliche Verbindung könne seiner „Arbeitslust" nur förderlich sein, kurz, er verlange nach „milderer, menschlicherer Lebensluft" [529]. Obwohl sein Insistieren auf dem Worte „menschlich" etwas von theatralischer Pose hat, so daß selbst Rudi mit Befremden darauf reagiert, ist trotz alledem der leidenschaftlich vorgebrachte Anspruch auf diese „Menschlichkeit" derart eindringlich, daß eine tatsächliche Affektation nicht geleugnet werden kann. Daß seine Reden die Grenze des Kitschigen berühren, zeigt nur den zur Einsamkeit verdammten, aufbegehrenden Künstler, der sich in

[525] D. F. S. 448.
[526] a. a. O. S. 630 f.
[527] D. F. S. 674.

[528] a. a. O. S. 746.
[529] a. a. O. S. 651.

der Sprache der Herzensdinge ungewohnt und schwerfällig bewegt und dem sogar die Worte der Mittelmäßigkeit als eine Erlösung vorschweben. Seine Sehnsucht erhält einen höheren Grad von Expression, weil hier jemand nach „Menschlichkeit" schreit, dem sie unerbittlich versagt bleibt [530] und in dessen Mund selbst alltägliche Redewendungen einen neuen, weil verzweifelt-aussichtslosen Inhalt wiedergewinnen. Der gleiche Doppelsinn von Abgeschmacktheit und Eindringlichkeit liegt in Adrians Klage über den Verrat des Freundes: „Es ist zwar bitter, und man fragt sich, wem man noch trauen soll, wenn unsere rechte Hand sich gegen unsere Brust kehrt. Aber was willst du? So sind Freunde jetzt" [531], auch wenn er damit Shakespeares „Die beiden Veroneser" zitiert; denn der erschütternde Ausdruck schmerzvoller Empfindung bedient sich paradoxerweise gerade der Plattitüde oder des Zitates. Das Leiden des Künstlers sinkt dadurch nicht zur banalen Sentimentalität ab, sondern erreicht seine äußerste Grenze, wenn Adrian in seinem *Leben* auf die unmittelbare Klage verzichten muß, damit sie in seiner *Kunst* zum Durchbruch gelangt.

Joachim Müller hat in seinem Aufsatz „Thomas Manns Dr. Faustus, Grundthematik und Motivgefüge" mit Nachdruck auf die Liebebedürftigkeit Adrian Leverkühns hingewiesen. Als Paradigma für diesen Zug des Künstlerdaseins interpretiert er feinsinnig die Beziehung zu Esmeralda: „In der Verschmelzung mit der Dirne wollte er die ihm verhängte Lieblosigkeit paralysieren . . . Adrian folgt der Dirne, nicht weil er bewußt die luetische Infektion sucht, sondern weil ihn, nachdem sein hochmütiger Geist, ‚das Trauma der Begegnung mit dem seelenlosen Triebe' erlitten hat, dennoch oder vielmehr gerade in der rührend-armseligen Form der Anschmiegungsgebärde der Dirne ein Hauch erbarmender Liebe trifft" [532]. Wir stimmen dieser Deutung weitgehend zu, können jedoch das andere Motiv, welches Joachim Müller abweist, nicht übersehen, daß nämlich Adrians zweite Begegnung mit der Dirne mit einer, wenn nicht bewußten, so doch unterschwellig absichtsvollen Steuerung seines Künstlertums zusammenhängt, handelt es sich doch nicht nur um eine spontane Liebesbegegnung, sondern auch um eine von weither angelegte und durch Motivverknüpfungen halbbewußt geplante, notwendige Phase in Adrians Leben. Das Schema der Künstlerexistenz ist von Anfang an in ihm vorgezeichnet, und sein tatsächliches Leben ist eine Art imitatio seiner eigenen Anlagen, d. h. ein allmähliches Ins-Bewußtsein-heben und Nachvollziehen seiner

---

[530] Am 3. Februar 1888 schreibt Nietzsche an Franz Overbeck: „Der jahrelange Mangel einer wirklich erquickenden und heilenden m e n s c h l i c h e n Liebe, die absurde Vereinsamung, die es mit sich bringt, daß fast jeder Rest von Zusammenhang mit Menschen nur eine Ursache von Verwundungen wird: das Alles ist vom Schlimmsten und hat nur Ein Recht für sich, das Recht, notwendig zu sein." (Briefwechsel mit Franz Overbeck S. 412.)

[531] D. F. S. 658.

[532] Joachim Müller: Thomas Manns „Dr. Faustus." Grundthematik und Motivgefüge in „Euphorion." 54. Bd. 1960 S. 269.

ursprünglichen Bestimmung. Die gleiche Mehrdeutigkeit von Unmittelbarkeit und rationalem Kalkül, welche die Esmeralda-Episode charakterisiert, ist für Adrians Verhalten zu Rudi Schwerdtfeger und Marie Godeau kennzeichnend. Ein eindeutiges Motiv ist nicht zu fixieren, und der Humanist Zeitblom kann einer „unerwiesenen, stummen, nur eben durch ihren starren Blick sich zu erkennen gebenden Wahrheit" [533] keine Worte verleihen. Die Behauptung Joachim Müllers verfehlt in ihrer Ausschließlichkeit das Prinzig der Thomas Mannschen Erzählweise, welche besser in ihrer Mehrdeutigkeit durch Aufdeckung verschiedenartigster und dennoch zusammenhängender Perspektiven gedeutet werden kann. Wenn Adrian in seiner Abschiedsrede sich scheinbar eindeutig zu einem verbrecherischen Kalkül bekennt, dann richtet sich sein Vorwurf weniger gegen eine einmalige, kalt berechnete „Schandtat", als gegen seine gesamte Künstlerexistenz, welche selbst einem teuflischen Arrangement zum Opfer gefallen ist. Sein Dasein nämlich bewegt sich fortwährend in der vieldeutigen Spannung von auferlegter Einsamkeit und erstrebtem Durchbruch zu den Kräften des Gefühls.

Die schwerste Versuchung und schmerzvollste Entsagung bringt „Adrians letzte Liebe" [534], Nepomuk Schneidewein. Die bisherige Forschung hat die Echo-Episode sehr unterschiedlich gedeutet und bewertet. Während Werner Milch in ihr nur „triefende Sentimentalität" [535] sehen kann, erhebt sie andererseits Ferdinand Lion zu fast übertriebener Bedeutung, wenn er meint: „Als Gegenspieler des Teufels tritt nicht Gott auf, nur ein Kind als Götterbote in Elfengestalt" [536]. Eine ähnliche Auffassung vertritt Joachim Müller: „Dem verteufelten Menschen erscheint das Echo des Hellen, Guten, das Echo seiner eigenen Gott-Natur, die dem Teuflischen ausgesetzt, aber ihm nicht in Ewigkeit überantwortet ist" [537]. Diesen Deutungen ist bei aller Verschiedenheit dennoch gemeinsam, daß sie die Vieldeutigkeit dieser schwer faßbaren Gestalt einengen und formelhaft bestimmen. Sie übersehen, daß das Erzählte durch Person und Funktion des Chronisten gebrochen ist und sich zudem in der jeweiligen Perspektive der übrigen Romanfiguren verschieden darstellt. Das ganze Phänomen „Echo" ließe sich erst dann erkennen, wenn man alle möglichen Blickrichtungen einnähme und so die Einzelmomente zusammentrüge.

Zeitblom kann sich nicht genugtun, seine „größte Rührung" [538] mit Ausdrücken wie „Elfenprinzchen" [539] und „holde Erscheinung" [540] zu bekunden,

[533] D. F. S. 660.
[534] a. a. O. S. 714.
[535] Werner Milch: Thomas Manns „Dr. Faustus" in „Die Sammlung" 3. Jahrg. 1948 S. 358 f.
[536] Ferdinand Lion: Thomas Mann. Leben und Werk. Zürich 1947. S. 186.
[537] Joachim Müller: Euphorion 54. Bd. 1960 S. 277.
[538] D. F. S. 703.
[539] a. a. O. S. 687.
[540] a. a. O. S. 695.

und er ist es, der die Erinnerungen an „außerlogische, von unserem Christentum tingierte Träume wachruft" [541]. Adrians Verhalten ist dagegen weit entfernt von solcher Rührseligkeit, und er betrachtet seinen Neffen mit „versonnen lächelnder oder auch ernster Zartheit", aber „ohne Zärtlichkeit" [542]. Die Ergriffenheit der übrigen Personen wird ironisiert, wenn etwa der Pfarrer dem „Gotteskindlein" ein „buntes Bild des Lammes" [543] schenkt oder wenn die Frauen „meist eine Neigung merken" lassen, „bei Nepomuk niederzuknien" [544]. Adrian bleibt solche Schwärmerei fremd, und er verhält sich als „Künstler", der alle Erscheinungen mit „Gelassenheit" [545] betrachtet. „Echo, der Elfenprinz, war gekommen, — nun gut man mußte ihn nach seiner Natur behandeln und weiter kein Aufhebens machen" [546]. Die unirdische Überhöhung des Knaben ist dagegen ein Werk der übrigen Romanfiguren, zu denen auch Zeitblom gerechnet werden muß. Obgleich Adrian von dem ungewöhnlichen Liebreiz des Kindes eingenommen ist, so bleibt sein Verhältnis zu ihm dennoch herb und von vornehmer Zurückhaltung. Wenn trotz allem, auch ohne Rücksicht auf das schlimme Ende, hier von „Sentimentalität" die Rede sein kann, dann liegt in ihr dennoch kein Bruch der Erzähleinheit vor. Schon während des Umgangs mit Rudi Schwerdtfeger hatte es Adrian nicht an „Rührseligkeit" und „Plattheiten" fehlen lassen, um seinen Gefühlen Ausdruck zu verschaffen. Dort wie hier wird jedoch das scheinbar Sentimentale aufgehoben durch das Leiden eines Daseins, dessen Sehnsucht nach Lebenswärme entweder gar nicht zum Durchbruch gelangt oder aber zum Banalen ausschlägt. Es liegt ein höherer Grad von Expression in dem nichts unversucht lassenden Bestreben zu lieben, wenn die Grenzen zwischer reiner, unmittelbarer Empfindung und mühsam erzwungener Gerührtheit ins Gleiten geraten. Der eigentliche Ursprung des „Sentimentalen" liegt hier jedoch niemals im Vortäuschen und künstlichen Konstruieren unwahrer Gefühle, sondern im verzweifelt unerfüllten „Verlangen nach Seele" [547], das sich allerdings bei jedem konkreten Versuch halb aus Unfähigkeit, halb aus Scham in vorgeprägte und schon schal gewordene Formeln flüchtet. Der Wunsch, die eigene monadenhafte Existenz zu durchbrechen und teilzuhaben an einer menschlichen Glückserfüllung, bedeutet daher für Adrian zugleich ein Sich-verlieren an die Mittelmäßigkeit.

In der „Entstehung des Doktor Faustus" schreibt Thomas Mann: „Ich schilderte den zarten Kömmling im Elfenreiz, steigerte eine Zärtlichkeit meines eigenen Herzens ins nicht mehr ganz Rationale, zu einer Lieblichkeit, welche die Leute heimlich an Göttliches, an ein von hoch- und weither zu Besuch Kommendes, eine Epiphanie glauben läßt" [548]. Den „Leuten" also

---

[541] a. a. O. S. 696.
[542] a. a. O.
[543] a. a. O. S. 692.
[544] a. a. O.

[545] D. F. S. 696.
[546] a. a. O.
[547] a. a. O. S. 564.
[548] a. a. O. S. 190 f.

erscheint Nepomuk als ein „göttliches Kind" [549], während er im Leben Adrians eher eine ähnliche Rolle spielt wie alle früheren Versuchungen zur Mediatisierung seines extremen Ausnahme-Daseins. Echo ist keineswegs nur die Verkörperung des Heils, sondern er bedeutet für den Künstler zugleich eine Gefährdung, weshalb sich Adrian bewußt tagelange Zurückhaltung auferlegt und dem Knaben fernbleibt. Erscheint das „Elfenprinzchen" [550] den „Leuten" in Pfeiffering in einem fast übermenschlichen Lichte, so ist dagegen das Verhältnis Adrians zu ihm mehrdeutig. Einerseits könnte der Neffe den Künstler aus seiner monomanischen Isolation befreien und damit, ähnlich wie Rudi Schwerdtfeger oder Marie Godeau, den Mittler abgeben zwischen der Kunst und der Welt des unmittelbaren Fühlens und Erlebens. Als solcher wäre er in der Tat ein Gegenspieler des Teufels, insofern er das Nicht-Künstlerische und normale, im Kinde sich hoffnungsvoll wiedergebärende Leben verkörperte. Andererseits droht ihn hier ein Wesen mit seinem engelhaften Liebreiz dem exzentrischen, aber nur dadurch fruchtbaren und opferwürdigen Künstlerdasein zu entfremden.

Aber nur scheinbar ist Nepomuk der Repräsentant des Natürlichen, Reinen und völlig Integren, das im Bilde des unschuldigen Kindes als ebenbürtiger Widerpart einer verteufelten Welt entgegentreten könnte. Wir haben schon mehrfach gesehen, wie das Schema einer Gegenüberstellung der gesunden und blonden Lebensbürger einerseits und der kranken und dunkeläugigen Künstlergestalten andererseits im „Doktor Faustus" überspielt ist und wie ehemals getrennte Bereiche im Glissando zusammenschießen. Man möchte meinen, daß Nepomuk erst durch das Eintreten

[549] Wir können Alfredo Dornheim nicht zustimmen, wenn er in „Echo" (wie auch in Goethes „Mignon") eine Darstellung des „göttlichen Kindes" schlechthin sehen will. Als Stütze für seine These führt er Thomas Manns Anspielung auf das „göttliche Kind" in der „Entstehung des Doktor Faustus" an. Hier sei der „Schlüssel zur Lösung des Problems in die Hand" gegeben. (A. Dornheim: Goethes „Mignon" und Thomas Manns „Echo". Zwei Formen des „göttlichen Kindes" im deutschen Roman; in „Euphorion" 46. Bd. 1952 S. 319.) A. Dornheim verkennt jedoch, daß Thomas Mann niemals d e n „Schlüssel" zur Erhellung seines Kunstwerkes liefert, da er in seinen kritischen Schriften die nur künstlerisch darstellbare Mehrdeutigkeit eines ganzen Phänomens nicht leisten kann. Dornheim kommt im übrigen nicht ohne Gewaltsamkeiten aus, wenn er das Waisentum als Wesenszug des „göttlichen Kindes" bei Echo schon darin wiederfindet, daß er eine zeitlang von seinen Eltern getrennt lebt. Dagegen spricht, daß Nepomuks Herkunft und Elternhaus keineswegs dunkel bleiben und daß die Erholungszeit bei seinem Onkel somit nichts mit Verwaistheit zu tun hat. Wir sind schließlich ganz und gar anderer Meinung, wenn Dornheim erklärt: „Es ginge nicht an, diese Vision in ihrer Ganzheit zu zerstören, sie zu analysieren oder in ihre Bestandteile zu zerlegen; denn die Echofigur ist keine Allegorie, deren Bilder einen Sinn enthalten, der entziffert und objektiviert werden könnte und müßte. Sie ist ein Symbol, ein gestaltetes Mythologem, das in seiner individuellen Form das Allgemeine, das Archetypische und Ewige darstellt." (a. a. O. S. 322.) Wir dagegen erlauben uns, bei unserer Interpretation weniger respektvoll mit diesem „höheren Wesen" zu verfahren.

[550] D. F. S. 687.

in den Bannkreis des Teufelsschülers vergiftet und zum baldigen Verderben verdammt wird, aber schon von Anfang an umhüllt ihn ein Schatten der Vergänglichkeit, was Zeitblom deutlich empfindet, wenn er an Reife und Zu-Ende-gehen eines solchen kindlichen Liebreizes denkt [551]. Seine Schlafsucht und seine altkluge Miene, in der sich etwas „Ausgeprägt-Fertiges" [552] zeigt, sind von leiser Melancholie bestimmt. Er spricht in wohlgesetzten Worten, und seine Redeweise ist umständlich und vor allem altertümlich, so daß er den Eindruck eines von „weither" [553] Kommenden erweckt. Für die Darstellungsweise Thomas Manns ist bezeichnend, daß solche bedeutungsvollen und für das Ganze des Romans wichtigen Anspielungen zugleich rational aufgedeckt werden. Das „Wunderbare" wird im einzelnen auf eindeutig erklärbare Fakten zurückgeführt. So ist die altertümliche Redeweise Echos durch die schweizerische Sprache des Vaters, seine Schlafsucht durch die soeben überstandene Masernkrankheit hinreichend motiviert. Durch die Komposition der vielen Einzelmomente zu einem Beziehungsganzen werden dann jedoch die realen Gegebenheiten wiederum zu einem vieldeutigen ästhetischen Phänomenkomplex verdichtet.

Die Bevorzugung alter Redewendungen läßt eine vorgängige Beziehung zu Adrian vermuten [554], und diese wird verstärkt, wenn wir den Knaben beim Hören der einfachen Melodien seiner Spieldose beobachten: Er lauscht in „immer gleichem Gebanntsein" [555] mit „Augen, in denen Amüsiertheit, Erstaunen und tief schauende Träumerei sich auf unvergeßliche Weise mischten" [556]. In dieser ursprünglichen Affinität zum Reiche der Töne spiegelt sich in einfacher und scheinbar harmloser Form das schicksalsschwere Verhältnis des Künstlers zur Musik; dem „Gebanntsein" Echos entspricht die fatale Besessenheit Adrians. Die geheime sympathetische Beziehung zwischen Neffe und Onkel erlaubt dem Knaben, als erster „Einblick" nehmen zu dürfen in die neuen Kompositionen der Ariel-Lieder [557], an denen er sich die Bedeutung der Noten erklären läßt. Die Entsprechung zwischen dem Künstler und dem Kinde wird schließlich am auffälligsten an den bei beiden übereinstimmenden, wenn auch verschieden bedingten Krankheitssymptonen: Lichtempfindlichkeit, „Hauptweh", Erbrechen und

---

[551] vgl. D. F. S. 695.
[552] a. a. O. S. 687.
[553] a. a. O. S. 699.
[554] Paul Altenberg meint dagegen: „Die Redeweise des Knaben Echo aber ist in ihrer dialekthaften und altertümlichen Fremdheit Ausdruck des von sehr fernher Kommenden und Kündenden und hat nichts mit der Sprachparodie Leverkühns zu tun." (P. Altenberg: Die Romane Thomas Manns. S. 264.) Bei Thomas Mann genügt jedoch oft schon das Faktum einer äußeren Analogie, um eine Beziehung zu stiften, wenn auch die Gründe der sich jeweils entsprechenden Erscheinungen verschieden sind.
[555] D. F. S. 700.
[556] a. a. O.
[557] vgl. a. a. O. S. 701.

Augenrollen. Nicht von ungefähr nennt sich Nepomuk, „schon seit er zu lallen begonnen"[558] hat, „Echo", und nur Zeitblom vermeidet diesen Namen, weil er ihm nach seinen eigenen Worten „idiotischerweise als poetische Verweichlichung erscheint"[559]. Erst der Chronist, noch nicht aber die im Roman selbst auftretende Gestalt des Humanisten hat das Hintergründige und Mehrdeutige dieses Namens erkannt und weiß, daß die „wunderliche Verfehlung der Mitlaute"[560] weit entfernt ist von einer nur kindlichen Koseform. In seinem letzten Werk, der Symphonischen Kantate „Doctor Fausti Weheklag", verwendet Adrian auffallend häufig die Echo-Wirkung, welche im 17. Jahrhundert als beliebtes Stilmittel galt. Die Deutung dieses ästhetischen Phänomens trifft zugleich einen Wesenszug des Knaben Echo: „Das Echo, das Zurückgeben des Menschenlautes als Naturlaut und seine Enthüllung *als* Naturlaut, ist wesentlich Klage, das wehmutsvolle ‚Ach, ja!' der Natur über den Menschen und die versuchende Kundgebung seiner Einsamkeit"[561]. Ebenso ist Nepomuk im Roman Thomas Manns eine Spiegelung der Adrianschen Künstlerexistenz in der Gestalt des nur scheinbar integren, engelhaften Kindes; Echo ist der Wiederklang einer gepeinigten und klagenden Menschheit im vermeintlich Natürlichen. So unermeßlich groß ist das Leid geworden, daß selbst die rein und schuldlos geglaubte Kindnatur vom Schmerzensschrei durchzittert wird und gar den „Eindruck von Besessenheit"[562] erweckt. Man erinnert sich aus der „Apokalipsis" an die „substanzielle Identität des Seligsten mit dem Gräßlichsten, die innere Einerleiheit des Engelskinder-Chors mt dem Höllengelächter"[563]. Echo ist somit nicht eindeutig der Heilsbringer und göttliche Widerpart zum Teuflischen, sondern in ihm manifestiert sich noch einmal das Grundprinzip Thomas Mannscher Kunst, welche in der Auflösung fest umrissener Bereiche und im Glissando der Extreme das Ganze der Welt als Beziehungskomplex einzufangen sucht.

Wenn wir Echo als einen Widerklang klagender Künstlerexistenz in dem nur scheinbar engelhaft reinen und gegen Teufelswerk immunen Kinde interpretierten, dann schließt die Spiegelung dennoch nicht die Eigenständigkeit dieser zarten Romangestalt aus. Sie ist weder eine bloße Projektion Leverkühnscher Wesenszüge in ein unwirkliches Naturwesen, noch ist sie ein aus fernen Sphären kommender Himmelsbote gemäß dem mythischen Schema des „göttlichen Kindes". Wie bei der Erscheinung des Teufels die Grenzen zwischen Fiktion und Wirklichkeit, zwischen Himmel und Hölle aufgehoben waren, so vereinen sich in Echo die verschiedenartigsten Elemente, die nur als einzelne beschreibbar sind und dennoch in einem Beziehungsganzen eine lebendige Gestalt prägen. Mehrere literarische Reminiszenzen knüpfen sich an diese Figur und dienen als Einzelzüge dazu, das schwierige Phänomen „Echo" von verschiedenen Blickpunkten aus zu

---

[558] a. a. O. S. 687.
[559] a. a. O. S. 693.
[560] a. a. O. S. 687.

[561] D. F. S. 724.
[562] a. a. O. S. 709.
[563] a. a. O. S. 725.

beleuchten. Wenn Adrian in seiner Abschiedsrede erklärt, daß er dies „Söhnchen" mit Hyphialta gezeugt habe [564], dann wird auf eine Beziehung zu Goethes Euphorion angespielt [565]. Wilhelm Emrich [566] konnte überzeugend nachweisen, wie in dem Sproß Fausts und Helenas naturphilosophische und künstlerische Phänomene zusammenfließen und wie sich in diesem Genius der Poesie die Genese der Dichtung darstellt. Deutlicher ist die Parallele zum Verhältnis Prosperos und seines dienstbaren Luft-Geistes in Shakespeares „Tempest". Adrian komponiert während der Anwesenheit Nepomuks in Pfeiffering die Ariel-Lieder, in denen „von ihm" [567], d. h. von Echo, die Rede ist, und er muß ebenso wie der zauberkräftige Beherrscher unter- und überirdischer Kräfte am Ende seinen „Ariel" in schmerzlichem Verzicht freigeben:

„Then to the elements. Be free, and fare thou well" [568]. In diesem späten Meisterwerk des englischen Dramatikers verbindet Prospero und Ariel die gleiche verhalten-schwermütige Zuneigung, die den Umgang Adrians mit Echo kennzeichnet:

> „Ariel: Do you love me, master? No?
> Prospero: Dearly, my delicate Ariel" [569].

Das Bewußtsein einer baldigen Trennung von einem Wesen, dessen Vertrautheit dem Menschen auf die Dauer nicht vergönnt ist, überschattet das Drama von Anfang an:

> „Prospero: Why, that's my dainty Ariel!
> I shall miss thee;
> But yet thou shalt have freedom. So, so, so!" [570]

Mit Ariel verläßt ihn zugleich die magische Kraft:

> „Now I want
> Spirits to enforce, art to enchant;
> And my ending is despair" [571].

Die Haltung Prosperos in seinem Epilog entspricht weitgehend der Rechtfertigung Adrians während seiner Abschiedsrede. Beide stehen am Ende ihres Schaffens und bitten aus verzweifeltem Erlösungsbedürfnis um

---

[564] D. F. S. 745 f.

[565] Auch im Volksbuch vom Doctor Faustus zeugt Faust mit Helena einen Sohn, der zusammen mit ihr verschwindet.

[566] Wilhelm Emrich: Die Symbolik von Faust II. Sinn und Vorformen. Bonn 1957 2. Aufl. S. 348 ff.

[567] D. F. S. 700.

[568] William Shakespeare: The Complete Works; edited by Peter Alexander. London and Glasgow 1959, 6. Aufl. p. 26.

[569] a. a. O. p. 19.

[570] a. a. O. p. 13.

[571] a. a. O. Epilogue p. 26.

Vergebung. Beide dürfen nur noch Gnade erhoffen, die nicht mehr durch irdische Tat erwirkt, sondern nur aus der Sphäre des Göttlichen frei gestiftet werden könnte.

Während jedoch Prospero auf Ariel und seine Kunst gleichzeitig verzichten muß, gestaltet Adrian nach dem Hinscheiden Nepomuks noch sein letztes und größtes Werk. Seine Schaffenskraft scheint also nicht, wie die des Shakespeareschen Magiers, an seinen „Ariel" gebunden zu sein. Wenn wir bisher das Kind mit all seinen Entsprechungen zum Künstlertum Adrians als eine Art Genius der Kunst deuteten, so muß diese Interpretation nun durch einen anderen Aspekt ergänzt werden. Nepomuk erkundigt sich nach dem Alter Ariels vor und nach seiner Gefangenschaft und erhält zur Antwort, daß dieser Geist zeitlos sei, „was Echo zu befriedigen schien" [572]. Gerade durch seine Endlichkeit aber unterscheidet sich der Neffe Adrians von jenem Shakespeareschen Elementarwesen. In Echo verbindet sich das Genienhafte mit dem Menschlich-Hinfälligen, welches die Quelle seines Liebreizes, aber auch seiner Vergänglichkeit ist, da an allem Irdischen der Teufel seine Macht erproben kann. „Da aber das Kind von Fleisch und Blut und es bedungen war, daß ich kein menschlich Wesen lieben durfte, so bracht Er es um ohn Erbarmen und bedient sich dazu meiner eigenen Augen" [573]. Neben dem Engelhaften erscheinen an Echo manche Züge, die ihn als durchaus reale, menschliche Gestalt ausweisen. Obwohl in seinem Wesen etwas „Botenhaftes" [574] liegt, das an eine Herkunft aus höherem und freierem Geisterreiche denken läßt, ist er mit allen Merkmalen des schönen, aber auch ein wenig eitlen und selbstgefälligen Kindes ausgestattet. Seine Gesten begleitet ein „von Koketterie und Wissen um seinen Zauber nicht ganz freies Lächeln" [575]. Dieser harmlose und seiner Wirkung ganz und gar nicht abträgliche Zug zum Narzißmus verbindet den Knaben mit den großen Mittlergestalten Joseph und Felix Krull. Seiner Bedeutung für die Umwelt ist er sich wohl bewußt, wenn er die Erwachsenen, die ihm einen Wunsch nicht erfüllen können, geradezu tröstet, daß sie ihm nicht zu Diensten sein dürfen [576]. Alles das vermischt sich in Echo mit Hinweisen auf eine höhere Herkunft, die sich den plumpen pädagogischen Maßnahmen eines Zeitblom entzieht [577]. In Thomas Manns „Doktor Faustus" sind nicht mehr, wie bei Shakespeare, die Sphären des Menschlichen (Prospero) und Außermenschlichen (Ariel einerseits und Sycorax, Caliban andererseits) reinlich geschieden. Sie fließen vielmehr ineinander und verdichten sich als komplexes Beziehungsgeflecht in *einer* Gestalt. Echo ist nicht mehr reiner Kunstgeist, sondern zugleich ein mit allen menschlichen Zügen behaftetes Wesen. Zwar scheitert auch Goethes Euphorion an der grundsätzlichen Unmöglichkeit einer vollkommenen Synthese des Ideellen mit dem Stofflichen im Bereich der Geschichte. Aber

---

[572] D. F. S. 702.
[573] a. a. O. S. 746.
[574] a. a. O. S. 688.

[575] a. a. O.
[576] vgl. D. F. S. 698.
[577] vgl. a. a. O. S. 693.

die Aureole verweist hier noch auf eine der Welt überlegene, höhere Sphäre, wenn Goethe selbst einmal kommentiert: „Und so kehrt diese Geistesflamme, bei seinem Scheiden, wieder in die höhern Regionen zurück" [578].

Während Echo in Todesqualen einem frühen Ende entgegengeht, findet ein seltsames Gespräch zwischen Adrian und Zeitblom statt. Jener beginnt: „Ich habe gefunden, sagte er, — *es soll nicht sein.*

— „Was, Adrian, soll nicht sein?"

— „Das Gute und Edle", antwortete er mir, „was man das Menschliche nennt, obwohl es gut ist und edel. Um was die Menschen gekämpft, wofür sie Zwingburgen gestürmt, und was die Erfüllten jubelnd verkündigt haben, das soll nicht sein. Es wird zurückgenommen. Ich will es zurücknehmen."

— „Ich verstehe dich, Lieber, nicht ganz. Was willst du zurücknehmen?"

— „Die ‚Neunte Symphonie‘, erwiderte er. Und dann kam nichts mehr, wie ich auch wartete" [579].

Der Leser wird, ebenso wie Zeitblom, überrascht durch den unvermittelten Übergang vom Schicksal des kleinen Nepomuk zur Tradition der Kunst. Der Verzicht auf menschliche Lebenswärme wird parallelisiert mit der Zurücknahme einer Musik, aus der die Liebe noch nicht ausgeschlossen war. „Es soll nicht sein" ist Adrians bittere Einsicht in die Unmöglichkeit einer Vermittlung seines strengen Künstlertums mit dem, was er das „Menschliche" nennt. Sie scheitert nicht nur an der Exzentrik des eigenen Künstlerdaseins, sondern ebenso an der Infektion des vermeintlich gesunden Lebens mit dem Keim des tödlichen Verderbens. Echo war in der Reihe möglicher Vermittlergestalten der letzte Repräsentant einer ersehnten Erlösung aus dem esoterischen Dasein gewesen. In ihm, als Genius und Mensch zugleich, hatte sich noch einmal die Vereinigung von Künstlertum und Lebenserfüllung in der Nachfolge klassischer Humanität als leere Hoffnung erwiesen. Aus diesem Grunde bedeutet der Verzicht auf Echo gleichzeitig die Zurücknahme der „Neunten Symphonie". Der grauenvolle, vom Ungeheuren arrangierte Tod gibt die letzte Gewißheit, daß jeder Ausbruch aus der vorgezeichneten Bahn unmöglich geworden ist. Der wahre Kunstgenius ist für Adrian der Teufel, Echo war ein unseliger Irrtum.

Die Möglichkeit der „Hoffnung jenseits der Hoffnungslosigkeit", der „Transzendenz der Verzweiflung" [580] bleibt im Doktor Faustus" daher am Ende offen und kann sich nur als bange Frage formulieren. Das Leiden dieses Künstlers haben wir mit dem Schmerz des Denkers verglichen, dessen Geist in unserem Roman stets anwesend ist. Am 14. 11. 1886

---

[578] Goethe an ? September 1827 in: Goethe über seine Dichtungen. Hrsg. von H. G. Gräf. Frankf./M. 1901—1914. Teil II, 2. Bd. S. 410.
[579] D. F. S. 712.
[580] D. F. S. 732.

schreibt Nietzsche an Franz Overbeck: „Die Antinomie meiner jetzigen Lage und Existenzform liegt jetzt darin, daß alles das, was ich als philo-sophus radicalis nötig habe — Freiheit von Beruf, Weib, Kind, Gesellschaft, Vaterland, Glauben usw. usw. ich als ebensoviele *Entbehrungen* empfinde, insofern ich glücklicher Weise ein lebendiges Wesen und nicht bloß eine Analysiermaschine und ein Objektivations-Apparat bin" [581].

[581] Nietzsche Briefwechsel mit Franz Overbeck, S. 351.

VERZEICHNIS DER ABKÜRZUNGEN

A.   Nietzsche: Der Antichrist
D.   Nietzsche: Dichtungen
DF.   Th. Mann: Doktor Faustus
E.   Th. Mann: Erzählungen
EH.   Nietzsche: Ecce Homo
F.   Nietzsche: Der Fall Wagner
FW.   Nietzsche: Die fröhliche Wissenschaft
G.   Nietzsche: Götzendämmerung
GM.   Nietzsche: Zur Genealogie der Moral
GT.   Nietzsche: Die Geburt der Tragödie
H.   Nietzsche: Homer und die klassische Philologie
J.   Nietzsche: Jenseits von Gut und Böse
K.   Nietzsche: Kunst und Künstler
M.   Nietzsche: Morgenröte
MA.   Nietzsche: Menschliches Allzumenschliches
NW.   Nietzsche: Nietzsche contra Wagner
PW.   Nietzsche: Über das Pathos der Wahrheit
R.   Nietzsche: Rückblick auf meine zwei Leipziger Jahre
St.   Nietzsche: Studien aus der Umwertungszeit
UB.   Nietzsche: Unzeitgemäße Betrachtungen
WL.   Nietzsche: Über Wahrheit und Lüge im außermoralischen Sinne
WM.   Nietzsche: Der Wille zur Macht
WW.   Nietzsche: Wissenschaft und Weisheit im Kampfe
Z.   Nietzsche: Also sprach Zarathustra
ZZ.   Nietzsche: Aus der Zeit des Zarathustra

LITERATUR-VERZEICHNIS

Aus folgenden Werken wurde zitiert:

Dostojewski, F. M.
Die Brüder Karamasoff.
Übersetzt von E. K. Rahsin. München 1955.

George, Stefan
Gesamtausgabe der Werke.
Endgültige Fassung. 18 Bde.
Berlin 1927—1934.

Goethe, J. W. von
Werke.
Hrsg. im Auftrag der Großherzogin Sophie
von Sachsen. 133 Bde.
Weimar 1887—1919.

Gräf, Hans Gerhard
Goethe über seine Dichtungen.
3 Teile in 9 Bdn.
Frankfurt/M. 1901—1914.

Hegel, G. W. Friedrich
Ästhetik.
Hrsg. von Friedrich Bassenge.
Berlin 1955.

Hogg, James
Vertrauliche Aufzeichnungen eines gerecht-
fertigten Sünders.
Übersetzt von Peter Dülberg.
Stuttgart 1951.

Kant, Immanuel
Kritik der Urteilskraft.
Hrsg. von Karl Vorländer.
Hamburg 1959.

Mann, Thomas
Stockholmer Gsamtausgabe 1938 ff:

Mann, Thomas
Adel des Geistes. Sechzehn Versuche zum
Problem der Humanität.
Stockholm 1945.

Mann, Thomas
Doktor Faustus. Das Leben des deutschen
Tonsetzers Adrian Leverkühn erzählt von
einem Freunde.
Frankfurt/M. 1951.

Mann, Thomas
Joseph und seine Brüder. 2 Bde.
Frankfurt/M. 1952.

Mann, Thomas	Altes und Neues. Kleine Prosa aus 5 Jahrzehnten. Frankfurt/M. 1953.
Mann, Thomas	Betrachtungen eines Unpolitischen. Frankfurt/M. 1956.
Mann, Thomas	Nachlese. Prosa 1951—1955. Frankfurt/M. 1956.
Mann, Thomas	Erzählungen. Frankfurt/M. 1958.
Mann, Thomas	Einzelveröffentlichungen:
Mann, Thomas	Die Forderung des Tages. Reden und Aufsätze aus den Jahren 1925—1929. Berlin 1930.
Mann, Thomas	Lebensabriß in „Die neue Rundschau" 41. Jahrg. Bd. I. 1930, S. 732 ff.
Mann, Thomas	Neue Studien. Berlin-Frankfurt/M. 1948.
Mann, Thomas	Neue Studien. Stockholm 1948.
Mann, Thomas	Die Entstehung des Doktor Faustus. Roman eines Romans. Amsterdam 1949.
Mann, Thomas	Thomas Mann — Karl Kerényi. Gespräch in Briefen. Hrsg. von Karl Kerenyi. Zürich 1960.
Mann, Thomas	Thomas Mann an Ernst Bertram. Briefe aus den Jahren 1910—1955. Pfullingen 1960.
Musil, Robert	Der Mann ohne Eigenschaften. Hamburg 1952.
Nietzsche, Friedrich	Gesammelte Werke. Musarionausgabe 23 Bde. München 1922—1929.
Nietzsche, Friedrich	Werke in drei Bänden. Hrsg. von Karl Schlechta. München 1956.
Nietzsche, Friedrich	Briefwechsel mit Franz Overbeck. Hrsg. von Richard Oehler und Carl Albrecht Bernoulli. Leipzig 1916.

Nietzsche, Friedrich	Briefwechsel mit Erwin Rohde. Hrsg. von Elisabeth Förster-Nietzsche und Fritz Schöll. Leipzig 1923.
Nietzsche, Friedrich	Briefe an Peter Gast. Hrsg. von Peter Gast. Leipzig 1924.
Shakespeare, William	The Complete Works. Edited by Peter Alexander. London and Glasgow 1959. 6. Aufl.
Volksbuch vom Doctor Faust.	Nach der ersten Ausgabe 1587. Hrsg. von Robert Petsch. Halle 1911. 2. Aufl.

Sekundärliteratur:

Altenberg, Paul	Die Romane Thomas Manns. Bad Homburg v. d. H. 1961.
Becker, Oskar	Von der Hinfälligkeit des Schönen und der Abenteuerlichkeit des Künstlers. Eine ontologische Untersuchung im ästhetischen Phänomenbereich; in Festschrift für Edmund Husserl. Ergänzungsband zum Jahrbuch für philosophische und phänomenologische Forschung. Halle 1929. S. 27 ff.
Bertram, Ernst	Nietzsche. Versuch einer Mythologie. Berlin 1920.
Bianquis, Genviève	Thomas Mann et le „Faustbuch" de 1587 in „Etudes Germaniques" 5 (1950) S. 54—59.
Bindschedler, Maria	Nietzsche und die poetische Lüge. Basel 1954.
Böckmann, Paul	Die Bedeutung Nietzsches für die Situation der modernen Literatur in „Deutsche Vierteljahrsschrift für Literaturwissenschaft und Geistesgeschichte". Bd. 27. 1953, S. 77 ff.
Bubnoff, Nicolai v.	Friedrich Nietzsches Kulturphilosophie und Umwertungslehre. Leipzig 1924.
Bürgin, Hans	Das Werk Thomas Manns. Eine Bibliographie unter Mitarbeit von Walter A. Reichart und Erich Neumann. Frankfurt/M. 1959.

Deussen, Paul   Erinnerungen an Friedrich Nietzsche.
Leipzig 1901.

Doerne, Martin   Thomas Mann und das protestantische
Christentum in „Die Sammlung".
11. Jahrg. 1956, S. 407 ff.

Dornheim, Alfredo   Goethes „Mignon" und Thomas Manns
„Echo". Zwei Formen des göttlichen Kindes"
im deutschen Roman in „Euphorion". 46. Bd.
1952, S. 315 ff.

Emrich, Wilhelm   Die Symbolik von Faust II.
Sinn und Vorformen.
Bonn 1957. 2. Aufl.

Fink, Eugen   Nietzsches Philosophie.
Stuttgart 1960.
Urban-Bücher 45.

Gerber, Hans Erhard   Nietzsche und Goethe.
Studien zu einem Vergleich.
Bern 1954.

Greiner, Martin   Thomas Manns Faustus- Roman.
Versuch einer Struktur-Analyse in „Die
Sammlung". 9. Jahrg. 1954, S. 539 ff.

Heidegger, Martin   Nietzsche. 2 Bde.
Pfullingen 1961.

Heintel, Erich   Nietzsches „System" in seinen Grund-
begriffen.
Leipzig 1939.

Heintel, Erich   Adrian Leverkühn und Friedrich Nietzsche
in „Wissenschaft und Weltbild".
3. Jahrg. 1950, S. 297 ff.

Helbling, Carl   Die Gestalt des Künstlers in der neuen
Dichtung. Eine Studie über Thomas Mann.
Bern 1922.

Heller, Erich   Enterbter Geist.
Essays über modernes Dichten und Denken.
Wiesbaden 1954.

Heller, Erich   Thomas Mann.
Der ironische Deutsche.
Frankfurt/M. 1959.

Hellersberg-Wendriner, Anna   Mystik der Gottesferne.
Eine Interpretation Thomas Manns.
Bern-München 1960.

Hilscher, Eberhard | Thomas Manns Religiosität in „Die Sammlung". 10. Jahrg. 1955, S. 285 ff.

Holthusen, Hans Egon | Die Welt ohne Transzendenz.
Eine Studie zu Thomas Manns „Dr. Faustus" und seinen Nebenschriften.
Hamburg 1949.

Jacob, Gerhard | Thomas Mann und Nietzsche.
Zum Problem der Décadence.
Diss. Leipzig 1926.

Jaspers, Karl | Nietzsche.
Einführung in das Verständnis seines Philosophierens.
Berlin-Leipzig 1936.

Joël, Karl | Nietzsche und die Romantik.
Jena und Leipzig 1905.

Kahler, Erich | Säkularisierung des Teufels.
Thomas Manns Faust in „Die Neue Rundschau". 59. Jahrg. 1948, S. 185 ff.

Kaufmann, Fritz | „Dr. Fausti Weheklag" in Das Reich des Schönen. Bausteine zu einer Philosophie der Kunst.
Stuttgart 1960.

Kaufmann, Walter A. | Nietzsche: Philosopher, Psychologist, Antichrist.
Princeton 1950.

Koopmann, Helmut | Die Entwicklung des „intellektualen Romans" bei Thomas Mann.
Untersuchungen zur Struktur von „Buddenbrooks", „Königliche Hoheit" und „Der Zauberberg".
Bonn 1962.

Landsberg, Hans | Friedrich Nietzsche und die deutsche Literatur.
Leipzig 1902.

Langer, Norbert | Das Problem der Romantik bei Nietzsche.
Münster 1929.

Lesser, Jonas | Thomas Mann in der Epoche seiner Vollendung.
München 1952.

Lion, Ferdinand | Thomas Mann. Leben und Werk.
Zürich 1947.

Löwith, Karl	Nietzsches Philosophie der ewigen Wiederkehr des Gleichen. Stuttgart 1956. 2. Aufl.
Lukacs, Georg	Thomas Mann. Berlin 1953.
Lukacs, Georg	Beiträge zur Geschichte der Ästethik. Berlin 1956.
Mann, Victor	Wir waren fünf. Bildnis der Familie Mann. Konstanz 1949.
Marcel, Gabriel	Thomas Mann et Nietzsche. In „Hommage de la France à Thomas Mann". Paris 1955, S. 41—47.
Martin, Alfred von	Thomas Mann und Nietzsche. Zur Problematik des deutschen Menschen. In „Hochland" 46. Jahrg. 1953/54. S. 135—152.
Mayer, Hans	Thomas Mann. Werk und Entwicklung. Berlin 1950.
Mayer, Hans	Thomas Manns „Doktor Faustus". Roman einer Endzeit und Endzeit des Romans in „Von Lessing bis Thomas Mann". Pfullingen 1959, S. 383 ff.
Meyer, Herman	Zum Problem der epischen Integration in „Trivium" 8. Jahrg. (1950) S. 299 ff.
Meyer, Herman	Das Zitat in der Erzählkunst. Zur Geschichte und Poetik des europäischen Romans. Stuttgart 1961.
Milch, Werner	Thomas Manns „Doktor Faustus" in „Die Sammlung". 3. Jahrg. 1948, S. 351 ff.
Montesi, G.	Thomas Mann, der Teufel und die Deutschen in „Wort und Wahrheit". 3. Jahrg. 1948, S. 495 ff.
Müller, Joachim	Thomas Manns „Doktor Faustus". Grundthematik und Motivgefüge in „Euphorion". 54. Bd. 1960, S. 262 ff.
Nicholls, R. A.	Nietzsche in the Early Work of Thomas Mann in „University of California Publications in Modern Philology". Volume 45. 1955.

Olzien, Otto H.

Nietzsche und das Problem der dichterischen Sprache.
Berlin 1941.

Riehl, Alois

Friedrich Nietzsche.
Der Künstler und der Denker.
Stuttgart 1901.

Rohde, Peter P.

Thomas Mann og Nietzsche in
„Åndsmeneskets Ansvar".
Oslo 1955, S. 61—76.

Rychner, Max

Thomas Mann und die Politik in „Welt im
Wort". Literarische Aufsätze.
Zürich 1949.

Schlechta, Karl

Nietzsches großer Mittag.
Frankfurt/M. 1954.

Sell, Friedrich

Ein Kommentar zu Thomas Manns „Doktor
Faustus" in „Die Wandlung". Jahrg. III.
1948, S. 403 ff.

Sørensen, Bengt Algot

Thomas Manns „Doktor Faustus".
Mythos und Lebensbeichte. In „Orbis Litterarum". 13. 1958, S. 81 ff.

Wiese, Benno von

Der Künstler und die moderne Gesellschaft
in „Akzente" 1958. Heft 2, S. 112 ff.

Wilkinson, Elizabeth, M.

J. W. Goethe: Torquato Tasso in „Das
deutsche Drama".
Hrsg. von Benno von Wiese.
Düsseldorf 1958, Bd. I, S. 193 ff.

Wolff, Hans M.

Friedrich Nietzsche.
Der Weg zum Nichts.
Bern 1956.

Zeitler, Julius

Nietzsches Ästhetik.
Leipzig 1900.

Zuckerkandl, Viktor

Die Musik des Doktor Faustus in
„Die Neue Rundschau".
1948, S. 203 ff.

BONNER ARBEITEN ZUR DEUTSCHEN LITERATUR

Herausgeber Benno von Wiese

ABHANDLUNGEN ZUR
KUNST-, MUSIK- UND LITERATURWISSENSCHAFT

H. BOUVIER u. Co. VERLAG . BONN

H. BOUVIER u. Co. VERLAG . BONN

Werkdruckerei H. Crone, 4559 Ankum, Bez. Osnabrück.